सुनील सीरीज

# डबल गेम

## सुरेन्द्र मोहन पाठक

डबल गेम

(सुनील सीरीज-120)

© सुरेन्द्र मोहन पाठक 2012

ISBN : 978-93-80871-54-7

*पत्राचार के लिये लेखक का पता :*

**सुरेन्द्र मोहन पाठक**

पोस्ट बाक्स नम्बर : 9426

दिल्ली-110051

**राजा ऑनलाइन बुक स्टोर**

अब आप हमारे ऑनलाइन बुक स्टोर www.rajapocketbooks.com पर अपनी पसंद की पुस्तकें ऑर्डर कर सकते हैं। इस स्टोर पर आप क्रेडिट कार्ड, बैंक ट्रांसफर, पोस्टल मनी ऑर्डर, आदि कई पेमेंट विकल्पों द्वारा पेमेंट कर सकते हैं। आपकी आदेशित पुस्तकें रजि. पोस्ट अथवा स्पीड पोस्ट से तुरंत भेज दी जाएंगी। आज ही www.rajapocketbooks.com पर जाएं।

•

प्रकाशक

**राजा पॉकेट बुक्स**

330/1, बुराड़ी, दिल्ली-110084

फोन : 27611410, 27612036, 27612039

•

वितरक

**राजा पॉकेट बुक्स**

112, फर्स्ट फ्लोर, दरीबा कलां,

दिल्ली-110006

फोन : 23251092, 23251109

•

मुद्रक

**राजा ऑफसेट**

1/51, ललिता पार्क

लक्ष्मी नगर, दिल्ली-110092

---

**DOUBLE GAME : (SUNIL SERIES)**

*SURENDER MOHAN PATHAK*

---

**मूल्य : अस्सी रुपए**

सच का गला झूठ उतना नहीं घोंटता
जितना कि खामोशी घोंटती है।

# डबल गेम

**'सुनील सीरीज' का नवीनतम उपन्यास**

टॉप मिस्ट्री राइटर

## सुरेन्द्र मोहन पाठक

की करिश्माई लेखनी का नया जलजला

## राजा पॉकेट बुक्स

की गौरवशाली प्रस्तुति

VZ1240 6341

# सुरेन्द्र मोहन पाठक की राजा पॉकेट बुक्स
## में उपलब्ध रचनायें

| सुधीर सीरीज | | थ्रिलर | | विमल सीरीज | |
|---|---|---|---|---|---|
| प्यादा | 60/- | मकड़जाल | 40/- | जाना कहां | 100/- |
| चोरों की बारात | 80/- | ग्रैंड मास्टर | 40/- | मौत का खेल + दौलत और खून | 60/- |
| | | वहशी (मुकेश माथुर) | 30/- | पैंसठ लाख की डकैती | 60/- |
| **सुनील सीरीज** | | आठ दिन (विकास गुप्ता) | 40/- | चैम्बूर का दाता | 80/- |
| भक्षक | 30/- | मिडनाइट क्लब (जीता) | 60/- | | |
| जाल | 60/- | धोखा (विवेक आगाशे) | 60/- | लाल निशान | 80/- |
| बिचौलिया | 40/- | तीसरा वार (विवेक आगाशे) | 60/- | सदा नगारा कूच का | 80/- |
| नकाब | 60/- | गवाही (थ्रिलर) | 60/- | | |
| धब्बा | 75/- | | | | |
| डबल गेम | 80/- | (प्रस्तुत उपन्यास) | | | |

### भड़कीली दुनिया (जोक बुक) 60/-

| Laff Factory Vol.-1 | 60/- | Laff Factory Vol.-3 | 60/- |
|---|---|---|---|
| **Laff Factory Vol.-2** | **60/-** | **Laff Factory Vol.-4** | **60/-** |

अपने निकट के पुस्तक विक्रेता, रोडवेज बुक स्टाल, ए.एच. व्हीलर एंड कंपनी व सभी रेलवे बुक स्टालों से खरीदें, न मिलने पर कोई भी 300/- या अधिक मूल्य के उपन्यासों का मनीऑर्डर **राजा पॉकेट बुक्स 330/1, बुराड़ी, दिल्ली-110084** के पते पर भेजकर घर बैठे प्राप्त करें। डाक व्यय माफ। अपना फोन नम्बर अवश्य दें।

# लेखकीय

मेरा नवीनतम उपन्यास 'डबल गेम' आपके हाथों में है। क्रॉनोलॉजिकल रिकार्ड के लिये उद्धृत है कि प्रस्तुत उपन्यास पॉकेट बुक्स में प्रकाशित मेरी अब तक की कुल रचनाओं में 284वां और सुनील सीरीज में 120वां है। उपन्यास मैंने बड़े परिश्रम से लिखा है, कलेवर में भरपूर है और इसमें उन तमाम खूबियों का समावेश है जिसकी वजह से सुनील सीरीज मकबूल है। उपन्यास के प्रति आपकी अमूल्य, निष्पक्ष राय की हमेशा की तरह मुझे प्रतीक्षा रहेगी। अपनी राय अवश्य प्रेषित करें, निसंकोच प्रेषित करें, वो जैसी भी होगी मेरे सिर माथे होगी।

□

मेरा पूर्वप्रकाशित उपन्यास 'चोरों की बारात' था जो मोटे तौर पर खूब पसंद किया गया था लेकिन एक शिकायत तकरीबन तमाम पाठकों को हुई थी कि उपन्यास में उन एलीमेंट्स का अभाव था जिनकी वजह से 'सुधीर सीरीज' पसंद की जाती थी। सुधीर का सही किरदार—खास तौर से उसका 'दिल्ली और आसपास चालीस कोस तक मशहूर, हरामीपन—दिल्ली में ही मुनासिब तौर पर उजागर होता था, इसलिये मुझे सुधीर के दिल्ली से बाहर के कारनामों से परहेज करना चाहिये। यहां तक कि उपन्यास से सुधीर का नाम हटा कर कोई और नाम जड़ दिया जाता तो कोई फर्क न पड़ता।

मैं उपरोक्त से पूर्णतया सहमत तो नहीं, लेकिन फिर भी अपने पाठकों की बेशकीमती राय के आगे नतमस्तक हूं और उन्हें आश्वासन देता हूं कि भविष्य में सुधीर का कार्यक्षेत्र हमेशा दिल्ली ही चित्रित करूंगा।

उपरोक्त आम शिकायत के बावजूद 'चोरों की बारात' पाठकों को तेजरफ्तार और एक्शन से भरपूर लगा, उन्होंने नेपाल की—विशेष रूप से राजधानी काठमाण्डू की—सैर का भरपूर आनंद उठाया और इस बात से उन्होंने खासतौर से राहत महसूस की कि आदत से मजबूर सुधीर कोहली ने पायल का बैंड बाजा बजा देने की कोई कोशिश न की। इस संदर्भ में सिकंदराबाद के संदीप शुक्ला कहते हैं कि उपन्यास के पृष्ठ 30-32 पर तो उनकी जान सूख गयी थी कि सुधीर ने नादान बाला का मानमर्दन किया कि किया।

मेरे नियमित पाठक, दिल्ली के नारायण सिंह को उपन्यास बेहद उम्दा लगा, उपन्यास के माध्यम से नेपाल घूमना उन्हें खूब भाया और बकौल उनके, इस एक जुमले ने किताब की पूरी कीमत वसूल करवा दी कि 'जिंदगी को एक सिग्रेट की तरह एंजाय करो वर्ना सुलग तो रही ही है, एक दिन वैसे ही खत्म हो जानी है'। उनकी निगाह में ये जुमला हर चौराहे पर एक होर्डिंग की तरह लगना चाहिये ताकि लोगों को अपनी परेशानियों से लड़ने का हौसला मिल सके।

गोंदिया के शरद कुमार दुबे को गर्व है कि वो मेरे पाठक हैं और उन्हें मिस्टर लोबो और पायल के किरदार ने सुधीर से भी ज्यादा मुतमइन किया।

चरौली, मुजफ्फरनगर के क्यूम सैफी का मेरे प्रति अनुराग जताने का अपना तरीका है। उनका कहना है कि जब उन्होंने 'सदा नगारा कूच का' में लेखकीय न देखा तो उन्होंने सहज ही सोच लिया कि उनका पसंदीदा लेखक अब इस दुनिया में नहीं था। बहरहाल 'चोरों की बारात' से उनका ये भ्रम टूटा और उन्होंने उपन्यास को नये उत्साह के साथ पढ़ा और खूब एंजाय किया।

गाजियाबाद के संजय कुमार मिश्र की राय में सुधीर कोहली ने अगर एक मोबाइल पास रखा होता तो उसकी काफी परेशानियां दूर हो जातीं। अगर उसने इंटरनेट पर कृष या अपराधी का नाम डाल कर सर्च मारी होती तो उसे तुरंत पता चल जाता कि किस्सा क्या था।

बांदा के अश्वनी कुमार पाण्डेय को सुधीर के किरदार की इस नयी बानगी ने बहुत प्रभावित किया कि उसने क्लायंट की बेटी और अपने से आधी उम्र की 'राजी' लड़की को नकार कर बिना कैरेक्टर वाला होते हुए भी कैरेक्टर दिखाया। ये बात उन्होंने तब कही जबकि वो सुधीर को हरामी नहीं, प्रैक्टीकल मानते हैं।"

□

महानगर मुम्बई को घटनास्थल बना कर मैंने कई उपन्यास लिखे हैं। विमल सीरीज के तीन चौथाई उपन्यासों का और जीत सिंह सीरीज के तमाम उपन्यासों का घटनास्थल मुम्बई है। मेरे कई थ्रिलर उपन्यासों का घटनास्थल भी मुम्बई है लेकिन जो दिलचस्प, काबिलेगौर, काबिलेजिक्र बात है, वो ये है कि मुम्बई को चित्रित करने वाले इतने सारे उपन्यास लिखे होने के बावजूद मुम्बई की बाबत मेरी फर्स्ट हैण्ड नॉलेज जीरो थी। एक बार जबकि मैं दसवीं जमात में पढ़ता था, दिल्ली सरकार द्वारा प्रायोज़ित दिल्ली के स्कूली बच्चों के एक भारत दर्शन टूर में शामिल मैं मुम्बई गया था। लेकिन तब मैंने वहां वही कुछ देखा था जो कि किसी पर्यटक को दिखाया जाता है और जो बाद में बतौर लेखक मेरे किसी काम का न था। तब की कोई बात मुझे बाद में याद रही तो वो यही थी कि फ्लोरा फाउंटेन पर मनीला, फिलीपाइंस से आयतित टी-शर्ट पांच रुपए की मिली थी, लोकल ट्रेन तकरीबन हर वक्त हर जगह के लिए उपलब्ध होती थी, सड़कों पर घोड़ा गाड़ी दौड़ती थी जो कि विक्टोरिया कहलाती थी और टैक्सियां दो प्रकार की चलती थीं—एक बड़ी और एक छोटी। बड़ी टैक्सी आज जैसी ही थी लेकिन छोटी टैक्सी तीन सवारी बिठाती थी और उसका किराया बड़ी टैक्सी से काफी कम होता था। दूसरी यादगार बात ये थी कि छोटी टैक्सी आस्टिन और हिलमैन जैसी विदेशी कारें होती थीं जब बड़ी टैक्सी तब भी अधिकतर फियेट थीं और आज भी हैं।

मेरे पाठक मेरे से आम सवाल करते हैं कि मुम्बई की इतनी व्यापक, इतनी विस्तृत जानकारी मुझे क्योंकर थी, क्योंकर मैं वहां के हर इलाके का, हर गली कूचे का बारीक, दुरुस्त वर्णन कर पाता था, क्योंकर मैं लोकल किरदारों का ऐसा सटीक चित्रण कर पाता था और उनसे फैंसी मुम्बईया भाषा बुलवा पाता था। मेरा जवाब है कि ये सब मेरी लग्न की वजह से और आंख

कान खुले रखने की आदत से ही हो पाया। मेरे मुम्बईया उपन्यास मकबूलियत हासिल करने लगे तो मैंने मुम्बई से सम्बंधित टूरिस्ट लिटरेचर का अध्ययन करना शुरू किया और अखबारों और पत्रिकाओं से वो कटिंग निकालनी शुरू कीं जिन में मुम्बई और उसके आसपास के महाराष्ट्र का वर्णन होता था। रोबदार मराठा नामों की बाकायदा मैंने एक लिस्ट तैयार की और उसमें मुतवातर इजाफा जारी रखा। एडवांस में की गयी ये तमाम कागजी तैयारियां मुम्बई के और उसके जनजीवन के चित्रण में मेरे काम आयीं और अपने पाठकों के बीच ये भ्रम बनाये रखने में मैं कामयाब हुआ कि मैं मुम्बई के चप्पे चप्पे से वाकिफ था। ऐसी किताबी जानकारी पर निर्भर करने से अक्सर गलतियां भी हुईं जिनकी वजह से अपने सुबुद्ध, जागरूक पाठकों के बीच मुझे शर्मिंदा होना पड़ा लेकिन उन गलतियों को हमेशा मैंने सिर माथे लिया और उन्हें सम्बंधित उपन्यास के अगले संस्करण में सुधारा। मसलन :

मुझे नहीं मालूम था कि लोकल ट्रेन में टायलेट नहीं होता था जबकि मेरे उपन्यास 'कागज की नाव' का मूल आधार ही यही था कि उपन्यास के एक प्रमुख किरदार लालचंद हजारे का बटुवा लोकल में सफर करते वक्त उसके टायलेट में गिर गया था। अपनी इस ब्लंडर की खबर लगने पर मैंने उसे अगले संस्करण में ये लिखके सुधारा था कि हजारे लोकल में नहीं, एक लांग डिस्टेंस ट्रेन में सफर कर रहा था।

बांद्रा बैंडस्टैंड मुम्बई में फिल्म स्टार्स के पसंदीदा इलाके बांद्रा में है, समुद्र तट पर है, शाहरुख खान के 'मन्नत' नामक आलीशान दौलतखाने के सामने है और महज एक आम जगह का आम नाम है, बांद्रा के एक समुद्री कोने की शिनाख्त का जरिया है जबकि टूरिस्ट लिटरेचर में उसकी बाबत पढ़ कर मेरी कमअक्ली ने ये नतीजा निकाला था कि वहां बैंड बजता था और वो पब्लिक परफारमेंसिज का एक प्लेटफार्म था। गनीमत यही हुई, इज्जत इसी बात ने बचाई कि मैंने एक लैंडमार्क के तौर पर बांद्रा बैंडस्टैंड का अपने उपन्यासों में जिक्र किया, ये कहने के हिमाकत से मैं बच गया कि वहां बैंड बजता था।

मुम्बई में रेल के मुम्बई सैंट्रल और छत्रपति शिवाजी (पुराना नाम वीटी—विक्टोरिया टर्मिनस) नामक दो टर्मिनल हैं। मैं आज तक नहीं समझ सका कि लम्बे रूट्स की कौन सी गाड़ियां मुम्बई सैंट्रल पर और कौन सी वीटी पर आकर खत्म होती हैं। इस वजह से कई बार ये गलती हुई कि जिस ट्रेन का समापन मैंने मुम्बई सैंट्रल पर लिखा, बाद में मालूम हुआ कि वो दूसरे ट्रैक से होती हुई विक्टोरिया टर्मिनस पर जा कर खत्म होती थी।

उपरोक्त सरीखी और भी कई गलतियां मेरे से मुम्बई के चित्रण में हुईं जिनकी बाबत मेरी एक ही पनाह है कि जिस बात से मैं वाकिफ नहीं, उससे मेरे अधिकतर पाठक भी वाकिफ नहीं; जैसे मेरी मुम्बई की जानकारी किताबी है, वैसे मेरे अधिकतर पाठकों की जानकारी भी किताबी है, या है ही नहीं।

लिहाजा अज्ञान ही वरदान है।

मेरे सरीखे एक प्रसिद्ध लेखक और भी हैं जिनका सन 2010 में 84 साल की उम्र में देहांत हुआ। लेखक ब्रिटिश हैं और उनका नाम हेनरी रेमंड फिट्ज-फाल्टर कीटिंग है लेकिन जो उपन्यास जगत में एचआरएफ कीटिंग के नाम से बेहतर जाने जाते हैं। कीटिंग की जो विशेषता उपरोक्त के संदर्भ में जिक्र के काबिल है वो ये है कि विलायती क्राइम फिक्शन राइटर के तौर पर मकबूल हुए होने के बावजूद उनकी एक प्रसिद्ध जासूसी सीरीज का हीरो सीआईडी इंस्पेक्टर गणेश घोटे नाम का मराठा था, उसका कार्यक्षेत्र मुम्बई था जबकि इस सीरीज के नौ नावल लिख चुकने तक लेखक ने कभी मुम्बई की शक्ल नहीं देख थी, कभी भारत में ही उनके कदम नहीं पड़े थे। सन 1988 में उनके एक उपन्यास पर आधारित 'दि परफेक्ट मर्डर' नाम की एक फिल्म बनी थी जिसको 'हाउसहोल्डर' और 'शेक्सपियर वाला' जैसी प्रसिद्ध फिल्मों के निर्माताद्वय जेम्स आइवरी और इस्माइल मर्चेंट की टीम ने बनाया था। फिल्म में इंस्पेक्टर घोटे का किरदार नसरुद्दीन शाह ने निभाया था और उसके अन्य एक्टर अमजद खान, रत्ना पाठक शाह, स्टेलान स्कार्सगर वगैरह थे। फिल्म का निर्देशन विज्ञापन फिल्मों के निर्माता जफर हाय ने किया था लेकिन इतने बड़े बड़े नाम फिल्म को बाक्स आफिस पर ढ़ेर होने से नहीं बचा सके थे।

उपरोक्त फिल्म के निर्माण के दौरान सन 1987 में लेखक के कदम पहली बार मुम्बई में पड़े थे और उन्हें मालूम हुआ था कि जिस महानगर को वो नौ बार अपने उपन्यासों में चित्रित कर चुके थे, असल में वो कैसा था।

कैसे वो एक कतई नावाकिफ जगह का इतना सटीक चित्रण कर पाते थे और क्यों उन्होंने उस जगह को अपने उपन्यासों के घटनास्थल के तौर पर चुना था?

ऐसा कहा जाता है कि अपने शुरुआती उपन्यासों को इस ब्रिटिश लेखक ने अमेरिका के प्रकाशकों को बेचने की कोशिश की थी लेकिन कोशिश नाकाम रही थी। अमेरिका के प्रकाशक उन उपन्यासों की पृष्ठभूमि में कोई अछूती, असाधारण सैटिंग चाहते थे और उपन्यासों में एक सैंट्रल कैरेक्टर चाहते थे ताकि उन्हें एक सीरीज के तौर पर—जिसका कि उन दिनों बहुत रिवाज था—प्रकाशित किया जा पाता। नई सैटिंग, नये घटनास्थल की तलाश में लेखक ने एटलस को खंगालना शुरू किया तो उनकी तवज्जो और तलाश भारत पर जा कर अटकी और एक अछूती और असाधारण सैटिंग की सम्भवनायें उन्हें भारत के महानगर मुम्बई में दिखाई दीं जिस पर तब भी अंग्रेजी हकूमत का असर बाकी था और जो रखरखाव में कोई योरोपियन महानगर ही जान पड़ता था।

यूं अंतर्राष्ट्रीय जासूसी उपन्यास शृंखला में नये हीरो इंस्पेक्टर गणेश घोटे का जन्म हुआ और उसके माध्यम से मुम्बई और मुम्बई पुलिस का व्यापक चित्रण सामने आया।

लेखक ने मुम्बई का ज्ञान कैसे अर्जित किया?

इस बाबत कीटिंग किसी स्थानीय पुलिस अधिकारी से कोई मदद ली होने से इंकार करते हैं और दावा करते हैं कि मुम्बई की बाबत उन्होंने जो भी ज्ञान अर्जित किया

था, मुम्बई से सम्बंधित पुरानी पुस्तकों का अध्ययन करके किया था। लेकिन असल में एक अंग्रेज एडवरटाइजिंग एग्जिक्यूटिव—जो कि मुम्बई में कई साल सक्रिय रहा था—लेखक की मुम्बई की बाबत विस्तृत जानकारी का साधन बना था।

बहरहाल ये कोई छोटी मोटी बात नहीं कि एक अंग्रेज लेखक ने अपनी मिस्ट्री सीरीज का हीरो एक मराठा पुलिस अधिकारी को बनाया और उसके कार्यक्षेत्र के तौर पर मुम्बई को चुना जिसको सीरीज के नौ नावल लिख चुकने के बाद तक उसने कभी विजिट नहीं किया था। इस सीरीज का आखिरी नावल 'एक स्माल केस फॉर इंस्पेक्टर घोटे' था। लेकिन क्या आखिरी क्या पहला, एचआरएफ कीटिंग का इंस्पेक्टर घोटे सीरीज का कोई भी उपन्यास आज इंडियन बुक मार्केट में उपलब्ध नहीं और न ही आज का कोई पाठक इंस्पेक्टर घोटे या उसके प्रणेता एचआरएफ कीटिंग के नाम से वाकिफ है।

☐

वारेन बीटी एक ओस्कार विजेता एक्टर-डायरेक्टर हैं और प्रसिद्ध अभिनेत्री शर्ले मैंक्लेन के सगे भाई हैं। लेकिन उनके बारे में जो काबिलेगौर है, काबिलेजिक्र है वो ये है कि 12,775 स्त्रियों का मानमर्दन कर चुके हैं। ये दावा पीटर बिस्किंड नाम के एक लेखक ने अपनी 'स्टार : हाउ वारेन बीटी सिड्यूस्ड अमेरिका' शीर्षक पुस्तक में किया है। इस स्कोर का मतलब है कि अपने 35 साल के अविवाहित जीवन में वो रोज एक लड़की के साथ हमबिस्तर होते रहे। 'बोनी एण्ड क्लायड' नामक क्लासिक फिल्म के इस हीरो का नाम 76 वर्षीया जोन कॉलिंस से और 51 वर्षीया सिंगर अभिनेत्री मैडोना से भी जुड़ा है। जिन अन्य अभिनेत्रियों से उनके यौन सम्बंध रहे बताये जाते हैं वो हैं : जेन फोंडा, लेस्ली केरोन, जूली क्रिस्ट्री, इसाबेल अदजानी और डियान कीटन।

ये बात भी गौरतलब है कि उपरोक्त स्कोर उनके सीरियस अफेयर्स का है जिनमें बेशुमार डे टाइम क्विकीज की, ड्राइव-बाइज की, कैजुअल हाथापाई की, चोरी के चुम्बनों की कोई गिनती नहीं।

लेखक के दावे के विपरीत स्टार को उपरोक्त तमाम दावों से इंकार है जबकि खुद अपनी जुबानी कुबूल करते हैं कि 72 वर्षीया जेन फोंडा उन्हें गे समझती थी फिर भी दोनों की खूब गुजरी थी।

"ओ माई गॉड!"—वारेन बीटी खुद अपनी जुबानी फरमाते हैं—"हमारे में इस हद तक चुम्बनों का आदान प्रदान होता था कि लगता था एक दूसरे को खा ही जायेंगे।"

बाद में उन्होंने जेन फोंडा से नाता तोड़ लिया था और उस से भी ज्यादा उम्र की जोन कालिंस के दीवाने हो गये थे।

ऐसा रंगीला राजा बीस साल का हो जाने तक सम्भोग सुख नहीं प्राप्त कर सका था।

अब तक मैंने बादशाह सुलेमान के बारे में सुना था जिसकी कि एक हजार मलिकायें थीं लेकिन 12,775 का स्कोर तो यकीनन सुलेमान को शर्मिंदा ही करता होगा।

और लार्ड बायरन की रूह भी कब्र में करवटें ही बदलती होगी जिसका दावा था कि 'मदर आई शुड नाट, क्वीन आई कुड नाट, माई ब्लड इज रनिंग थ्रू होल इंगलैंड'। यानी 'मां के साथ 'ऐसा' करना नहीं चाहिये, मलिका के साथ 'ऐसा' कर न सका, बाकी सारे इंगलैंड में मैंने किसी को नहीं छोड़ा'। ये हाल तब था जबकि कविवर लंगड़े थे और छत्तीस साल की उम्र तक पहुंचते स्वर्ग सिधार गये थे।

लार्ड बायरन के बारे में कहा जाता है कि उन्होंने कुमारी बालाओं का ही कौमार्य भंग नहीं किया, किशोर छोकरों के साथ भी सैक्स किया। जमा 300 बालिग, उम्रदराज औरतों का भी भोग लगाया जिनमें उनकी आया और उनकी सौतेली बहन भी शामिल थी। बायरन अभी सिर्फ नौ साल का था जबकि अपनी आया के साथ, अपने हैरो के स्कूल के कई सहपाठियों के साथ और अपनी सौतेली बहन—जिसका नाम आगस्ता ले था और जो कि तब विवाहित थी—के साथ यौन सुख की प्राप्ति कर चुका था।

बायरन की बेशुमार माशूकों में से एक लेडी कैरोलीन लैम्ब थी जिसका 'बेचारा' पति विलियम बाद में लार्ड मेलबॉर्न बना, और बाद में इंगलैंड का प्रधानमंत्री बना। कैरोलीन का अकेले बायरन से ही अफेयर नहीं था, उसके और भी कई ब्वायफ्रेंड थे जिन्हें वो अपने गुप्तांग के घुंघराले बालों के घुंघर उपहारस्वरूप भेजा करती थी। ऐसा एक खास घुंघर बायरन के लिये काटते समय कैंची स्लिप कर गयी थी और वो अपने नाजुक अंग को घायल कर बैठी थी। जवाबी कार्यवाही के तौर पर बायरन ने अपना एक घुंघर माशूक को भिजवाया था लेकिन खास एहतियात बरती थी कि कैंची स्लिप न करने पाये।

अब सवाल ये है कि हम भारतवासी, एकपत्नीव्रत के उपासक, कैसे वारेन बीटी या लार्ड बायरन सरीखे महानुभावों की बुलंदियों तक पहुंच सकते हैं? कैसे हम अपनी इस संस्कारगत बंदिश को भूल सकते हैं कि :

बेगानी नार, बिजली की तार; हत्थ नहीं लाउना।

☐

आगामी नये उपन्यास में मेरा इरादा आपकी मुलाकात 'गवाही' के करप्ट पुलिस इंस्पेक्टर नीलेश गोखले से कराने का है। उपन्यास के कथानक की रूपरेखा मैंने तैयार कर ली है, किन्हीं अपरिहार्य कारणों से उसे कागज पर उकेरने की नौबत अभी नहीं आयी है। बहरहाल इसे सुनिश्चित जाने कि, कयामत ही न बरपा जाये, आसमान ही न फट पड़े तो प्रस्तुत उपन्यास की प्रकाशन तिथि में और उस आगामी उपन्यास के आपके हाथों में पहुंचने तक में तीन महीने से ज्यादा का अंतराल हरगिज न होगा।

उपन्यास का नाम, खेद है कि, अभी निर्धारित नहीं है।

'डबल गेम' के प्रति आपकी अमूल्य, निष्पक्ष राय की प्रतीक्षा में,

विनीत

दिल्ली-110051
23-08-2012

**सुरेन्द्र मोहन पाठक**

# डबल गेम

सुनील 'ब्लास्ट' के ऑफिस में अपने केबिन में मौजूद था जब कि फोन की घंटी बजी।

घंटी एक बार बज के बंद हो गयी थी इसलिये उसे मालूम था स्विच बोर्ड से 'ब्लास्ट' की रिसैप्शनिस्ट-कम-टेलीफोन-आपरेटर रेणु ने बजाई थी।

"हां।"—वो माउथपीस में बोला—"बोलो।"

"बोलूं?"—रेणु की आवाज आयी।

"हां।"

"क्या?"

"पूछती है क्या! अरे, घंटी दी न!"

"तो तहजीब से पूछो क्यों दी! तुम तो ईंट मार रहे हो!"

"रेणु, रेणु, क्यों सुबह सवेरे कलपा रही है!"

"मैं कलपा रही हूं! या तुम..."

"रख रहा हूं।"

"क्या फायदा होगा? मैं फिर घंटी बजा दूंगी।"

"ओ, माई गॉड..."

"गॉड याद आ गया तो सुनो। एक अम्मा जी तुम से मिलना चाहती हैं।"

"अम्मा जी!"

"जवान लड़की की मां अम्मा जी ही तो होगी, उसकी हमउम्र तो नहीं होगी!"

"तुझे क्या पता वो जवान लड़की की मां है?"

"तुम्हें बाई नेम पूछ रही है, यूं पता।"

"क्यों?"

"लो! पूछते हो क्यों! जिस की जवान लड़की फुला दी, वो..."

"क्या बकती है!"

"और वो भला क्यों पूछेगी तुम्हें!"

"अरे, सौ वजह हो सकती हैं।"

"हो सकती हैं। एक सौ एक भी हो सकती हैं।"

"तौबा!"

"ऐ हवस के गुलाम सब्ज शहजादे, ऐ औरत की अस्मतफरोश पूरे पौने आधे, अब भुगत अपनी करनी को। बेटी के लब तेरे जद्दोजलाल के आगे खामोश हैं लेकिन मां तेरा बैंड बाजा टीन कनस्तर बजा के जायेगी। बैठी है तेरे दर पै कुछ करके उठेगी, या बेटी का इंसाफ होगा या मरके उठेगी।"

"ये सब तू उसके सामने कह रही है?"

"हां।"

"अरे, सत्यानाश हो तेरा…।"

"नहीं।"

"क्या बोला?"

"वो दूर बैठी है।"

"शुक्र है। अब ठीक से बता कौन है, क्या चाहती है!"

"कोई सैंसेशनल स्टोरी है उसके पास, यहां किसी को सुनाना चाहती है।"

"किसी को?"

"हां।"

"किसी को भी?"

"अरे, हां, भई।"

"अभी तो तू कह रही थी मुझे बाई नेम पूछ रही थी!"

"जवान लड़की फुला दी होने की कहानी में उसका बाई नेम तुम्हें पूछना बनता था।"

"मुझे! 'ब्लास्ट' में डेढ़ सौ मुलाजिम हैं!"

"मैं किसी और की ऐसी फितरत से वाकिफ नहीं।"

"कैसी फितरत से? मैं रेपिस्ट हूं? मोलेस्टर हूं? सैक्स मैनियाक हूं?"

"अभी इतने गुण तो तुममें नहीं हैं लेकिन कोशिश जारी रखोगे, प्रैक्टिस जारी रखोगे तो…"

"तेरी बारी भी आ के रहेगी।"

वो हंसी।

"आये न!"—फिर बोली—"सौं रब दी, सारी खतायें माफ कर दूंगी।"

"नौटंकी काफी हो गयी हो तो उसको बोल मेरे पास आने को।"

"बोलती हूं लेकिन…"

"अभी भी लेकिन!"

"…ये जान लो कि खण्डहर बताते हैं कि इमारत बुलंद थी।"

"मतलब?"

"मैंने उसको अम्मा जी बोला तो मतलब ये नहीं कि वो कोई सफेद बालों वाली बूढ़ी फां फां है।"

"क्या कहना चाहती है?"

"अंगूर का मजा किशमिश में मत तलाशने लग जाना।"

"तू नशे में है। तू जरूर नशे में है।"

"क्या बकते हो!"

"या फिर तू रेणु नहीं है।"

"नानसेंस!"

"रेणु है?"

"हां।"

"तो क्यों सुबह सुबह मेरे कैरेक्टर का पुलंदा बांधने पर तुली हुई है!"

"अच्छा लगता है।"

"अच्छा लगता है!"

"कभी कभी।"

"तेरी खैर नहीं।"

"न सही। तुम्हारी तो है न! तुम्हारी खैर पर मेरी खैर कुर्बान। क्योंकि"—आगे वो तरन्नुम में बोली—"नित खैर मंगा सोहनया मैं तेरी, दुआ न कोई होर मंगदी।"

"रेणु, रेणु, ये बकवास कब बंद होगी?"

"जब तुम वादा करोगे कि शाम को ड्रिंक्स डिनर पर ले के चलोगे।"

"ड्रिंक्स भी?"

"करैक्शन। ड्रिंक। सिंगुलर। एक वचन। वो भी छोटा। छोटर दैन राजपाल यादव। मैडीसिनल।"

"फार्म 256 बी पर ट्रिप्लीकेट में अप्लाई कर। वेटिंग लिस्ट का टोकन मिलेगा। बारी का इंतजार करना।"

"क्या बोला?"

"ओरीजिनल पर डिपार्टमेंट हैड की एनडोर्समेंट भी होनी चाहिये।"

"लड़के, अपनी मामा से ऐसे पेश आयेगा?"

"मामा को शर्म नहीं आती लड़के से ऐसे पेश आते? कहती है मैंने जवान लड़की फुला दी!"

"अच्छा अच्छा।"

"क्या अच्छा अच्छा?"

"अब मजाक करना भी गुनाह हो गया!"

"मजाक का कोई वक्त होता है, कोई ढ़ब होता है, कोई दस्तूर होता है..."

"मुझे नहीं आता खसमाखाना वक्त का ढ़ब या दस का तूर।"

"सीख।"

"सिखाओ।"

"ठीक है। अब पीछा छोड़।"

"प्लीज बोलो!"

"प्लीज।"

"प्रेटी प्लीज!"

"प्रेटी प्लीज।"

"विद शूगर आन इट।"

"बंद करता हूं और टेलीफोन को सॉकेट से उखाड़कर डस्टबिन में फेंकता हूं।"

“सर, दि लेडी इज आलरेडी आन दि वे।”—फौरन रेणु को लहजा संजीदा हुआ—“बाई दि वे, हर नेम इज अचला तलवार।”

तभी दरवाजे पर दस्तक पड़ी।

“थैंक्यू।”

उसने रिसीवर क्रेडल पर रखा और केबिन के खुलते दरवाजे की तरफ तवज्जो दी।

एक दोहरे बदन वाली, ठस्सेदार महिला केबिन में दाखिल हो रही थी।

सुनील ने अपलक उसका मुआयना किया।

उम्र के लिहाज से वो पचास के पेटे में जान पड़ती थी और खंडहर किसी भी लिहाज से नहीं थी—इमारत अभी भी काफी हद तक बुलंद थी। उसके नयन नक्श सुथरे थे, रंग गोरा था और बाल बिना डाई के इस्तेमाल के भूरापन लिये काले थे।

सुनील की तरफ देखती वो बड़े संजीदा अंदाज से मुस्कराई।

सुनील ने उठकर उसका अभिवादन किया और बोला—“विराजिये।”

“थैंक्यू।”—वो एक विजिटर चेयर पर ढ़ेर होती बोली।

“मुझसे मिलना चाहती थीं?”

“यहां के किसी जिम्मेदार मीडिया पर्सन से मिलना चाहती थी।”—वो बोली—“रिसैप्शन पर मैंने अपनी ये ख्वाहिश जाहिर की तो वहां बैठी लड़की ने मुझे तुम्हारा नाम सुझाया...”

“उसने सुझाया!”

“बोली, जिम्मेदारी के महकमे में तो तुम्हारा कोई नाम नहीं था लेकिन काबिलियत में तुम्हारा कोई सानी नहीं था।”

“वो...वो ऐसा बोली!”

“तुम्हें अखबार की दुनिया का सचिन तेन्दूलकर बोली, शाहरुख खान बोली, कोकाकोला बोली, लता मंगेशकर बोली।”

“मजाक कर रही थी।”

“मुझे तो सरासर संजीदा जान पड़ती थी। और...”

“अभी और भी!”

“...‘दि सुनील’ बोली।”

“फेंकने की, लम्बी लम्बी छोड़ने की आदत है उसे।...ऐनीवे, यू आर वैलकम टु ‘ब्लास्ट’।”

“थैंक्यू।”

“तो आपके पास कोई स्टोरी है जिसे आप ‘ब्लास्ट’ से शेयर करना चाहती हैं?”

“हां। लेकिन स्टोरी से पहले कुछ और कहना चाहती हूं।”

“क्या?”

"मैं यहां आई, इस बात की किसी को खबर नहीं लगनी चाहिये।"

"वजह?"

"है। आगे आयेगी। जब मैंने जो कहना है, तुम सुन चुके होगे।"

"फिर भी!"

"फिर भी ये कि हमारे कुछ प्रास्पेक्ट्स हैं, मेरे यहां आई होने की बात खुल जाने पर जिनमें फच्चर पड़ सकता है।"

"'हमारे' बोला आपने। यानी आपके साथ कोई और भी है?"

"यहां नहीं है लेकिन है।"

"वो कोई और…"

"तुम ये फालतू बातें छोड़ो। मेरे पास टाइम का तोड़ा है।"

"सारी! ओके! आपकी यहां आमद की किसी को खबर नहीं लगेगी।"

"तुम्हारी वजह से। उस लड़की की बाबत क्या कहते हो जिसने मुझे यहां तुम्हारे पास भेजा था! जो तुम्हारी शैदाई जान पड़ती है!"

"उसकी वजह से भी नहीं लगेगी।"

"तुम उसकी जिम्मेदारी लेते हो?"

"हां।"

"क्योंकि तुम भी उसके शैदाई हो?"

"अब आप फालतू बातों में टाइम जाया कर रही हैं।"

"मैं ऐसा कर रही हूं?"

"आप का क्या खयाल है?"

उसने कोई खयाल जाहिर न किया।

"बहरहाल बात ये हो रही थी कि आप कोई स्टोरी 'ब्लास्ट' के साथ शेयर करना चाहती हैं।"

"हां।"

"राजनगर से तो कई अखबार निकलते हैं, आपने 'ब्लास्ट' को ही क्यों चुना?"

"कोई खास वजह नहीं—सिवाय इसके कि जहां से मैं आयी हूं, वहां से 'ब्लास्ट' का फासला सबसे कम था।"

"कमाल है! लिहाजा आप 'ब्लास्ट' की किसी खूबी से मुतासिर नहीं, मीडिया में उसकी नम्बर वन पोजीशन से मुतासिर नहीं, महज ये बात आपको यहां लायी कि हमारा मुकाम आपने अपने से कदरन करीब पाया!"

"है तो ये ही बात, वैसे तुम चाहो तो मैं तुम्हारे अखबार की शान में कसीदे पढ़ने को तैयार हूं।"

"नहीं नहीं, मैडम, ऐसा कतई जरूरी नहीं। वजह कोई भी हो, हमें खुशी है कि एक सैंसेशनल स्टोरी के साथ आप यहां हैं। अब वो माल दिखाइये जो अलग बांध के रखा है।"

"क्या!"

"क्या है सैंसेशनल स्टोरी? आई एम आल इयर्स, मैडम।"

"स्टोरी कत्ल की है।"

"कत्ल की!"

"जो या होने वाला है या हो चुका है।"

"जी!"

"मेरा ऐतबार दूसरी बात पर है।"

"दूसरी बात! यानी कि कत्ल हो चुका है?"

"हां।"

"किसका?"

"सुजाता सक्सेना नाम की एक औरत का।"

"किसने किया?"

"ये मुझे भला कैसे मालूम होगा!"

"वैसे ही जैसे ये मालूम है कि कत्ल हो चुका है! सुजाता सक्सेना का। जो कोई भी वो है।"

"वो दोनों जुदा बातें हैं, उनका आपस में कोई तालमेल नहीं।"

"जब कत्ल होता है तो कातिल भी होता है!"

"जाहिर है।"

"आपको कत्ल की खबर है, कातिल की खबर नहीं है!"

"और मैं क्या बोली!"

"हूं। यहां क्यों आईं?"

"भई, मैंने बोला न, 'ब्लास्ट' का फासला सबसे कम..."

"वो मैंने सुना। मेरा सवाल जुदा है। आप मीडिया के पास क्यों आयीं?"

"और कहां जाऊं?"

"पुलिस के पास!"

"न, बाबा।"—उसके शरीर ने झुरझुरी ली—"वहां गयी तो वो लोग मुझे वहीं बिठा लेंगे। मुझे पुलिस के खयाल से दहशत होती है।"

"आई सी।"

"पुलिस के पास जाना हो तो तुम जाना। पर तुम्हारे अखबार में इस बाबत छपने के बाद पुलिस ही तुम्हारे पास पहुंच जायेगी। नहीं?"

"बहुत मुमकिन है।"

"यकीनन पहुंचेगी। एक मर्डर केस की बाबत जानकर, पुलिस कितनी भी नकारा क्यों न हो, कान लपेटे बैठी नहीं रह सकती।"

"आपकी बात ठीक है, मैडम, लेकिन तब हमसे सवाल होगा कि हमें उस केस की क्योंकर खबर थी। तब..."

"तुम मेरा नाम हरगिज नहीं लोगे।"

"ऐसे कैसे बीतेगी!"

"ठीक बीतेगी। अखबार वालों को अपनी खबर का साधन उजागर करने के लिये बाध्य नहीं किया जा सकता।"

"आप तो बहुत कुछ जानती हैं!"

"ये मामूली बात है, इसे हर कोई जानता है।"

"आपने कहा एक कत्ल होने वाला है—या हो चुका है—इस बात को स्थापित किये बिना, प्रमाणित किये बिना कुछ छापने का नतीजा हमारे अखबार के लिये गम्भीर हो सकता है। आप ऐसा कर सकती हैं।"

"खुद करो। वो रिसैप्शन पर बैठी लड़की कहती थी तुम टॉप के खोजी पत्रकार हो, खोज करो। स्थापित करो, प्रमाणित करो, और भी जो कुछ करना है, करो।"

"मैं!"

"क्यों नहीं! नौजवान हो, नौजवान तो चाहें तो पहाड़ ढ़ा सकते हैं।"

"किस्सा क्या है? पहले किस्सा बयान कीजिये, फिर देखूंगा मैं क्या कर सकता हूं।"

"ठीक है, सुनो। उस रिसैप्शनिस्ट लड़की ने तुम्हें बताया ही होगा कि मेरा नाम अचला तलवार है, मैं कूपर रोड पर स्थित एक वर्किंग गर्ल्स होस्टल की प्रबंधक हूं और होस्टल में ही मेरा आवास है। उदिता चोपड़ा नाम की एक खूबसूरत, नौजवान लड़की मेरी वाकिफ है—बल्कि फास्ट फ्रेंड है..."

"बावजूद उम्र में फर्क के!"

"बावजूद उम्र में फर्क के। बाई दि वे तुम्हारा अंदाजा क्या है मेरी उम्र का?"

"मेरा अंदाजा, गुस्ताखी की माफी के साथ अर्ज कर रहा हूं, पचास का है।"

"मेरे वेट की वजह से। हैवी बॉडी की वजह से। मुझे थायरायड की प्राब्लम है जिसकी वजह से वेट पर कंट्रोल नहीं है। मैं पैंतालीस की हूं।"

"आई सी। बहरहाल बात उदिता चोपड़ा की हो रही थी जो कि खूबसूरत है, नौजवान है।"

"हां। फैशन मॉडल या फिल्म स्टार बनने की तमन्नाई है। इस सिलसिले में अभी कोई कामयाबी उसे हासिल नहीं हुई है लेकिन शुरुआती दौर में ऐसा सबके साथ होता है, फर्क सिर्फ ये है कि किसी को कदरन जल्दी कोई चांस मिल जाता है, किसी को लम्बा स्ट्रगल करना पड़ता है। उदिता की तकदीर की घंटी डिलेड मोड पर लग गयी जान पड़ती है इसलिये उसकी स्ट्रगल लम्बी है। रोज फिल्म स्टूडियोज के और ऐड एजेंसियों के चक्कर लगाती है लेकिन किसी ऐड के लिये छोटे मोटे फोटो शूट के अलावा, या किसी एक्स्ट्रा से जरा बेहतर इक्का दुक्का मूवी रोल के अलावा कोई चांस उसके हाथ नहीं लग पाया है। कई ऐड एजेंसियों में, कई फिल्म टेलेंट स्काउट्स के पास उसका पोर्टफोलियो जमा है लेकिन फिलहाल उसे कोई बड़ा ब्रेक नहीं मिल पाया है।"

"होता है।"

"उसे मालूम है इसलिये हिम्मत नहीं छोड़ रही, उम्मीद नहीं टूटने दे रही। ऐसे में उसे एक आफर मिलती है जो कि न माडलिंग के लिये है और न एक्टिंग के लिये है लेकिन उजरत अच्छी होने की वजह से जिसे वो कबूल कर लेती है।"

"मैं समझा नहीं।"

"मैं समझाती हूं। एक रोज एक आदमी उसको अप्रोच करता है?"

"कोई फैशन कोआर्डीनेटर! कोई टेलेंट स्काउट!"

"नहीं।"

"तो कौन?"

"मैं उसके नाम के अलावा कुछ नहीं जानती—क्योंकि नाम के अलावा उसने कुछ बताया ही नहीं था।"

"नाम ही बताइये!"

"अमृत सिक्का। कहता था नाम ही उसका पूरा परिचय था।"

"चाहता क्या था?"

"जो उसने उदिता को बताया था, वो ये था कि उसे एक खास काम के लिये एक खास उम्र, शक्ल सूरत और कद काठ की लड़की की जरूरत थी और उस जरूरत के तहत उसने कई ऐड एजेंसियों में और कई टेलेंट स्काउट्स के पास उपलब्ध कितने ही पोर्टफोलियोज को खंगाला था तो उसे उदिता चोपड़ा की खबर लगी थी जो कि उम्र में चौबीस साल की थी, कद में पांच फुट चार इंच थी और वजन में पचपन किलो थी। फिगर 34-25-34 थी, रंग गोरा था, नयननक्श तीखे थे और बाल सुनहरापन लिये काले थे।"

"ये तमाम खूबियां उदिता में हैं?"

"हां। इसी वजह से मिस्टर सिक्का की तरफ से उसे इमीजियेट—लेकिन शार्ट—एम्पलायमेंट की आफर थी।"

"कितनी शार्ट?"

"कम से कम एक हफ्ता, ज्यादा से ज्यादा छः महीने।"

"काम क्या?"

"कुछ भी नहीं। बस तफरीह, मौजमेला, एडवेंचर।"

"ये तो किसी और ही काम की तरफ इशारा था!"

"मुझे भी ऐन यही लगा था। इसलिये फौरन मैंने सख्त एतराज जताया था।"

"उदिता चोपड़ा को ये पेशकश आपकी मौजूदगी में हुई थी?"

"हां।"

"आई सी। आपके ऐतराज की क्या प्रतिक्रिया सामने आयी?"

"जो प्रतिक्रिया सामने आयी, उसने ये समझो कि ऐतराज को खारिज कर दिया।"

"क्या हुआ?"

"वो बोला कि उदिता को किसी तरह का कोई अंदेशा था तो वो बतौर कम्पैनियन अपने साथ मुझे रख सकती थी।"

"हमेशा! हर घड़ी!"

"हां।"

"आप ये सोशल सर्विस करने को तैयार थीं!"

"उदिता बहुत अच्छी लड़की है, मुझे बहुत पसंद है इसलिये उसकी खातिर मैं बेहिचक ऐसा करना कबूल कर सकती थी लेकिन वो सोशल सर्विस नहीं थी, पेड सर्विस थी।"

"जी!"

"जितना अरसा वो सिलसिला चलता, जितना अरसा मैं बतौर कम्पैनियन उदिता के साथ रहती, उसमें मुझे दो हजार रुपये रोजाना फीस मिलती।"

"और उदिता को?"

"पांच हजार रुपये रोजाना। जो कि उसके मौजूदा स्ट्रगल के दौर में उसके लिये बहुत बड़ी रकम थी। सच पूछो तो वो पेशकश एक तोहफे की तरह उसकी झोली में आकर गिरी थी जिसे नजरअंदाज करना वो अफोर्ड नहीं कर सकती थी। आफर में एक हफ्ते की गारंटी थी, यानी कि पैंतीस हजार रुपये की नकद, क्लियर कमाई। आफर पूरे छः महीने चलती तो बात ही क्या थी! उसने झट हामी भर दी।"

"आपने?"

"उसकी खातिर मैंने भी।"

"उसकी खातिर!"

"हां। लेकिन साथ चौदह हजार रुपये भी मुझे काटते तो नहीं थे!"

"इतना अरसा आप अपनी होस्टल की एम्पलायमेंट से खुद को स्पेयर कर सकती थीं?"

"हफ्ता दस दिन के लिये कर सकती थी—किया ही हुआ है—छः महीने के लिये नहीं कर सकती थी।"

"हफ्ता दस दिन बाद क्या करेंगी?"

"तब की तब देखी जायेगी।"

"यू विल क्रॉस दैट ब्रिज वैन यू रीच इट!"

"बिल्कुल ठीक कहा।"

"ये स्पैशल असाइनमेंट इस वक्त जारी है?"

"हां।"

"कब से।"

"सोमवार से।"

"आज गुरुवार है। यानी कि चौथा दिन है!"

"हां।"

"इतने अरसे में कोई ऊंच नीच पेश आयी?"

"किसके साथ?"

"जिसके साथ ऊंच नीच का अंदेशा था। उदिता के साथ?"

"नहीं।"

"पेश होती तो उदिता भुगत लेती?"

"मैं भुगत लेती। तभी तो मैं उसके साथ थी।"

"बहुत यकीन से कह रही हैं!"

"हां।"—उसके स्वर में दृढ़ता का पुट आया—"बहुत यकीन से कह रही हूं।"

"आपके पास तोप है?"

"कुछ तो है।"

"बड़ी रहस्यमयी बातें कर रही हैं।"

"बड़े शहरों में औरत के खिलाफ एक खास तरह के क्राइम में भारी इजाफा हुआ है जिसके मद्देनजर अपने आपको भगवान भरोसे या आज के नाकारा पुलिस तंत्र के भरोसे नहीं छोड़ा जा सकता। नौजवान लड़कियां बेपरवाह हैं, बेफिक्र हैं, खयालों की दुनिया में विचरती हैं, वो इस लाइन पर नहीं सोचतीं लेकिन मेरी बात जुदा है।"

"आपकी बात क्यों जुदा है?"

"मैंने बीस साल फौज की नौकरी की है।"

"अरे!"

"इसलिये मुझे शैतान का मुकाबला आतिश से करना आता है। कोई टेढ़ी नजर तो कर के दिखाये उदिता की तरफ! नजर भी सीधी हो जायेगी, वो भी सीधा हो जायेगा।"

"कम्माल है!"—सुनील एक क्षण ठिठका, फिर बोला—"आप काफी पियेंगीं?"

उसने इंकार में सिर हिलाया।

"यहां अच्छी बनती है!"

"नहीं।"

"ओके। मैडम, इस अनोखी असाइनमेंट के लिये आप लोगों की हाजिरी कहां थी?"

"मुगलबाग। वहां फर्स्ट क्रॉस रोड पर संतोषी अपार्टमेंट्स नाम का एक मल्टीस्टोरी हाउसिंग कम्पलैक्स है, उसकी चौथी मंजिल एक फुल्ली फर्निश्ड फ्लैट में। मिस्टर सुनील, पहले ही हमें बता दिया गया था कि वो फ्लैट वैरी वैल इक्विटड था और हमारी हर तरह की जरूरत का सामान वहां मौजूद था इसलिये हमें साथ कुछ भी ले जाने की जरूरत नहीं थी, हमें खाली हाथ वहां पहुंचना था। उसकी तो बल्कि जिद थी कि वहां पहुंचते वक्त हमारे साथ कोई सामान न हो।"

"ऐसा क्यों?"

"कोई वजह उसने नहीं बतायी थी। बस, यही कहा था कि हमारी यूं वहां आमद उसको सूट करती थी।"

"तो आप खाली हाथ वहां पहुंचीं?"

"बिल्कुल खाली हाथ तो नहीं! तब मेरे पास ये"—उसने अपनी गोद में रखे चमड़े के एक बड़े से हैण्डबैग की तरफ इशारा किया—"हैण्डबैग था और उदिता के पास एक शापिंग बैग था।"

"यानी कि कोई देखता तो यही समझता कि आप वहां की रेजीडेंट्स थीं और कहीं से शापिंग करके लौटी थीं!"

"हां, शायद।"

"वो फ्लैट मिस्टर सिक्का का था?"

"सुजाता सक्सेना का था जिसने कि उसे ग्यारह महीने की लीज पर लिया हुआ था। लीज में एक प्रमुख क्लाज थी कि वो उसे सबलैट नहीं कर सकती थी इसलिये फ्लैट आगे मिस्टर सिक्का ने ले लिया होने के बावजूद उसे सुजाता सक्सेना की ही मिल्कियत समझा जाता रहना जरूरी था। इसी वजह से उदिता को हिदायत थी कि पूछे जाने पर वहां वो अपना नाम सुजाता सक्सेना बताये।"

"अजीब बात है!"

"ये उस टेम्परेरी एम्पलायमेंट की एक अहम शर्त थी। सफाई ये दी गयी थी कि उस पौश इलाके में लीज पर फ्लैट मिलना बड़ा मुश्किल था, मालिकान को अगर खबर लग जाती कि जिसके नाम फ्लैट की लीज थी, उसकी जगह वहां कोई और रह रहा था तो लीज कैंसल हो सकती थी।"

"कहानी है।"

"मुझे भी ऐसा ही लगा था लेकिन उस कहानी को चैलेंज करने का मतलब पांच हजार जमा दो हजार रोजाना की एम्पलायमेंट गंवाना होता।"

"ठीक!"

"उस कहानी की वजह से कोई दुश्वारी पेश आती, कोई क्लेश होता तो फिर मैं देख लेती मिस्टर सिक्का को!"

"मिस्टर सिक्का का हुलिया बयान कर सकती हैं?"

"हां। ठीक ठाक शक्ल सूरत वाला आदमी था। कोई खासियत, कोई स्पैशल आइडेन्टिफाईंग फीचर नहीं था उसमें, सिवाय इसके कि आजकल के फैशन से मैच करता, फोटोक्रोमिक ग्लासिज वाला निगाह का चश्मा लगाता था। उम्र में चालीस के आसपास का था, रंग गेहूंआ था, बाल काले और घने थे जिनको वो बड़े स्टाइल से माथे पर छितराकर रखता था, कलमें लम्बी थीं। काठी मजबूत थी और कद पौने छः फुट तो मेरे खयाल से होगा ही!"

"नाम अमृत सिक्का!"

"हां।"

"आपने जिद न की नाम के अलावा उसकी बाबत और कुछ जानने की?"

"एकाध बार की थी, उसने जवाब को टाल दिया था तो फिर नहीं की थी।"

"आई सी। फ्लैट कैसा था?"

"बढ़िया था, माडर्न था, जैसा कि पहले ही बोला, फुल्ली फर्निश्ड था और उसमें हर जरूरत का हर साजोसामान मौजूद था। आम कपड़े, ड्रैसिज, अंडर गारमेंट्स, जूते, चप्पलें, सैंडलें, हर तरह का मेकअप का सामान, सब कुछ।"

"यानी कि उदिता चोपड़ा की हाजिरी ही उसे बतौर सुजाता सक्सेना वहां स्थापित कर देने के लिये काफी थी।"

"हां।"

"ओके। वो वहां स्थापित हो गयी—पूछे जाने पर खुद को सुजाता सक्सेना बताने के लिये स्थापित हो गयी—आगे?"

"आगे!"—उसके चेहरे पर उलझन के भाव आये।

"और भी तो कोई हिदायात मिली होंगी!"

"अच्छा, वो! हां, मिली न!"

"क्या?"

"अहमतरीन तो यही थी कि हमें अपनी पिछली जिंदगी से, असली जिंदगी से अब मुकम्मल नाता तोड़ लेना था और वहां उस फ्लैट में रहते हुए बाहरी दुनिया से, बाहरी जिंदगी से उतना ही नाता रखना था जितने की कि वो इजाजत दे। अपनी पिछली वाकफियत में किसी को फोन नहीं करना था, किसी को एसएमएस नहीं भेजना था, किसी को मेल नहीं भेजनी थी, चिट्ठी नहीं लिखनी थी, कैसा भी कोई सम्पर्क किसी से साधने की कोशिश नहीं करनी थी।"

"वजह?"

"वजह यही कि वो एम्पलायमेंट की अहम शर्त थी। जो मोटी उजरत हमें हासिल थी, उसके बदले में ये भी एक काम था जिसे कि हमने अंजाम देना था। एम्पलायमेंट के वक्फे के दौरान उदिता चोपड़ा को भूल जाना था कि वो उदिता चोपड़ा थी और याद रखना था कि वो सुजाता सक्सेना थी।"

"और आप को?"

"मेरे पर इस बाबत कोई पाबंदी नहीं थी। मैं अचला तलवार थी और अचला तलवार बनी रह सकती थी।"

"ओके। उदिता तो फ्लैट की मालकिन के रोल में आ गयी, आप पूछे जाने पर खुद को क्या बतातीं?"

"वही जो मैंने बोला। कम्पैनियन।"

"किसलिये कम्पैनियन?"

"अच्छा, वो! वो क्या है कि पूछे जाने पर मैंने बोलना था उन दिनों मैडम की—सुजाता सक्सेना की—तबीयत नासाज थी और अभी और खराब हो

सकती थी इसलिये मैडम को तीमारदारी के लिये, खयाल रखा जाने के लिये, कम्पैनियन की जरूरत थी। कोई पूछे तो मैंने बोलना था कि वो नर्वस ब्रेकडाउन का शिकार थी इसलिये वक्ती तौर पर आउट आफ सर्कुलेशन थी। कोई वाकिफ मिलने आ धमके तो उसको बोलना था बाहर गयीं थीं, पता नहीं कब लौटेंगी। कोई फोन करे तो काल मेरे को रिसीव करनी थी और काल करने वाले का नाम और फोन नम्बर हासिल करके उसको बोलना था कि मैडम काल बैक करेगी। फिर मैंने सिक्का को फोन करके उसे उस काल की बाबत बताना था और मेरा काम खत्म।"

"आई सी। और?"

"और हिदायत थी कि अगर हम कहीं जाने को फ्लैट से बाहर कदम रखें तो उदिता को फ्लैट में मौजूद कपड़ों में से ही कपड़े पहनने थे।"

"ताकि इमपर्सनेशन में, बहुरूप भरने में झोल न आये!"

"जाहिर है। तभी तो एक खास कद काठ की, खास शक्ल सूरत की, खास फिगर के नाप वाली लड़की दरकार थी।"

"ठीक। क्या आपके नाप के कपड़े भी उस फ्लैट में मौजूद थे?"

"नहीं तो!"

"तो आपका कैसे चलता था? अपना कोई निजी साजोसामान तो आप भी साथ लेकर नहीं गयी थीं!"

"इस बाबत मैंने सिक्का से बात की थी तो उसने जवाब दिया था कि मैं जैसे तैसे काम चला लूं।"

"जैसे तैसे कैसे?"

"पूछो तो! क्या करती! जो कपड़े पहने थी, दिनोंदिन वो ही पहने रहती! या उन्हीं को धोती रहती, पहनती रहती! या पलंग की चादर लपेट लेती! खिड़की दरवाजे का कोई पर्दा लपेट लेती!"

"तो?"

"आखिर मैंने अपने कपड़े लाने के लिये कूपर रोड जाने की बात कही तो उसने सख्ती से मना कर दिया। जब मैंने क्विट कर जाने की धमकी दी और बोला कि मैं उदिता को लेकर वहां से जा रही थी तो वो नर्म पड़ा। मेरे कूपर रोड जाने की तो उसने हामी भरी लेकिन बोला वो साथ जायेगा।"

"क्यों?"

"ताकि किसी लांड्री के जरिये ऐसा इंतजाम कर सके कि मेरे कपड़े मैं अपने साथ न लाऊं, उन्हें लांड्री डिलीवर करे ताकि कोई देखे तो उसे लगे कि घर वालों के मैले कपड़े धुलकर लांड्री से लौटे थे।"

"कमाल है!"

"साफ जाहिर था कि उसे किसी भी तरह के बैगेज या लगेज की फ्लैट में मूवमेंट मंजूर नहीं थी।"

"सुजाता सक्सेना का कोई अपना, कोई करीबी, कोई सगा——जो कि कोई न कोई सबका होता है—फोन करे तो उसकी बाबत क्या हिदायत थी?"

"वही जो बाकी टेलीफोन काल्स की बाबत थी। काल करने वाले का नाम, फोन नम्बर पूछूं और बोलूं मैडम काल बैक करेगी।"

"क्यों काल बैक करेगी? कोई बहुत ही करीबी हो तो वजह पूछने की जिद कर सकता है।"

"टायलेट में थी। सो रही थी। बाहर गयी थी।"

"एक नग मोबाइल भी होता है जिससे जवाब तो जाहिर है कि नहीं मिलता होगा!"

"दो जनों ने उस बाबत सवाल किया था, मैंने सिखाया पढ़ाया जवाब दे दिया था कि मोबाइल खो गया था, अभी मैडम ने नया नहीं खरीदा था।"

"हूं। जब किसी काल की बाबत आपने आगे सिक्का को बताया तो वो क्या बोला?"

"कुछ नहीं।"

"ये न बोला कि सुजाता सक्सेना बनी उदिता काल बैक करे?"

"न।"

"किसी ने दोबारा फोन करके शिकायत की कि वापिस काल तो आयी ही नहीं थी?"

"ऐसा कहा तो किसी ने नहीं था लेकिन अगर कोई कहता तो उस बाबत भी मुझे हिदायत थी।"

"क्या?"

"मैडम की डाक्टर से अप्वायंटमेंट थी जिस पर पहुंचने की मैडम को जल्दी थी, इसलिये लौट कर काल करेगी, जिसमें कि टाइम लग सकता था।"

"सिक्का ने जो अपना फोन नम्बर आपको दिया हुआ है, वो कैसा है? मोबाइल या लैंड लाइन?"

"लैंड लाइन।"

"आपने कभी पता करने की कोशिश न की कि वो कहां स्थापित था!"

"टेलीफोन डायरेक्ट्री में 'सिक्का' की जितनी एंट्रियां थीं, सब मैंने चैक की थीं, किसी के भी आगे मैंने वो नम्बर दर्ज नहीं पाया था।"

"इंक्वायरी से नम्बर बताकर अड्रैस आफ इंस्टालेशन हासिल किया जा सकता है।"

"मुझे नहीं मालूम था।"

"वो नम्बर एक कागज पर लिखिये।"—सुनील ने उसकी तरफ एक बाल पैन और नोट पैड सरकाया।

"जुबानी तो"—उसके स्वर में खेद का पुट आया—"वो मुझे याद नहीं! फ्लैट में ही लिखकर रखा हुआ है टेलीफोन के बाजू में एक नोट पैड पर।"

"कोई बात नहीं। वहां से फोन करके बताइयेगा।"

"जरूर।"

"ये मेरा विजिटिंग कार्ड रख लीजिए। इस पर मेरे फोन नम्बर्स भी दर्ज हैं।"

"ठीक है।"

"उदिता को अपने नये रोल में कभी किसी खास मुलाकात के लिये प्रेरित किया गया?"

"कैसी खास मुलाकात? किससे खास मुलाकात?"

"किसी मर्द से?"

"तुम वही कह रहे हो जो मैं समझ रही हूं?"

"नहीं। जवाब दीजिये!"

"नहीं, कभी नहीं।"

"सारे सिनेरियो में सिक्का के अलावा कोई मर्द फिट नहीं?"

"ऐसा ही है।"

"कभी किसी मर्द से मिलने को या उसके साथ देखे जाने को न बोला गया?"

"न।"

"यानी सारा वक्त उस फ्लैट में ही कटता है!"

"ऐसा तो नहीं है?"

"अच्छा!"

"हर शाम सिक्का हमें डिनर पर ले के जाता है।"

"कहां?"

"कहीं न कहीं। हमेशा किसी नयी जगह। लेकिन किसी बड़ी, मशहूर जगह नहीं। छोटे रेस्टोरेंट्स में ही ले जाता है लेकिन अच्छे होते हैं।"

"पेश कैसे आता था!"

"अच्छा! जंटलमैन की माफिक!"

"कभी उदिता की तरफ कोई खास...खास तवज्जो दी हो!"

"मैं तुम्हारा इशारा समझ रही हूं।"

"गुड। जवाब दीजिये।"

"नहीं। कभी नहीं। कभी ऐसा कुछ करेगा तो..."

"कैसा कुछ करेगा तो?"

"लारटपकाऊ फितरत दर्शायेगा तो..."

"क्या तो?"

"पछतायेगा।"

"उदिता क्या करेगी?"

"वो क्यों करेगी? मैं हूं न!"

"मैंने तोप के बारे में सवाल किया था। गन के बारे में क्या कहती हैं? कोई फायरआर्म तो नहीं रखतीं आप!"

"मजाक कर रहे हो?"

"जो कि अभी आपके इस हैण्डबैग में मौजूद हो!"

उसने हैण्डबैग अपनी गोद से उठा कर सुनील के सामने मेज पर रख दिया।

"देखो।"—वो चैलेंजभरे स्वर में बोली—"चैक करो।"

"जरूरत नहीं।"

"पक्की बात?"

"हां।"

उसने हैण्डबैग उठा कर वापिस अपनी गोद में रख लिया।

"हथियार फौजदारी का कारोबार है।"—सुनील संजीदगी से बोला—"या तो उसका लाइसेंस होना चाहिये, या वो नहीं होना चाहिये।"—वो एक क्षण ठिठका और फिर बोला—"ए वर्ड टु दि वाइज, मैडम।"

"मुझे कह रहे हो?"

"नहीं। नाहक बड़बड़ा रहा था। अब एक खास बात मुझे बताइये।"

"पूछो।"

"जब आप लोगों पर इतने पहरे हैं, इतनी पाबंदियां हैं तो आप यहां कैसे आ पायीं?"

"बताती हूं। सिक्का की निगाह में जो लांड्री थी, वो कूपर रोड से वापिसी के रास्ते में थी। वहां उसने मेरे कपड़ों की बाबत पता किया था तो उसे मालूम पड़ा था कि उसकी हिदायत के मुताबिक सब हैंडल करने में काफी वक्त लगता। इतना वक्त वो मुझे अपने साथ नहीं रखना चाहता था क्योंकि उसे उदिता की भी फिक्र थी जो कि पीछे फ्लैट में अकेली थी। तब उसने टैक्सी ड्राइवर को—जिसकी टैक्सी में कि हम सवार थे—बाहर बुलाकर कुछ समझाया था, उसे कुछ नोट सौंपे थे और मुझे अकेली को वापिसी के सफर पर उसके साथ रवाना कर दिया था। रास्ते में मैंने उसे हर्नबी रोड 'ब्लास्ट' के आफिस चलने को कहा तो उसने ये कहके इंकार कर दिया था कि उसे जो भाड़ा मिला था, उसमें किसी डाइवर्शन की गुंजायश नहीं थी। मैंने बोला बाकी का भाड़ा मैं दे दूंगी तो भी उसने इधर आने से इंकार कर दिया। जिद करके मैंने वजह पूछी तो उसने बताया कि सिक्का ने उसको बोला था कि मेरे को गायबखयाली की अलामत थी, मैं अक्सर कुछ भी भूल जाती थी। लिहाजा उसने रास्ते में टैक्सी से उतरकर मुझे कहीं जाने दिया तो बहुत मुमकिन था कि मैं वापिस ही न लौटती।"

"गुम हो जातीं!"

"हां। देखो तो कमीने को! उसने टैक्सी ड्राइवर को मेरी बाबत ऐसा कहा!"

"ताकि वो आपको सीधे संतोषी अपार्टमेंट्स ही पहुंचाता।"

"ये तक कहा कि मैं पहले दो बार ऐसी गुम हो चुकी थी कि ढुंढ़वाने के लिये पुलिस की मदद लेनी पड़ी थी।"

"क्या कहने!"

"मैंने भी ईंट का जवाब पत्थर से दिया।"

"क्या किया?"

"ड्राइवर को बोला कि वो शख्स मेरा दामाद था जो कि ऐसी मसखरियां मेरे साथ अक्सर करता था और पता लगने पर मुझे उसकी दुम ठोकनी पड़ती थी। ड्राइवर को ये विश्वास दिलाने के लिये, कि मुझे गायबखयाली की कोई अलामत नहीं थी, भूल जाने की कतई कोई बीमारी नहीं थी, मेरा दिमाग उतना ही तीखा और अलर्ट था जितना कि मेरी उम्र के किसी नार्मल आदमी का होता था, मैंने मुगलबाग तक के रास्ते की हर सड़क, हर मोड़, हर क्रासिंग बयान किया। तब टैक्सी ड्राइवर को यकीन आ गया कि पीछे 'साहब' ने वाकई मेरे साथ मसखरी की थी और वो एक्स्ट्रा भाड़े के आश्वासन पर मुझे यहां लाने को तैयार हो गया।"

"आप आगे मुगलबाग उसी के साथ जायेंगी?"

"हां। नीचे वेट कर रहा है।"

"फिर तो आपको बात जल्दी खत्म करनी चाहिये।"

"बात खत्म ही है। जो मैंने नहीं कहा, वो तुम्हारी समझ में आ ही गया होगा!"

"मसलन?"

"मेरे से ही कहलवाओगे?"

"आप ही का कहना ठीक रहेगा।"

"तो सुनो। वो आदमी कोई सिक्का विक्का नहीं है। वो सुजाता सक्सेना का हसबैंड है और उसने सुजाता सक्सेना का कत्ल करके उसकी लाश को ठिकाने लगा दिया हुआ है। अब किसी वजह से उसके लिये ये स्थापित करना जरूरी हो गया है कि उसकी बीवी जिंदा है, सही सलामत है और ऐसा वो बाजरिया उदिता चोपड़ा कर रहा है।"

"आई सी।"

"ये सब ड्रामा करने के पीछे उसका कोई खास मकसद है जो जब हल हो जाएगा तो वो हमें डिसमिस कर देगा और अपनी बीवी की बाबत—सुजाता सक्सेना की बाबत—कोई और कहानी सैट कर लेगा। सबको कह देगा कि वो बैंकाक चली गयी, मारीशस चली गयी, लंदन चली गयी, कहीं भी चली गयी।"

"सबको किन को?"

"बीवी की सहेलियों को, वाकिफकारों को, करीबियों को।"

"लेकिन अगर उनमें से कोई उदिता को देखेगा तो जान नहीं जायेगा वो सुजाता सक्सेना नहीं थी? या शक्ल भी मिलती है? जुड़वां बहनों की तरह!"

"नहीं, शक्ल तो नहीं मिलती!"

"आपको क्या मालूम! आपने सुजाता सक्सेना को तो नहीं देखा!"

"ऐसा हो पाना मुमकिन नहीं।"

"कहते हैं कि बनाने वाले ने इस फानी दुनिया में हर किसी का कहीं न कहीं कोई डबल बनाया है।"

"फिर भी मुझे यकीन नहीं कि उदिता की शक्ल उस औरत से मिलती होगी।

"मैंने मान ली आपकी बात। तो जवाब दीजिये, सुजाता का कोई करीबी उदिता को देखेगा तो जान नहीं जायेगा कि वो सुजाता नहीं थी?"

"देखेगा तब न! सुजाता के वाकिफ ऐसे लोग, मैंने नोट किया है कि, हमेशा पहले फोन करते हैं, कोई बिना फोन किये चला आयेगा तो हसबैंड मातमी सूरत बनाकर बोल देगा कि बीवी बेचारी फलां जगह गयी थी, वहीं उसका इंतकाल हो गया था।"

सुनील के चेहरे पर आश्वासन के भाव न आये।

"ऐसा ही होगा।"—अचला तलवार दृढ़ता से बोली—"उस शख्स की बाबत मैंने और भी बहुत कुछ नोट किया है। जैसे कि उसके पास फ्लैट के मेन डोर की चाबी है, वो फ्लैट के चप्पे चप्पे से वाकिफ है, उसको मुकम्मल खबर है कि वहां कौन सी चीज कहां पड़ी है। किसी जगह से ऐसा वाकिफ वो ही शख्स हो सकता है जो वहां रहता हो या रहता रहा हो। वो आकूपैंट का हसबैंड नहीं तो कैसे वहां रहता रहा होगा! वो वहां रहता था, हाल में वहां ऐसा माहौल पैदा हुआ तो जोशोजुनून के हवाले उसने बीवी का कत्ल कर दिया और लाश ठिकाने लगा दी। अब बीवी के परदेस चली गयी होने की कहानी सैट करने के लिये उसे वक्त चाहिये और वो वक्त वो उदिता को बीवी को इमपर्सनेट करने के लिये ऐंगेज करके हासिल कर रहा है। बीवी कब की मर गयी और बाजरिया उदिता वो चौतरफा स्थापित कर रहा है कि वो जिंदा है, बीमार है लेकिन सही सलामत है, तबीयत सुधरते ही वो रैस्ट के लिये कहीं परदेस चली जाने वाली है। बाद में बोल देगा कि वहां उसकी तबीयत फिर बिगड़ गयी और एकाएक वो परलोक सिधार गयी। क्या प्राब्लम है!"

"है तो सही प्राब्लम।"

"क्या?"

"आपने कहा अपने पसंदीदा कैंडीडेट की तलाश में उसने ऐड एजेंसियों के और टैलेंट स्काउट्स के दफ्तरों के चक्कर लगाये। जरा सी तफ्तीश की नौबत आने पर भी ये बात उजागर हो सकती है। फिर वो इस बात का क्या जवाब देगा कि क्यों उसे सुजाता सक्सेना से मिलती जुलती शक्ल सूरत, कद काठ, रंग रूप, फिगर वाली लड़की की तलाश थी?"

"और?"

"और आपका और उदिता चोपड़ा का मुंह कैसे बंद करायेगा जो कि जाने अनजाने उसके कथित षड्यंत्र की भागीदार बन गयी हैं?"

"कैसे करायेगा?"

"आप बताइये। मेरी निगाह में तो सस्ता, टिकाऊ, मजबूत और लाइफलांग गारंटी वाला तरीका एक ही है।"

"क्या?"

"बकौल आपके जिस राह उसने सुजाता सक्सेना को लगाया, वही राह आपको और उदिता को भी दिखा दे। अपना मतलब हल हो चुकते ही वो आप दोनों को भी ऐसा गायब करे कि सुजाता सक्सेना की तरह आप दोनों भी किसी को ढूंढ़े न मिलें।"

अचला के शरीर ने स्पष्ट झुरझुरी ली।

"शुरू में आपने कहा था कि कत्ल या हो चुका है या होने वाला है। मैं ये मान के चलता हूं कि कत्ल होने वाला है और आप लोगों के जरिये वो अपने लिये मजबूत एलीबाई गढ़ रहा है। मतलब ये कि पुलिस जब कत्ल के लिये उसे जिम्मेदार ठहरायेगी तो वो बड़ी आसानी से साबित कर दिखायेगा कि पुलिस ने कत्ल का जो वक्त निर्धारित किया था उस वक्त तो मकतूला मुगलबाग में अपने फ्लैट में जिंदा, सही सलामत मौजूद थी।"

"कत्ल होने वाला है"—वो झुंझलाई—"या हो चुका है, जो सीनेरियो सिक्का ने खड़ा किया है उसमें कहीं न कहीं कत्ल का कोई न कोई दखल बराबर है। या तो वो औरत कहीं उसकी कैद में है और वो मुनासिब वक्त आने पर, अपने लिये एलीबाई पूरी तरह चौकस कर चुकने पर, उसका कत्ल करेगा या फिर कत्ल हो चुका है और अपने हित में लीपापोती की ड्रिल वो अब कर रहा है।"

"गुस्ताखी माफ, मैडम, इस सिलसिले में मैं नहीं समझता कि आप कुछ साबित कर सकती हैं, कुछ स्थापित कर सकती हैं। लिहाजा जो कोई भी आपकी बात सुनेगा वो उसे आपकी कल्पना की उड़ान का ही दर्जा देगा।"

"अभी तुम सुन रहे हो। तुम इसे मेरी कल्पना की उड़ान का दर्जा दे रहे हो?"

"अब...क्या कहूं?"

"शादीशुदा हो?"

"नहीं।"

"फिर भी जानते तो होगे कि हर औरत की—खासतौर से शादीशुदा औरत की—कुछ पर्सनल बिलांगिंग्स होती हैं जिनके बिना वो कहीं नहीं जाती। जैसे मेरी ऐसी पर्सनल बिलागिंग्स मेरे इस हैण्डबैग में हैं। सिक्का की जिद थी कि हमने साथ कुछ नहीं ले जाना था लेकिन फिर भी मैंने इस हैण्डबैग को पीछे नहीं छोड़ा था, उदिता ने भी अपना ऐसा साजोसामान पीछे नहीं छोड़ा था, वो बमय हैण्डबैग उसके शापिंग बैग में था।"

"क्या कहना चाहती हैं?"

"सुजाता सक्सेना का ऐसा हैण्डबैग फ्लैट में मौजूद है।"

"कोई पुराना हैण्डबैग होगा!"

"खाली होता तो मान लेती।"

"आपने उसे खोल के देखा?"

"देखा तो सही फैमीनिन क्यूरासिटी के हवाले होकर।"

"क्या देखा?"

"उसकी तमाम पर्सनल बिलागिंग्स उस हैण्डबैग में मौजूद थीं—मसकारा, आई लाइनर, परफ्यूम, लिपस्टिक, कम्पैक्ट, कंघी, हेयर ब्रश, रूमाल, बटुवा, जिसमें अच्छी खासी रकम मौजूद थी, चाबियों का गुच्छा, हेयर क्लिप्स वगैरह।"

"चाबियों के गुच्छे में फ्लैट के मेन डोर की भी चाबी थी?"

"थी तो सही।"

"आपने आजमा के देखा था?"

"हां।"

"क्यों भला?"

"खामखाह। न देखा होता तो तुम्हारी बात का जवाब कैसे दे पाती!"

"ठीक! कुल कितनी चाबियां थीं?"

"चार।"

"बाकी तीन कहां की थीं?"

"नहीं मालूम।"

"ड्राइविंग लाइसेंस?"

"नहीं था।"

"वोटर आई कार्ड?"

"नहीं था।"

"किसी तरह का कोई और कार्ड जिस पर कि धारक की फोटो होती है?"

"नहीं था।"

"फिर आपको कैसे मालूम है कि वो हैण्डबैग सुजाता सक्सेना का था?"

"वो...वो उसके फ्लैट में मौजूद था।"

"क्यों मौजूद था?"

"क्योंकि उसे साथ ले जाने का उसे मौका नहीं मिला था। या साथ ले जाने नहीं दिया गया था। क्योंकि मौत की राह पर पर्सनल बिलांगिग्स की, व्यक्तिगत साजोसामान की, जरूरत नहीं होती।"

"हूं।"

"मिस्टर सुनील, उस फ्लैट में कदम रखते ही न जाने क्यों मुझे लगा था कि उस जगह पर मौत का साया था। और जल्दी ही मुझे लगने लगा था कि हम दोनों को—मुझे और उदिता को—एक कत्ल के कवर अप में इस्तेमाल किया जा रहा था। तुम पत्रकार हो, इनवैस्टिगेटिंग जर्नलिस्ट हो, इनवैस्टिगेट करो कि जो मुझे लगता है, उसमें कोई दम है या नहीं! दम है तो कत्ल के राज पर से पर्दा उठाओ और कातिल को उसके किये की सजा दिलवाने में निमित्त बनो।"

"मेरी अभी भी आपको राय है कि आपको पुलिस के पास जाना चाहिये। मर्डर केसिज ऑर वुड बी मर्डर केसिज आर बैस्ट हैण्डल्ड बाई दि पुलिस फोर्स।"

"तुम भूल रहे हो कि मेरे पास वक्त का तोड़ा है, मेरी टैक्सी मेरे इंतजार में नीचे खड़ी है। तुम्हारी राय पर अमल करके अब मैं और वक्त जाया करूंगी तो जानते हो क्या होगा?"

"क्या होगा?"

"सिक्का मेरे से पहले मुगलबाग पहुंच जायेगा और मेरी तमाम पोल पट्टी उस पर खुल जायेगी। फिर इज्जत भी जायेगी और हमारी इतनी मुफीद टैम्परेरी मुलाजमत भी जायेगी। तुम चाहते हो कि..."

तभी फोन की घंटी बजी।

सुनील ने काल रिसीव की, कुछ क्षण दूसरी तरफ से आती आवाज सुनी फिर माउथपीस को हथेली से ढंक कर बोला—"उदिता चोपड़ा लाइन पर है। उसे मालूम है आप यहां हैं। कैसे मालूम है?"

"यहां पहुंचने से पहले मैंने उसे फोन किया था।"—अचला तनिक हड़बड़ाये लहजे से बोली—"और बाकायदा उससे सलाह की थी कि मुझे मीडिया को अप्रोच करना चाहिये था या नहीं। उसकी हामी पर ही मैंने आगे यहां 'ब्लास्ट' के आफिस में कदम रखा था।"

"आई सी।"

"क्या कहती है?"

"अभी कुछ नहीं कहती। कहेगी।"—सुनील ने माउथपीस पर से हाथ हटाया—"हल्लो! अब बोलो।"

"मिस्टर सुनील"—दूसरी तरफ से उत्तेजित आवाज आयी—"अचला आंटी ने जब फोन पर मेरे से 'ब्लास्ट' के आफिस में जाने के बारे में पूछा था तो मैंने जोश में हामी भर दी थी लेकिन तभी से परेशान हूं, फिक्रमंद हूं।"

"क्यों भला?"

"किसी पर बिना किसी पुख्ता सबूत के यूं कत्ल का इलजाम लगाना एक गैरजिम्मेदाराना हरकत है। अचला आंटी का दिल गवाही देता है कि कत्ल हुआ है लेकिन मैं नहीं समझती कि दिल की गवाही थाने में, कोर्ट कचहरी में चलती होगी। इसलिये इस अंदेशे से परेशान हूं कि अचला आंटी के किये कोई पंगा न पड़ जाये। सारे सिलसिले में पुलिस का दखल बन गया तो बड़ा पंगा पड़ेगा। पड़ताल पर अचला आंटी की बात में कोई दम खम न निकला तो पंगा ऐसा गले पड़ेगा कि भुगता नहीं जायेगा।"

"क्या होगा?"

"आप पूछ रहे हैं क्या होगा! आप तो जानते हैं क्या होगा! जिस पर कत्ल का झूठा इलजाम लगाया जायेगा, इलजाम उसके खिलाफ न ठहर पाने की सूरत में क्या वो हमें बख्श देगा? अचला आंटी पर उसने इज्जत हत्तक का दावा ठोक दिया तो क्या हम भुगत पायेंगे? ऐसा हमारी खुशकिस्मती से न भी हुआ तो हमारी एम्पलायमेंट तो नहीं टिक सकेगी न! आंटी का मुझे नहीं पता लेकिन

आज की तारीख में मेरी माली हालत ऐसी है कि मैं पांच हजार रोज की उजरत लूज करना अफोर्ड नहीं कर सकती।"

"आई सी।"

"अचला आंटी हैबिचुअल ड्रीमर है, खयालों की दुनिया में रहती है। किसी भी आम, मामूली बात को अपनी खयाली सोच से गैरमामूली बना देना उसके बायें हाथ का खेल है। बहुत तजुर्बा है आंटी को एक की आठ लगाने का। आंटी का दिमाग ऐसे ही काम करता है कि वो हर नार्मल बात में अबनार्मल ढूंढ़ने में लग जाता है। ऊपर से अपनी बात को मजबूती देने के लिये झूठ का आसरा लेने से उसे कोई गुरेज नहीं। मिस्टर सुनील, कोई सुनने वाला होना चाहिये, अचला आंटी कैसी भी सनसनीखेज कहानी गढ़ सकती है।"

"चाहती क्या हो?"

"मैं कनफ्यूज्ड हूं। खुद ही नहीं समझ पा रही हूं कि क्या चाहती हूं। फिर भी कुछ चाहती हूं तो वो ये है कि या तो अचला आंटी को कनविंस कीजिये कि जो कुछ वो सोच रही है, वो उसका वहम है या अगर आपको उसकी बात में दम लगता है तो बतौर जर्नलिस्ट उस पर काम कीजिये और असलियत को सामने लाइये।"

"मैं देखूंगा क्या किया जा सकता है। जो लाइन आफ एक्शन मैं निर्धारित करूंगा, उसकी मैं तुम्हें बाद में खबर करूंगा। अपना नम्बर दो।"

बताया गया नम्बर सुनील ने एक कागज पर नोट किया और सम्बंध विच्छेद कर दिया।

"मैं सिक्का से मिलूंगा।"—वो अचला से बोला।

"मैं...मैं क्या करूं?"—अचला के मुंह से निकला।

"आप यहां से रुखसत पाइये, जाकर अपनी टैक्सी में सवार होइये और अपनी मंजिल पर पहुंचिये। किसी के सामने—खास तौर से सिक्का के सामने—इस बात के जिक्र से परहेज रखिये कि आप यहां, 'ब्लास्ट' के दफ्तर में, आयी थीं और मेरे से मिली थीं। सिक्का पर आपने यही जाहिर करना है कि, जैसा कि उसने आपके लिये इंतजाम किया था, आप टैक्सी पर सीधी मुगलबाग, संतोषी अपार्टमेंट्स पहुंची थीं। वहां सिक्का के रूबरू हों, तो भी अपने व्यवहार को बिल्कुल सहज, बिल्कुल नार्मल रखियेगा। अपने टैक्सी के शिड्यूल्ड सफर के बीच में आपने कोई भांजी मारी थी, इस बात की भनक उस शख्स को नहीं लगनी चाहिये। ओके?"

उसने सहमति में सिर हिलाया।

"तुम"—फिर व्यग्र भाव से बोली—"तुम कुछ करोगे?"

"हां। ए.एस.एम. हूं, इसलिये करूंगा।"

"ए.एस.एम.?"

"आदत से मजबूर!"

उसके चेहरे पर विस्मय के भाव आये, फिर बोली—"क्या करोगे?"

"आपके वहां पहुंच चुकने के अपेक्षित वक्त के थोड़ी देर बाद मैं वहां का फोन बजाऊंगा तो जवाब जाहिर है कि आप ही देंगी क्योंकि वहां आयी हर काल का जवाब आप दें, ऐसी आपको हिदायत है। नहीं?"

"हां।"

"फोन पर मैं बतौर चीफ रिपोर्टर 'ब्लास्ट' अपना परिचय दूंगा और बोलूंगा कि मैं सुजाता सक्सेना से रूबरू बात करना चाहता था इसलिये थोड़ी देर में वहां पहुंच रहा था। मैं कहूंगा कि इस बाबत मैं कोई बहाना, कोई हील हुज्जत, कोई इंकार नहीं सुनूंगा और अगर रूबरू मुलाकात में कोई विघ्न डाला गया तो सीधा पुलिस के पास जाऊंगा। जैसा कि आपसे अपेक्षित होगा, मेरे लाइन डिसकनैक्ट करते ही आप सिक्का के बताये नम्बर पर उसे फोन करेंगी और मेरी काल की खबर उसे करेंगी। आप इस बात की खास एहतियात बरतेंगी कि उसे भनक न लगने पाये कि आप मेरे से वाकिफ थीं, मेरे से मिल चुकी थीं और आप जानती थीं कि मेरी काल का मकसद क्या था।"

"नतीजा क्या निकलेगा?"—वो सशंक भाव से बोली।

"मुझे यकीन है, बल्कि गारंटी है, कि मेरे मुगलबाग पहुंचने से पहले सिक्का वहां फ्लैट पर मौजूद होगा।"

"ओह!"

"वो वहां नहीं होगा तो कहीं भी नहीं होगा।"

"क्या मतलब?"

"फरार हो जायेगा।"

"ऐसा?"

"जो कुछ आपके जेहन में है, अगर उसमें कोई दम हुआ तो ऐन यही होगा।"

"फरार होना तो गुनाह कुबूल करना होगा!"

"ऐग्जैक्टली। फ्लाइट इज ऐन इंवीडेंस आफ गिल्ट। बहरहाल वो मुझे मुगलबाग के फ्लैट में मेरा इंतजार करता मिले या फरार हो जाये, दोनों ही तरह कुछ हिल डुल बराबर होगी। फिर आगे देखेंगे, क्या होता है!"

"देखेंगे।"—वो संतोषपूर्ण स्वर में बोली—"अब मेरे मन को चैन आया।"

"अब आप तशरीफ ले जाइये और जाकर आइंदा वाकयात के वाकया होने का इंतजार कीजिये।"

सहमति में सिर हिलाती वो उठी, उसने एक बार कृतज्ञ भाव से सुनील की तरफ देखा और फिर वहां से रुखसत हो गयी।

एक घंटे बाद सुनील मुगलबाग में संतोषी अपार्टमेंट्स के फ्लैट नम्बर 402 की घंटी बजा रहा था।

घंटी के नीचे एक पीतल की नेम प्लेट लगी हुई थी जिस पर सुजाता सक्सेना का नाम और फ्लैट नम्बर दर्ज था।

दरवाजा जिस व्यक्ति ने खोला, अचला तलवार द्वारा बयान किये हुलिये की रू में यकीनन वो सिक्का था।

"मैं सुनील"—सुनील मुस्कराता हुआ बोला—"सुनील चक्रवर्ती। चीफ रिपोर्टर, 'ब्लास्ट'।"

"वैलकम!"—वो भी मुस्कराया—"मैं तुम्हारे नेम से, फेम से, वाकिफ हूं।"

"जान कर खुशी हुई।"

"आओ।"

वो दरवाजे से परे हटा तो सुनील ने भीतर कदम रखा।

"मैं सुजाता सक्सेना से मिलने आया था।"—वो बोला।

"वो तो...आई एम सारी...मुमकिन नहीं हो पायेगा।"—सप्रयास खेद प्रकट करता सिक्का बोला—"मैडम की तबीयत नासाज है। हाई बीपी, यू नो!"

सुनील खामोश रहा।

"क्यों मिलना चाहते हो?"

"आपकी तारीफ?"

"मुझे अमृत सिक्का कहते हैं।"

"सुजाता सक्सेना कहां हैं, मिस्टर सिक्का?"

"मैंने बोला न, उनकी तबीयत नासाज है।"

"मैं उनका ज्यादा वक्त नहीं लूंगा। एक मुख्तसर सी मुलाकात तबीयत नासाज होते भी हो सकती है।"

"तुम...मुलाकात करना क्यों चाहते हो?"

"मैडम को बोलूंगा न!"

"ये नहीं हो सकता।"

"क्यों नहीं हो सकता?"

"मैंने बोला न, उनकी तबीयत नासाज..."

"मैंने भी बोला न, एक छोटी सी, नन्हीं सी मुलाकात तबीयत नासाज होते भी हो सकती है।"

"तुम तो गले पड़ रहे हो!"

"खामखयाली है आप की। मैं कभी औरतों के गले नहीं पड़ता, आपके क्या पडूंगा।"

"मैंने बोला न, मुलाकात नामुमकिन है।"

"कोई काम नामुमकिन नहीं होता। मुश्किल होता है, ज्यादा मुश्किल होता है लेकिन नामुमकिन नहीं होता।"

"ये काम नामुमकिन है।"

"अगर ऐसा था तो मुझे यहां आने क्यों दिया?"

"क्योंकि तुम फोन पर अल्टीमेटम जारी करने के अंदाज से मुलाकात की

मांग कर रहे थे। तुम्हें यहां आने देना जरूरी था ताकि समझाया जा सकता कि मुलाकात मुमकिन नहीं थी।"

"अगर आपको मुलाकात की मेरी मांग अल्टीमेटम लगा तो याद कीजिये मैंने कुछ और भी कहा था!"

"क्या!"

"अगर मुलाकात में विघ्न डाला गया तो मैं पुलिस के पास जाऊंगा।"

"क्या करने जाओगे? क्या बोलोगे उनको?"

"मैं आपके सामने बोलता हूं न! पूछने की जरूरत ही नहीं रहेगी।"

"सामने बोलते हो?"

"हां। फोन पर।"

उसकी निगाह स्वयमेव परे दीवार के साथ लगी वाल कैबिनेट के टॉप पर पड़े फोन की तरफ उठ गयी।

"फोन खराब है।"—वो बोला।

"अभी एक घंटा पहले तो ठीक था!"

"अभी खराब हुआ।"

"उसकी भी तबीयत नासाज हो गयी! हाई बीपी हो गया!"

"मिस्टर..."

"नो प्राब्लम! फोन मेरे पास है।"

सुनील ने जेब से अपना मोबाइल निकालकर हाथ में लिया।

"अजीब आदमी हो!"

"आपकी फिफ्टी पर्सेंट आब्जरवेशन दुरुस्त है—आदमी हूं, अजीब होने पर मेरा कोई दावा नहीं।"

"अजीब..."

"फिर!"

"आई...डोंट लाइट इट।"

"यू डोंट लाइक वाट?"

"...वाट्स गोईंग आन।"

"यू शुड नो वाट्स गोईंग आन। एण्ड एक्सप्लेन टु मी वाट्स गोईंग आन।"

"तुम—तुम यहां कैसे पहुंच गये?"

"मोटर साइकल है न मेरे पास! एमवी आगस्ता अमेरिका। दि ब्यूट।"

"मेरा मतलब है तुम्हें इस जगह की खबर कैसे लगी? तुम्हें सुजाता सक्सेना की ही खबर कैसे लगी?"

"एक उड़ती चिड़िया ने बताया।"

"मजाक कर रहे हो!"

तब तक सुनील फ्लैट में काफी भीतर तक सरक आया था। अब उसके सामने एक बंद दरवाजा था जिसे एकाएक हाथ बढ़ाकर उसने खोला।

"अरे, अरे!"—तत्काल सिक्का विरोधपूर्ण स्वर में बोला—"ये क्या कर रहे हो?"

दरवाजा क्लोजेट का निकला।

उसने उसके बाजू का दूसरा दरवाजा खोला।

वो दरवाजा एक बेडरूम का निकला जिसके भीतर अचला तलवार और एक खूबसूरत नौजवान लड़की मौजूद थी जो कि जरूर उदिता चोपड़ा थी। उदिता बेड पर तकियों के सहारे अधलेटी सी बैठी थी और अचला बेड के करीब पड़ी एक कुर्सी पर विराजमान थी।

"सुजाता सक्सेना!"—विमल लड़की से सम्बोधित हुआ।

सिक्का लपककर उसके करीब पहुंचा।

"हां।"—जवाब उसने दिया—"ये सुजाता सक्सेना हैं।"

"अब आपका बीपी कैसा है, मैडम?"—सुनील पूर्ववत् लड़की से सम्बोधित रहा—"काबू में है?"

"ये ज्यादती है।"—सिक्का भड़के लहजे में बोला—"नाजायज, बल्कि गैरकानूनी, हरकत है।"

"गैरकानूनी बोला!"—सुनील सहज भाव से बोला।

"हां। सरासर…"

"तो कोई कानूनी कदम उठाओ, प्यारेलाल।"

"क्या!"

"पुलिस को बुलाओ। मुझे गिरफ्तार कराओ।"

"मैं…मैं बात बढ़ाना नहीं चाहता।"

"मैं चाहता हूं न!"

"अब यहां से तो हिलो।"

"कहां हिलूं?"

"उधर ड्राईंगरूम में चल के बैठो। मैं भी बैठता हूं। फिर बात करते हैं।"

"तुम"—अचला एकाएक कुर्सी से उठती बोली—"सुनील हो। 'ब्लास्ट' के चीफ रिपोर्टर! तुमने एक घंटा पहले यहां फोन किया था!"

"हां।"—सुनील बोला।

"मैं बात करता हूं न!"—सिक्का फौरन दखलअंदाज हुआ।

"क्या बात करते हो?"

"जो भी…जो भी बात…करने लायक है?"

"क्या? क्या बात करने लायक है?"

"तुम बोलो।"

"ठीक है, बोलता हूं। सुनो। तुमने एक खास सर्कट से खास शिद्दत के साथ एक खास लड़की तलाश की है और उसे बमय कम्पैनियन तुमने यहां, इस फ्लैट में, स्थापित किया है। तुमने दर्जनों नौजवान लड़कियों के पोर्टफोलियो स्टडी

करके इस लड़की को छांटा है क्योंकि तुमने इसे किसी को इमपर्सनेट करने के लिये, किसी का बहुरूप धरने के लिये ऐन फिट पाया है और इस काम के लिये इसकी और कम्पैनियन की मोटी फीस मुकर्रर की है। ठीक?"

"ठीक है भी तो तुम्हें क्या?"

"ये एक गैरमामूली बात है। और हर गैरमामूली बात न्यूज होती है। ज्यादा गैरमामूली बात ज्यादा सैंसेशनल न्यूज होती है। और सैंसेशनल न्यूज है जहां, सुनील भाई मुलतानी है वहां। बस इतनी सी बात है।"

"मुझे नहीं लगता कि इतनी सी बात है। तुम किसी के उकसाये यहां आये हो।"

"बिल्कुल ठीक। मैं न्यूजहाउंड हूं, न्यूज के उकसाये यहां आया हूं। न्यूज के लिये अपनी फेमस सुनीलियन सूंघ के उकसाये यहां आया हूं।"

"होगी ये बात भी लेकिन कोई और बात भी है।"

"और कौन सी बात?"

"जो मैंने पहले कही। तुम किसी के उकसाये यहां आये हो...किसी खास शख्स के उकसाये यहां आये हो।"

"ऐसी कोई बात नहीं।"

"और नाहक ऐसे मामले में दखलअंदाज हो रहे हो जिससे तुम्हारा कोई मतलब नहीं, जिसमें कुछ गैरकानूनी नहीं।"

"कुछ गैरकानूनी नहीं?"

"हां। मैं तुम्हें बाकायदा यकीन दिला सकता हूं कि कुछ गैरकानूनी नहीं।"

"गुड। दिलाओ।"

"यहां नहीं।"

"तो और कहां?"

"कहीं अकेले में।"

"यहां क्या प्राब्लम है?"

"प्राब्लम तो कोई नहीं, लेकिन..."

"जो कहना है यहीं कहो, अभी कहो।"

"बड़े सख्त हाकिम हो, यार।"

"मैं न बड़ा हूं, न सख्त हूं, न हाकिम हूं और न यार हूं।"—सुनील एक क्षण ठिठका, फिर बोला—"फिलहाल। आगे की आगे देखेंगे।"

"अच्छी बात है।"—वो अचला की तरफ घूमा—"तुम बैड पर बैठो।"

अचला ने सहमति में सिर हिलाते आदेश का पालन किया, वो बैड पर चढ़ कर लड़की के पहलू में जा बैठी।

उसके द्वारा खाली की गयी कुर्सी सिक्का ने सुनील को आफर की और खुद एक करीबी मेज पर टांगें नीचे लटका के बैठ गया। नर्वस भाव से उसने जेब से सिग्रेट का पैकेट निकाला, एक सिग्रेट पैकेट से निकाल कर होंठों की तरफ

बढ़ाया, फिर यूं हड़बड़ाया जैसे कोई भूली बात याद आ गयी हो और वही सिग्रेट उसने सुनील की तरफ बढ़ाया।

"मेरे पास है।"—सुनील बोला, उसने जेब से अपना लक्की स्ट्राइक का पैकेट बरामद किया।

दोनों ने सिग्रेट सुलगाये।

"मैं इंतजार कर रहा हूं।"—धुआं उगलता सुनील भावहीन लहजे में बोला।

"ओ, हां। हां।"—वो तनिक हड़बड़ाया—"वो क्या है कि ये लड़की...इस लड़की का नाम उदिता चोपड़ा है और ये, अचला तलवार, इसकी कांस्टेंट, ट्वेंटी फोर आवर्स की कम्पैनियन है। इस नौजवान लड़की के साथ ये उम्रदराज कम्पैनियन होना मेरी नेकनीयती का सबूत है वर्ना इसकी यहां कोई जरूरत नहीं। कोई गलत न सोचे, मेरी नीयत पर शक न करे इसलिये खुद मैंने आफर किया था कि लड़की अपने साथ एक कांस्टेंट कम्पैनियन रख सकती थी।"

"वैरी नोबल आफ यू!"

"आफकोर्स इट इज। दैट इज...अगर तुम मानो तो।"

"मैंने माना। आगे ये माना—और जाना—कि ये लड़की, उदिता चोपड़ा, पांच हजार रुपये रोजाना पर यहां तुम्हारी टेम्परेरी एम्पलायमेंट में है और यहां इसका काम ये जाहिर करना है कि ये सुजाता सक्सेना है।"

उसने बेचैनी से पहलू बदला और कठिन भाव से सहमति में सिर हिलाया।

"इमपर्सनेशन इज ए क्राइम।"

"ओनली वैन देयर इज इंटेंट टु डिफ्रॉड।"

"तुम गारंटी करते हो कि तुम्हारी इंटेंट में फ्रॉड का कोई दखल नहीं?"

"हां। बराबर।"

"लेकिन एक गलतफहमी पैदा करने की, एक मुगालता खड़ा करने की कोशिश तुम बराबर कर रहे हो!"

"यूं अगर किसी का कोई अहित न हो तो ऐसा करना कोई क्राइम नहीं।"

"ऐसा कर क्यों रहे हो?"

"ये मैं नहीं बता सकता। वजह जाती है, प्राइवेट है, जिससे तुम्हारा, किसी का, कोई लेना देना नहीं।"

"ये सिलसिला इन लेडीज को कोई नुकसान पहुंचा सकता है।"

मैं ऐसा नहीं समझता। अगर ये ऐसा समझती हैं तो ये क्विट करने को आजाद हैं।

"हूं।"

"पूछ कर देखो—खास तौर से उदिता से—कि ये ये असाइनमेंट छोड़कर यहां से जाना चाहती है?"

सुनील उदिता की तरफ घूमा तो पाया कि वो पहले ही इंकार में सिर हिला रही थी।

"ये फ्लैट किसका है?"—सुनील फिर सिक्का से सम्बोधित हुआ।

"सुजाता सक्सेना का।"—तनिक हिचकिचाता सिक्का बोला।

"असली सुजाता सक्सेना का! न कि इस लड़की का जो कि सुजाता सक्सेना की आईडेंटिटी अख्तियार किये है!"

"जाहिर है।"

"उसकी—असली सुजाता सक्सेना की—मिल्कियत?"

"नहीं। टाइमबाउंड लीज पर है।"

"जो स्टेज तुमने यहां सैट की है, सुजाता सक्सेना के कहने पर की है?"

"मैं इस बारे में कुछ नहीं कहना चाहता। बस, इतना समझ लो कि जो कुछ मैं कर रहा हूं, उसका अख्तियार मुझे हासिल है।"

"किसके कराये?"

"किसी के भी।"

"लिखत में?"

"नहीं, लिखत में तो नहीं!"

"जुबानी जमा खर्च का क्या है, जितना मर्जी कर लो।"

"अब मैं तुम्हें कैसे समझाऊं!"

"सोचो कोई तरीका।"

वो सच में सोचने लगा।

कुछ क्षण खामोशी रही।

"तुम्हारे बारे में मैंने बहुत कुछ सुना है।"—फिर बोला—"ऐसे ही तो पीछा छोड़ देने वाले तुम लगते नहीं मुझे!"

"है तो ऐसा ही कुछ कुछ।"

"मेरी एक पेशकश है तुम्हारे लिये जो मैं समझता हूं कि तुम्हारी जिज्ञासा शांत कर देगी और फितरतन दूसरे के फटे में अड़ती जा रही तुम्हारी टांग को भी आजाद कर देगी।"

"वैरी गुड। क्या है पेशकश?"

"सुजाता सक्सेना खुद तुम से आकर मिलेगी, वो खुद बोलेगी, तुम्हें कनविंस करेगी कि जो कुछ मैं कर रहा हूं, उसकी हिदायत पर कर रहा हूं, कि जो हो रहा है उसमें फ्रॉड का कोई दखल नहीं और उसमें कुछ भी, किसी के लिये भी—खासतौर से इस लड़की के लिये—अहितकर नहीं।"

"तुम ऐसा इंतजाम कर सकते हो?"

"कर सकता हूं, भई, तभी तो बोला।"

"सुजाता सक्सेना खुद मुझसे आकर मिलेगी?"

"सम्पर्क करेगी। आकर मिलने को बोलोगे तो आकर मिलेगी।"

"असली सुजाता सक्सेना?"

"हां, भई।"

"या रनर अप?"

"क्या मतलब?"

"नम्बर दो। तुमने लम्बी और व्यापक तलाश के बाद इस लड़की को—उदिता चोपड़ा को—अपने काम के लिये छांटा था। इसे तुमने अपने काम के लिये परफेक्ट पाया था, टॉप पर पाया था तो कोई सेकंड पोजीशन पर भी तो होगी! नम्बर दो भी तो होगी! रनर अप भी तो होगी!"

"क्या कहना चाहते हो?"

"जो सबक इसको पढ़ाया, उसको भी पढ़ा दोगे, वो भी दावा करेगी कि वो सुजाता सक्सेना थी!"

"तुम ऐसे झांसे में आ जाओगे?"

"उम्मीद तो नहीं!"

"मुझे यकीन है नहीं आओगे इसलिये मैं ऐसी कोई कोशिश करूंगा तो बेवकूफ ही बनूंगा।"

"तो?"

"सुजाता सक्सेना ही तुमसे मिलेगी। तुम्हारी तसल्ली के लिये तुम्हें अपना ड्राइविंग लाइसेंस दिखायेगी। वोटर आई कार्ड दिखायेगी। तसल्ली का कोई और खास जरिया तुम्हारे जेहन में हो तो तुम बोलो।"

"इतना ही काफी होगा। प्रूफ आफ आईडेंटिटी के तौर पर ड्राइविंग लाइसेंस ही काफी होगा।"

"शुक्र है।"

"कब होगा ऐसा?"

"आज ही। अपने आफिस पहुंचो, डेढ़ बजे से पहले वो वहां होगी।"

"दैट विल बी मोस्ट सैटिस्फैक्ट्री। मैडम को मालूम होगा उन्होंने कहां आना है?"

"हां, मालूम होगा।"

"फिर भी मेरा ये एक विजिटिंग कार्ड रख लो, काम आयेगा।"

"ठीक है।"

"कहा सुनी माफ!"

"ओके।"

सुनील 'ब्लास्ट' के आफिस में अपने केबिन में मौजूद था।

डेढ़ बज चुका था।

सुजाता सक्सेना का कहीं अता पता नहीं था।

बड़ी विचारपूर्ण मुद्रा बनाये बैठा वो सिग्रेट के कश लगा रहा था।

रेणु को उसकी बाबत उसने खास हिदायत दी थी कि वो आये तो उसे रिसैप्शन पर अटकाया न जाये, फौरन उसके पास भेज दिया जाये, लेकिन ऐसा किये जाने की नौबत ही नहीं आयी थी।

दस मिनट ऊपर हो गये।

फोन की घंटी बजी। उसने काल रिसीव की।

"तुम्हारा वो जो खास मुलाकाती आने वाला था"—उसे रेणु की आवाज सुनायी दी—"आने वाली थी, आई तो नहीं!"

"आ जायेगी।"—वो बोला।

सिक्का ने उसे टालने के लिये झूठ बोला होता तो उसी दिन डेढ़ बजे की मुलाकात न तजवीज की होती, वो मुलाकात के लिये अगला या उससे अगला दिन मुकर्रर कर सकता था।

"अच्छा!"

"हां। कहीं अटक गयी होगी! ट्रैफिक जाम में फंस गयी होगी!"

"क्या बड़ी बात है! या खाली फंस गयी होगी!"

"क्या मतलब?"

"समझो। लड़कियां फंसाने का तो तुम्हें खासा तजुर्बा है! फंस जाने का मतलब नहीं समझते हो!"

"नानसेंस!"

"मेरे खयाल से ब्यूटी पार्लर में टाइम लग गया होगा! आखिर सुनील भाई मुलतानी से मिलने आना था, सारे मारक हथियारों को धार दिये बिना तो नहीं आया जा सकता था न!"

"वो यहां शिकार करने नहीं आ रही, मेरे से मिलने आ रही है।"

"मिलेगी तो शिकार करेगी न! उसे कहां खबर होगी कि यहां उलटी गंगा बह रही है। शिकारी ही बेचारा शिकार होने को तड़प रहा है।"

"बस कर।"

"करती हूं लेकिन एक बात सुन लो।"

"क्या?"

"अगर वो मेरे से ज्यादा खूबसूरत न निकली तो शर्म की बात होगी तुम्हारे लिये।"

"मैं शर्म कर लूंगा। एक नम्बर मिला के दे।"

"बोलो।"

सुनील ने उसे अमृत सिक्का का नाम और नम्बर बताया।

दो मिनट बाद काल बैल के जवाब में उसने रिसीवर उठाकर वापिस कान से लगाया तो लाइन पर सिक्का को पाया।

"सुनील बोल रहा हूं।"—वो माउथपीस में बोला।

"यस, मिस्टर सुनील!"—सिक्का की आवाज आयी—"तसल्ली हो गयी मैडम की बाबत?"

"नहीं हो गयी।"

"वजह?"

"वो यहां आयी कहां है!"

"नहीं आयी?"

"नहीं, नहीं आयी।"

"क्या बात करते हो?"

"तुम्हारी मैडम शिड्यूल्ड टाइम पर यहां नहीं पहुंची जबकि अब तो पौने दो बजने को हो रहे हैं।"

"हैरत की बात है। मैडम को तो डेढ़ से पहले वहां पहुंचा होना चाहिये था!"

"बाद भी नहीं पहुंची।"

"जरूर कोई वजह होगी!"

"वो तो होगी ही, लेकिन क्या?"

"अब...क्या बोलूं?"

"तुम्हारी बात हुई थी मैडम से? तुमने बोला था उसने डेढ़ बजे यहां पहुंचना था? समझाया था कि कहां पहुंचना था?"

"हां। सब बोला था। सब समझाया था।"

"कैसे? रूबरू मिले थे या फोन पर बात की थी?"

"फोन पर बात की थी।"

"मैडम से ही की थी न! मैडम के मुगालते में किसी और से तो नहीं की थी?"

"क्या! अरे नहीं, भई, ऐसा कहीं होता है!"

"तो फिर क्या हुआ?"

"क्या बोलूं क्या हुआ! मैं खुद हैरान हूं।"

"अब क्या करोगे?"

"क्या करूंगा! क्या बोलूं क्या करूंगा?"

"मैं बोलता हूं। उससे फिर कांटैक्ट करो और मालूम करो आमद में क्या पंगा पड़ गया। मैं पंद्रह मिनट और इंतजार करूंगा, दो बजे तक मुझे मैडम के दर्शन न हुए तो फिर...तो फिर जो मुझे मुनासिब लगेगा मैं करूंगा।"

"क्या करोगे?"

"सबसे पहले तो मुगलबाग ही फोन लगाऊंगा और तुम्हारी टेम्परेरी मुलाजिम जोड़ी को बोलूंगा कि वो फौरन उस फसादी असाइनेंट से किनारा करें।"

"हे भगवान! अरे, ऐसा न करना। दरख्वास्त है तुमसे। उन्होंने इस घड़ी ऐसा कोई कदम उठाया तो मेरे अब तक के सारे किये धरे पर पानी फिर जायेगा।"

"कौन सा किया धरा?"

"ये मैं तुम्हें नहीं बता सकता लेकिन प्लीज...प्लीज, प्लीज उन्हें—खास तौर से उदिता चोपड़ा को—ऐसी कोई राय न देना।"

"नहीं दूंगा, अगरचे कि दो बजे तक तुम्हारी मैडम यहां मेरे पास मेरे सामने मौजूद हो।"

उसने रिसीवर वापिस क्रेडल पर रख दिया।

दो बज गये।

सुजाता सक्सेना का न फोन आया न वो खुद आयी।

सुनील ने संतोषी अपार्टमेंट्स, मुगलबाग काल लगाई।

कुछ देर घंटी बजती रहने के बाद जवाब मिला।

"हल्लो!"—वो व्यग्र भाव से बोला—"कौन?"

तुरंत उत्तर न मिला।

"आपको कौन चाहिये?"—फिर सावधान स्वर में पूछा गया।

"अरे, उदिता बोल रही हो या अचला?"

"उदिता। आप कौन?"

"मैं सुनील बोल रहा हूं। प्रैस रिपोर्टर। 'ब्लास्ट'। सुबह मैं वहां आया था।"

"ओह! यस, मिस्टर सुनील, आई वैल रिमेम्बर यू। कैसे फोन किया?"

"फोन सुनना तो मेरे खयाल से तुम्हारी अचला आंटी का काम है!"

"वो बाथरूम में है। घंटी बजे जा रही थी इसलिये मैंने उठा लिया।"

"ठीक है। सुनो। तुम्हारे सामने अमृत सिक्का से मेरी बात हुई थी और ये सैटल हुआ था कि सुजाता सक्सेना—असली सुजाता सक्सेना, जिसे कि तुम इमपर्सनेट कर रही हो—डेढ़ बजे से पहले मेरे आफिस में आ कर मुझसे मिलेगी। सिक्का ने बोगस वादा किया जान पड़ता है क्योंकि सुजाता सक्सेना यहां मेरे पास नहीं पहुंची है। नये अरेंजमेंट के मुताबिक दो बजे भी नहीं पहुंची है।"

"ऐसा क्यों?"

"हो सकता है यहां पहुंचने के लिये उसका वजूद ही न हो!"

"मतलब?"

"अचला आंटी समझती है। तुम इस बात को छोड़ो और ये बात सुनो कि तुमने क्या करना है, तुम्हारा मौजूदा हालात में क्या करना बनता है। तुम्हारी अचला आंटी से मेरा कोई मुलाहजा स्थापित हो गया है जिसके तहत मौजूदा हालात में तुम लोगों के लिये मुफीद राय मैं तुम्हें देने की कोशिश कर रहा हूं। तुम सुन रही हो?"

"हां।"

"तुम लोगों का वहां उस फ्लैट में जो निजी सामान मौजूद है, उसको समेट कर तुम अपनी अचला आंटी के साथ वहां से निकल लो। अपने सामान के अलावा वहां की कोई भी चीज तुम लोगों ने नहीं उठानी है..."

"आंटी के कपड़े जो आज ही यहां पहुंचे..."

"बंडल बना लो। अपना सामान उसी शापिंग बैग में डाल लो जिसमें वहां लाई थीं..."

"आपको कैसे मालूम कि..."

"सवाल मत करो। जो मैं कह रहा हूं उसकी तरफ तवज्जो दो। मैं फिर

दोहरा रहा हूं कि तुमने वहां से वहां की कोई चीज नहीं उठानी है। ऐसा करोगी तो तुम लोगों पर चोरी का इलजाम आयेगा।”

“च-चोरी! चोरी का इलजाम आयेगा?”

“फर्ज करो वहां पुलिस का फेरा लगता है...”

“काहे को!”

“अरे, फर्ज करो। फर्ज करो सिर्फ!”

“ओह!”

“फर्ज करो वहां पुलिस का फेरा लगता है और फ्लैट की मालकिन की जगह वो लोग तुम्हें वहां फ्लैट की मालकिन बनी बैठी पाते हैं, तुम्हें उसका नाम, उसके कपड़े, उसके इस्तेमाल की हर चीज कब्जाये बैठे पाते हैं। उस बाबत सवाल किये जाने पर तुम कहती हो कि तुम वो सब सिक्का नाम के एक शख्स की असाइनमेंट पर कर रही हो लेकिन नहीं जानती हो कि वो कहां पाया जाता है। तुम्हारी बात की, तुम्हारे इस असाइनमेंट के दावे की तसदीक के लिये सिक्का ढूंढ़े नहीं मिलता तो सोचो तुम्हारी क्या पोजीशन होगी! और उन हालात में तुम्हें क्या समझा जायेगा।”

दूसरी तरफ से आवाज न आयी।

“चोरी के अलावा फ्रॉड और इमपर्सनेशन का इलजाम भी तुम पर आयद होगा। फिर इस बाबत पुलिस कुछ करे न करे, वो इलजाम ही वहां रुके रहने के लिये तुम्हें ब्लैकमेल करने के काम आयेगा।”

“कि-किसके काम आयेगा?”

“सिक्का के काम आयेगा, और किसके काम आयेगा!”

“ओह, नो!”

“अब आयी बात समझ में?”

“हां।”

“तुम ऐसे किसी फंदे में फंसना चाहती हो?”

“नहीं।”

“सो देयर।”

“मिस्टर सिक्का हमारे साथ ऐसे...ऐसे पेश आयेंगे?”

“मुझे नहीं पता वो क्या करेगा। मैं कोई नजूमी नहीं हूं। लेकिन मुझे ये पता है कि वो क्या कर सकता है। वो तुम्हें अपने जाल में फंसाये रखने के लिये कुछ भी कर सकता है। इसलिये अपना, सिर्फ अपना सामान काबू में करो और निकल लो।”

“जो कदम आप हमें उठाने को कह रहे हैं, मिस्टर सिक्का को उसकी खबर होगी?”

“होगी। है। क्योंकि मैंने खुद उसे बताया है कि तुम्हारा अगला और इमीजियेट कदम क्या होगा!”

"अगर वो जानते हैं तो क्या हमें रोकने की कोशिश नहीं करेंगे?"

"करेंगे। वो संतोषी अपार्टमेंट्स दौड़ा चला आ रहा होगा। इसीलिये तुम्हें वक्त का तोड़ा है। तुमने जो करना है उसके वहां पहुंचने से पहले करना है।"

"ओह!"

"उसके पहुंचने पर अभी तुम वहीं हुई तो वो तुम्हें नहीं जाने देगा, रोके रखने के लिये कई तरह के प्रलोभन देगा जिससे बचने का यही तरीका है कि उसके वहां पहुंचने से पहले तुम वहां से कूच कर जाओ।"

"उसके बाद क्या करें?"

"पहला और अहमतरीन काम यही है कि तुमने सेफ वहां से निकल जाना है। ऐसा कर चुकने के बाद मुझे फोन करना है और ये गुड न्यूज देनी है कि तुम दोनों निर्विघ्न वहां से निकल आयी हो। ओके?"

"ओके। निकल के हम जायें कहां?"

"कहीं भी। सिनेमा जाओ, शापिंग माल जाओ, किसी रेस्टोरेंट में जाओ। कहीं भी चली जाओ।"

"बेशक अपने अपने घर चली जायें?"

"बेशक। आई रिपीट, अहमतरीन बात ये है कि तुमने वहां नहीं टिकना जहां कि तुम हो।"

"ठीक है, हम आधे घंटे में...।"

"दस मिनट में। बड़ी हद पंद्रह मिनट में।"

"ठीक है।"

सम्बंध विच्छेद हो गया।


उम्मीद के खिलाफ उम्मीद करता सुनील अपने केबिन में बैठा सुजाता सक्सेना की आमद का इंतजार कर रहा था जबकि फोन की घंटी बजी।

उसने लाइन पर उदिता चोपड़ा को पाया।

"कहां पर हो!"—उसने तनिक उत्सुक भाव से पूछा।

"होटल श्रीलेखा की लाबी में।"—जवाब मिला।

"श्रीलेखा!"

"हामिद अली रोड पर है।"

"अच्छा, वो!"

"उसके मैजेस्टिक सर्कल वाले सिरे के करीब।"

"फ्लैट से निकलने में कोई दिक्कत तो नहीं हुई?"

"हो सकती थी लेकिन नहीं हुई।"

"मतलब?"

"उसका फोन आ गया था। खुद आया होता तो...प्राब्लम होती।"

"ओह! क्या कहता था?"

"खबर करता था कि वो आ रहा था। लेकिन हम उसके पहुंचने से पहले ही फ्लैट से निकल गये थे।"

"खबर करने के अलावा और क्या कहता था?"

"टिके रहने की मनुहार करता था। उजरत बढ़ा देने की, डबल तक कर देने की, पेशकश करता था। हमें किसी भी तरह की कोई दिक्कत या दुश्वारी न होने की गारंटी दोहराता था।"

"कुछ नया नहीं करता था। सब उससे अपेक्षित था।"

"एक बात पर उसका खास जोर था।"

"कौन सी बात?"

"जब उसे लगा था कि हम रुकने वाली नहीं थीं तो बोला—दरख्वास्त के अपील के लहजे से बोला—कि हम शाम से पहले घर का रुख न करें।"

"तो क्या करें?"

"वक्तगुजारी पर किसी पब्लिक प्लेस में—जैसे कि सिनेमा, शापिंग माल, पार्क—चली जायें। शाम तक सब कुछ सैट हो जाने वाला था। तब तक हम ठण्डे दिलोदिमाग से अपने क्विट करने के फैसले को रीव्यू कर सकती थीं और नतीजतन संतोषी अपार्टमेंट्स वापिस लौटने का फैसला कर सकती थीं। लेकिन हमारे लिये वार्निंग थी कि अगर शाम से पहले हम अपने घर गयीं तो कोई पैच अप मुमकिन नहीं था, तो डील आफ था।"

"शाम से पहले वो तुम्हारी जगह लेने के लिये किसी और लड़की को—मसलन तुम्हारी रनर अप को—लोकेट कर लेता!"

"शायद।"

"मेरे बारे में कुछ न बोला?"

"बोला।"

"क्या?"

"ये कि तुम एक नाजायज, हरकती, खुंदकी आदमी हो, तुम्हारी फितरत 'तू कौन मैं खामखाह' वाली है, आदतन हर किसी के फटे में टांग अड़ाने को आमादा रहते हो, फितरतन आम, सहज स्वाभाविक बात में भी मीन मेख निकालते हो। बोलता था मिसाल सामने थी।"

"कौन सी मिसाल सामने थी?"

"सुजाता सक्सेना से तुम्हारी अप्वायंटमेंट की मिसाल। कहता था दर्जनों वजह मुमकिन थीं मैडम के वक्त पर 'ब्लास्ट' के आफिस में न पहुंच पाने की लेकिन तुम इतने अनरीजनेबल आदमी थे कि जरा सी देरी पर ही हाल दुहाई मचाने लगे थे, थोड़ा सब्र से काम लेते तो कौन सी आफत टूट पड़ती!"

"मैंने हाल दुहाई मचाई?"

"वो ऐसा कहता था।"

"गलत कहता था। न मचाई होती तो वो पहुंच गयी होती?"

"अब मैं क्या बोलूं!"

"सुजाता सक्सेना को मेरे मिजाज की क्या खबर थी? मैंने अपना ऐतराज उस पर नहीं, सिक्का पर जाहिर किया था। इसका क्या ये मतलब हुआ कि मेरे काबिलेऐतराज व्यवहार के मद्देनजर उसने सुजाता सक्सेना को मेरे पास आने से रोक दिया?"

"मैं क्या बोलूं!"

"बहरहाल तुम अपने मौजूदा मुकाम पर इसलिये मौजूद हो क्योंकि तुम्हें सिक्का की दरख्वास्त कुबूल हुई?"

"नहीं।"

"तो हामिद रोड कैसे पहुंच गयीं? वो तो तुम लोगों के घर का रास्ता नहीं!"

"हमने जानबूझकर कूपर रोड का या फ्रेजर रोड का रुख नहीं किया था।"

"वजह!"

"वजह सिक्का की दरख्वास्त—या अपील या हुक्म—नहीं।"

"तो?"

"हमारी निगरानी हो रही है।"

"क्या!"

"कोई लोग हमारे पीछे लगे हैं।"

"कौन लोग?"

"मालूम नहीं।"

"कितने हैं।"

"दो तो यकीनन हैं। ज्यादा भी हो सकते हैं।"

"मुझे ऐसा कोई अंदेशा था तो सही! इसीलिये बोला था फ्लैट से वहां की कोई चीज साथ न लेना। नहीं ली न!"

"बिल्कुल नहीं ली। सूई तक नहीं ली।"

"ये पक्की बात है कि वो लोग तुम लोगों पर ही निगाह रखे हैं?"

"बिल्कुल पक्की बात है।"

"उन्हें मालूम होगा कि तुम्हें उनकी खबर लग चुकी थी?"

"उम्मीद नहीं।"

"फ्लैट से कब निकली थीं?"

"दो बीस पर।"

"कम्पलैक्स से?"

"ढ़ाई तक निकल गयी थीं।"

"दस मिनट लॉबी में गुजरे?"

"हां। आंटी को फोन करने थे न! फिर आंटी के कहे फोन मैंने ट्राई करने थे।"

"जल्दी निकलना चाहिये था।"

"सिक्का तो तब तक वहां पहुंचा नहीं था!"

"फिर भी!"

"अचला आंटी की वजह से देर हुई। उन्हीं का ताम झाम ज्यादा था जिसको समेटने में उन्हें वक्त लगा।"

"ओह!"

"फिर तुम्हें फोन करने लगीं। बड़ी मुश्किल से मैंने उन्हें रोका और मनाया कि फोन कहीं और से कर लें। सिक्का का नम्बर ट्राई करने से फिर भी बाज न आयीं।"

"उसका नम्बर किसलिये?"

"जानना चाहती थीं कि वो अभी वहीं था या रवाना हो चुका था।"

"नानसेंस!"

"अब मैं क्या बोलूं!"

"क्या जाना फोन से?"

"कुछ भी नहीं।"

"क्यों?"

"जवाब ही न मिला। मिस्टर सुनील, ऐसा पहली बार हुआ था इसलिये हैरानी की बात थी। उसने शुरू में ही हमें गारंटी से कहा था कि उस फोन से हमें हमेशा जवाब मिलेगा, भले ही सुबह, दोपहर, शाम, रात का कोई टाइम हो। सिर्फ एक बार ऐसा हुआ था कि जवाब उसने नहीं दिया था, फोन किसी औरत ने रिसीव किया था।"

"कौन औरत?"

"क्या पता कौन औरत! शायद सुजाता सक्सेना। मैंने अपना ये खयाल अचला आंटी पर जाहिर किया तो वो बड़ी मजबूती से बोली कि ऐसा हो ही नहीं सकता था, वो औरत तो जिंदा हो ही नहीं सकती थी, उसका तो यकीनन कत्ल हो चुका था।"

"अचला आंटी के जिक्र पर एक बात पूछना मुझे भी सूझा है। वो इतनी बेखौफ क्यों है, किसी अंजाम से बेखतर क्यों है?"

"मैं समझी नहीं।"

"क्यों वो ये पुरजोर दावा करती है कि वो कैसी भी ऊंच नीच से बाखूबी निपट सकती है? मैंने मजाक में कहा आपके पास तोप है तो बोली कुछ तो है। क्या है कुछ तो? तुम्हें मालूम है कुछ इस बारे में?"

लाइन पर खामोशी छा गयी।

"कोई गन वगैरह तो नहीं रखती तुम्हारी अचला आंटी?"

"गन!"

"हां, गन। जिसकी वजह से सारी होशियारी हो, सारी दिलेरी हो!"

"तुमसे मिली थी, उसी से पूछना था!"

"मैंने पूछा था। वो तलाशी देने को तैयार हो गयी थी। कैसे मैं ये तहजीब से कोरा व्यवहार कर सकता था! वो भी एक उम्रदराज औरत के साथ!"

"इसीलिये तलाशी देने को तैयार हो गयी थी अचला आंटी, क्योंकि जानती थी कि तुम एक भद्रपुरुष हो, हरगिज ऐसा न करते। आंटी को जरा भी अंदेशा होता कि तुम तलाशी लेने को तैयार हो सकते थे तो वो पेशकश वो हरगिज न करती।"

"कमाल है! अब बोलो, गन तो नहीं रखती थी अचला तलवार! नाम के अनुरूप तलवार रखना उसके लिये मुमकिन होता तो मैं कहता..."

"ठीक कहते। मिनी तलवार पर कम्प्रोमाइज हो जाता।"

"मतलब?"

"खंजर रखती है हैण्डबैग में।"

"खंजर!"

"मिलिट्री इशू। मिलिट्री में नर्स थी तब किसी वजह से वर्दी के साथ इशु हुआ था जिसे उसने प्रीमैच्योर रिटायरमेंट पर सरंडर नहीं किया था और, जाहिर है कि, किसी ने इस बाबत उसे टोका भी नहीं था।"

"कमाल है!"

"अचला आंटी जवानी में बहुत खूबसूरत थी..."

"अभी भी कोई कम खूबसूरत नहीं!"

"अपनी मौजूदा उम्र के लिहाज से। लेकिन नौजवानी की खूबसूरती की बात कुछ और ही होती है। नहीं?"

"हां।"

"अचला को खुशफहमी है कि आज भी उसकी जवानी वाली खूबसूरती बरकरार है—भले ही पैंतालीस से ऊपर पहुंच गई है, लार्ज इकानमी साइज हो गयी है—इसलिये समझती है कि किसी नौजवान लड़की की तरह वो भी किसी बलात्कारी का शिकार बन सकती है।"

"इसलिये किसी अनहोनी के लिये हमेशा तैयार रहती है। खंजर साथ रखती है!"

"और मिर्ची पाउडर की पुड़िया। और आंखें झुलसाने वाला स्प्रे कैन। तुमने अभी तोप का जिक्र मजाक में किया था लेकिन उसका बस चले तो वो तोप भी साथ रख ले।"

"मोलेस्टर्स से इतना खतरा महसूस करती है?"

"हां।"

"इस उम्र में भी?"

"हां।"

"कभी किसी चीज के इस्तेमाल की नौबत आयी?"

"आज तक नहीं आयी।"

"वजह?"

"बलात्कारी अभी इतने डेस्प्रैट नहीं हैं।"

"आई सी।"

"मिर्ची पाउडर और स्प्रे कैन की बात मैं नहीं करती लेकिन खंजर तो मैं मान ही नहीं सकती कि ऐसी नौबत आने पर अचला आंटी चला लेगी।"

"आई सी।"

"मुझे तो लगता है मन ही मन वो इंतजार करती है, एक हसरत पाले है अपने जेहन में, कि वो किसी बलात्कारी का शिकार बने।"

"सैक्स को तरसे लोगों की ऐसी साइकॉलोजी होती तो है! फैंटेसाइज करते तो हैं लोग बाग ऐसी बातों को!"

"मैंने बोला था न, आंटी ड्रीमर है। खयालों की दुनिया में रहती है। हर होनी अनहोनी बात को मैग्नीफाई करके देखने की आदी है।"

"शादी न की?"

"की थी। पांच सौ पीजा पहले की थी जबकि वो आज के साइज की नहीं थी लेकिन चली नहीं थी। जल्दी ही म्यूचुअल कंसैंट से तलाक हो गया था।"

"बाल बच्चा!"

"कोई नहीं। नौबत ही न आयी।"

"दोबारा शादी न की?"

"न।"

"मिर्ची पाउडर ठीक है, स्प्रे भी समझ में आता है लेकिन ये हैरानी की बात है कि एक उम्रदराज औरत अपने हैण्डबैग में खंजर रखती है क्योंकि उसे अंदेशा है कि कभी उसका किसी रेपिस्ट से आमना सामना हो सकता है, उसका रेप हो सकता है।"

"साइकॉलोजी! तुमने खुद तो बोला!"

"ये पक्की बात है कि तुम अपने मौजूदा मुकाम पर इसलिये मौजूद हो क्योंकि कुछ लोग तुम्हारे पीछे लगे हैं और तुम उनको डाज देना चाहती हो, इसका सिक्का की उस खास दरख्वास्त से कोई वास्ता नहीं कि शाम से पहले तुम लोग अपने घर का रुख न करो?"

फिर खामोशी छा गयी।

"जवाब दो!"

"अगर"—वो दबे स्वर में बोली—"एक पंथ दो काज होते हैं तो क्या हर्ज है!"

"ओहो! तो असल में सुलह सफाई की ही तमन्नाई हो!"

"वो"—वो पूर्ववत् दबे स्वर में बोली—"हमारी फीस डबल करने को तैयार है। मुझे अचला आंटी का नहीं पता लेकिन आज की तारीख में दस हजार रुपए रोजाना फीस की मेरे लिये बहुत बड़ी अहमियत है।"

"पैसा खैरात की तरह कोई नहीं बांटता, बड़ी कमाई के साथ बड़े पुछल्ले लगे होते हैं। लालच ने किसी जंजाल में फंसा दिया तो भुगत लोगी?"

"वो...आंटी..."

"मिर्ची पाउडर, स्प्रे कैन, खंजर वाली आंटी भुगत लेगी?"

"तुम तो मुझे डरा रहे हो!"

"मेरा ऐसा कोई इरादा नहीं। वैसे भी लगता है कम से कम शाम तक डरने की कोई बात नहीं। इसलिये तुम्हें मेरी नेक राय यही है कि शाम तक वहीं टिकना, आगे की आगे देखेंगे।"

"आगे की आगे देखेंगे!"

"हां। पहले कोई और इरादा बन जाये तो फोन पर मुझे खबर जरूर करना।"

"तुम क्या करोगे?"

"कब? तब या अब?"

"दोनों की बोलो।"

"मैं जो करूंगा, सामने आयेगा। इंतजार करो।"

"फिर भी!"

"भई, मुझे नाजायज, खुंदकी, हरकती आदमी का खिताब मिला है, कुछ तो करूंगा ही खिताब के काबिल बना रहने के लिये!"

"मैंने तो नहीं कहा! वो तो सिक्का..."

एकाएक लाइन कट गयी।

सुनील ने पलंजर खटखटाया तो उसे डायल टोन सुनाई देने लगी।

उसने रमाकांत को काल लगायी।

रमाकांत लाइन पर आया तो उसने पाया कि वो कदरन अच्छे मूड में था, चहक रहा था।

"कहां पर है?"—उसने पूछा।

"आफिस में।"—सुनील ने जवाब दिया।

"क्या कर रहा है?"

"कुछ नहीं।"

"वदिया। यहां आजा, दोनों इकट्ठे बैठ के कुछ नहीं करेंगे।"

"अभी कुछ नहीं कर रहा लेकिन अब करूंगा न!"

"क्या करेगा?"

"काम। मैं करूंगा, तुम करवाओगे।"

"कोई काम बताने की बुनियाद बना रहा है या मसखरी कर रहा है अपने वड्डे भापा जी से!"

"मसखरी नहीं कर रहा। मेरी मजाल नहीं हो सकती।"

"यानी कि पहली बात है? काम बतायेगा?"

"हां।"

"ठीक है, लेकिन पारे को चिमटी से उठाने जैसा काम मत बताना।"

"मतलब?"

"कठिन काम मत बताना।"

"कवन सो काज कठिन जग माहीं!"

"काज की बात है तो दर्जी के पास जा। काज बटन तेरे वड्डे भापा जी का काम नहीं।"

"अब वड्डे भापा जी मसखरी कर रहे हैं।"

"नहीं। ठीक है, काम है। यहां आ के बता।"

"काम फोन पर सुनो, फिर हाजिरी भी भरता हूं।"

"अभी?"

"शाम को।"

"पक्की बात?"

"हां।"

"प्रामिस?"

"हां।"

"प्रामिस ब्रेकर?"

"शू मेकर।"

"काम बोल। आसान…आसान काम बोल।"

सुनील ने उसे उदिता चोपड़ा के और अचला तलवार के बारे में और दोनों की उस घड़ी होटल श्रीलेखा में मौजूदगी की बाबत बताया और दोनों के हुलिये भी बयान किये।

"उन दोनों की निगरानी की जा रही है।"—फिर बोला—"कोई लोग उनके पीछे लगे हैं। उन लोगों की कोई जानकारी हासिल हो जाये तो शाम की बैठक समझो कि वाह वाह।"

"कैसी जानकारी?"

"कौन लोग हैं, किस को रिपोर्ट करते हैं।"

"यानी जो लोग उन औरतों के पीछे लगे हैं, उनके पीछे लगने का काम है! निगरानी करने वालों की निगरानी का काम है!"

"यही समझ लो।"

"ठीक है, समझ लेता हूं। नगदऊ का क्या इंतजाम है?"

"अभी तो कोई नहीं!"

"बाद में होगा?"

"हो सकता है।"

"हो सकता है! यानी गारंटी कोई नहीं!"

"गारंटी तो कोई नहीं!"

"माईंयवा वालंटियर! तू ये कारसेवा कब छोड़ेगा?"

"कभी नहीं। मानव जीवन परहितअभिलाषी ही होना चाहिये।"

"आया वड्डा हित! आया वड्डा अभिलाषी!"

"मरो मत। पहली को तनख्वाह मिलेगी तो आधी तुम्हें दे दूंगा।"

"आधी मुझे दे देगा! ऊंट के मुंह में जीरा देगा, कंजर।"

"अब जवाब क्या है तुम्हारा? कुछ करोगे या नहीं?"

"ओये, लाइन से दफा होगा तो कुछ करूंगा न!"

"सारी।"

"और करूंगा क्यों? करवाऊंगा। जौहरी को भेजता हूं।"

"अकेले?"

"तू फिक्रां न कर। जब काम मैंने कराना है तो सलाहें न दे।"

"मैं समझ गया। थैंक्यू, वड्डे भापा जी।"

उसने सम्बंध विच्छेद किया और अमृत सिक्का को काल लगायी।

कोई जवाब न मिला।

उसने इस उम्मीद में संतोषी अपार्टमेंट वाले फ्लैट का नम्बर बजाया कि शायद वो वहां हो।

वहां से भी कोई जवाब न मिला।

उसने फोन को तिलांजलि दी और एक सिग्रेट सुलगा लिया।

सिग्रेट के कश लगाता वो सोचने लगा।

क्या उदिता और अचला की निगरानी करते लोग सिक्का के आदमी हो सकते थे?

हो तो सकते थे—उसकी अक्ल ने जवाब दिया—किसी वजह से वो नहीं चाहता था कि वो दोनों फौरन अपने अपने घर का रुख करतीं, उसने उन्हें शाम तक किसी पब्लिक प्लेस पर बने रहने का आग्रह किया था, उसकी इस बात की तसदीक की मंशा हो सकती थी कि उसका आग्रह स्वीकार हुआ था या नहीं!

लेकिन वो चाहता क्यों था कि शाम तक वो दोनों घर का रुख न करें?

जवाब उसके पास नहीं था।

दूसरा अहम सवाल ये था कि—जैसा कि अचला तलवार को अंदेशा था, बल्कि उसका दावा था—सुजाता सक्सेना, जो कोई भी वो थी, इस दुनिया में थी या नहीं!

क्यों सिक्का ने ये इंतजाम किया था कि उसके लिये काल आये तो काल करने वाले को बोला जाये कि वो काल बैक करेगी? क्यों सिक्का कहता था कि ऐसी हर काल की फौरन उसे खबर की जाये और फिर काल को भुला दिया जाये?

इससे तो लगता था कि वापिस काल पहुंचती थी।

सिक्का की मंशा काल करने वाले से सिर्फ पीछा छुड़ाने की होती तो उसके लिये मुनासिब और बेहतर जवाब ये होता कि वो कहीं किसी काम से—शापिंग

वगैरह जैसे किसी काम से—गयी हुई थी, या आउट आफ स्टेशन थी। हर किसी को ये बोलना, कि वो काल बैक करेगी, तो जाहिर करता था, कि आश्वासन पर खरा उतरा जाता था।

कैसे?

सिम्पल तरीका तो यही था कि सुजाता सक्सेना को बोला जाता था कि वो फलां नम्बर पर काल बैक करे।

लेकिन ये खुफियापंती आखिर किसलिये?

जरूर किसी खास वजह से वक्ती तौर पर वो गुम रहना चाहती थी, वो दुनिया की निगाहों से छुपकर रह रही थी।

वजह?

तफ्तीश का मुद्दा था।

अगर वो काल बैक करती थी तो स्वर्गवासी तो नहीं हो सकती थी!

और काल बैक भी जरूर वो यूं करती थी कि काल रिसीव करने वाला ये न जान पाये कि वो अपने फ्लैट पर से नहीं बोल रही थी। मोबाइल से काल बैक करने पर...

फोन की घंटी बजी।

उसने रिसीवर उठाकर कान से लगाया।

"तुम्हारी खैर नहीं।"—उसे रेणु की आवाज सुनायी दी।

"अब क्या हुआ!"

"बेटी खुद आ गयी है।"

"बेटी! कौन सी बेटी?"

"जो फुला दी! सुबह जिसकी अम्मा आयी थी होने वाले दामाद से मिलने..."

"बकवास नहीं कर।"—सुनील चिड़कर बोला—"मैं बहुत खपा हुआ हूं और न खपा।"

"एक मैडम है।"—रेणु तत्काल संजीदा हुई—"बोलती है तुम्हारे से डेढ़ बजे की अप्वायंटमेंट थी, लेट हो गयी।"

कुर्सी पर ढेर सुनील तत्काल सीधा हुआ, सावधान हुआ, उसने सिग्रेट को ऐशट्रे में झोंका।

"नाम!"—वो व्यग्र भाव से बोला—"नाम बताया?"

"हां।"

"क्या?"

"सुजाता सक्सेना!"

"भेज! फौरन!"

चपरासी मानसिंह उसे सुनील के केबिन में छोड़कर गया।

सुनील ने नोट किया उसका कद काठ, हुलिया वगैरह मोटे तौर पर ऐन

उदिता चोपड़ा जैसा था, कोई फर्क था तो ये था कि उसकी उम्र उदिता से ज्यादा जान पड़ती थी।

"तो"—वो बोली तो सुनील को उसके स्वर में व्यंग्य का पुट लगा—"तुम हो सुनील चक्रवर्ती! 'ब्लास्ट' की नाक!"

"आंख।"—सुनील मुस्कराता हुआ बोला—"पैनी! तीखी! कान। खड़े! अलर्ट! नाक की बाबत नहीं मालूम।"

"जब सब सूंघ लेते हो तो वो भी तो ऐसी ही होगी!"

"उस लिहाज से कहा तो हां, नाक भी।"

"मैं सुजाता सक्सेना।"

"वैलकम! तशरीफ रखिये।"

"थैंक्यू। मुझे पहुंचने में देर हो गयी। शर्मिंदा हूं।"

"कोई बात नहीं।"

"लेट होना नहीं चाहती थी लेकिन...बस, हो गयी।"

"नैवर माइंड।"

"तुम मेरे से मिलना चाहते थे..."

"जी हां, चाहता तो था कि ये फख्र मुझे हासिल हो।"

"मुझसे मिलना फख्र की बात है?"

"फिगर आफ स्पीच के तौर पर कहा।"

"वैसे ऐसा कुछ नहीं मेरे में कि मिलने को जी चाहे?"

"बहुत है। सब कुछ है। सब कुछ है जो ब्यूटी क्वींस में होना चाहिये...होता है। लेकिन रूबरू होने पर ही तो पता चलता!"

"मैं ब्यूटी क्वीन हूं या"—उसने अपलक सुनील की तरफ देखा—"फिर फिगर आफ स्पीच के तौर पर कहा!"

सुनील शिष्ट भाव से हंसा।

"बहरहाल मैं हाजिर हूं। अब पूछो क्या पूछना चाहते हो?"

"सबसे पहले मैं ये पूछना चाहता हूं कि आप...काफी पियेंगी?"

"लो! मैं तो खुद को तुम्हारे किसी फायरी सवाल के लिये तैयार कर रही थी।"

"पियेंगी?"

"ब्लैक। विदाउट शूगर। आई हैव टु वाच माई फिगर, यू नो।"

"ऐवरीबाडी हैज टु।"

"हैज टु वाट?"

"वाच युअर फिगर। ऐसी फिगर को कौन नहीं वाच करना चाहेगा?"

"ऐसा?"

"आपको मालूम है।"

"तुम वाच कर रहे हो?"

"अब कैसे करूंगा! दो तिहाई तो अब टेबल की ओट में है!"

"बाकी एक तिहाई?"

"वो तो है मेरी निगाह में!"

"कैसी है?"

"फेबुलस! फैन्टैस्टिक। आउट आफ दिस वर्ल्ड!"

"फिर फिगर आफ स्पीच!"

"नहीं। इस बार हकीकत।"

"बातें बढ़िया करते हो।"

"और मुझे आता क्या है?"

"बात काफी की हो रही थी।"

"ओह, यस। यस। सॉरी!"

सुनील ने उसके लिये उसकी पसंद की और अपने लिये नार्मल काफी का इंतजाम किया।

उसने काफी का एक घूंट भरा, होंठ चटकाये।

"सबसे पहला सवाल हो गया"—फिर बोली—"उसका जवाब हो गया। आगे पूछो क्या पूछना चाहते हो!"

"आप क्या बताना चाहती हैं?"

उसके चेहरे पर अप्रसन्नता के भाव आये और गायब हुए।

"सिक्का कहता था तुम कुछ दरयाफ्त करना चाहते थे।"—वो बोली—"अब कुछ पूछोगे तो जवाब दूंगी न!"

"अभी पूछा तो!"—सुनील बोला—"पूछा तो कि आप क्या बताना चाहती हैं!"

"कलपा रहे हो!"

सुनील निर्दोष भाव से मुस्कराया।

"जैसा कि मैं समझ पायी हूं, मेरे संतोषी अपार्टमेंट्स के फ्लैट में तुम्हारी दिलचस्पी है!"

"नम्बर 402! फोर्थ फ्लोर!"

"वही।"

"आपका है?"

"मेरे पोजेशन में है।"

"पोजेशन का कोई सबूत पेश कर सकती हैं? आप आप हैं, इसका कोई सबूत पेश कर सकती हैं?"

"कर सकती हूं।"—उसने हैण्डबैग खोलकर उसमें से कुछ कागजात बरामद किये—"ये देखो, ये लीज की फोटोकापी है जिस पर कि मेरी फोटो भी है।...ये मेरा ड्राइविंग लाइसेंस है।...ये वोटर आई कार्ड है।...ये इंश्योरेंस की रसीद है जिस पर मेरा संतोषी अपार्टमेंट्स वाला ही पता दर्ज है।"

"ये हैण्डबैग"—सुनील बोला—"बिल्कुल नया जान पड़ता है!"

"लो! मुझे मालूम होता कि नये हैण्डबैग के साथ यहां कदम रखना मना था तो मैं..."

"नहीं, नहीं। मेरा ये मतलब नहीं था। मैंने तो महज हैण्डबैग की तारीफ करने के इरादे से ऐसा कहा था।"

"तारीफ का शुक्रिया। कागजात देखो।"

सुनील ने तमाम कागजात का मुआयना किया। उसकी उन पर से तवज्जो हटी तो युवती ने उन्हें वापिस समेट लिया।

"और?"—सुनील सहज भाव से बोला।

"अभी और भी?"

"क्या हर्ज है?"

वो फिर अप्रसन्न दिखाई देने लगी। भुनभुनाते हुए उसने हैण्डबैग में से तीन क्रेडिट कार्ड्स बरामद किये और उन्हें सुनील के सामने फेंका।

सुनील ने उनका भी मुआयना किया।

"थैंक्यू!"—फिर कार्ड्स लौटाता बोला।

"अब हो गयी तसल्ली?"

"आप उस फ्लैट में कब से हैं?"

"जब से लीज है।"

"कब से?"

"अभी कापी दिखाई तो थी!"

"मेरी डेट की तरफ तवज्जो नहीं गयी थी।"

"छ: महीने से।"

"तब से आप वहां रह रही हैं?"

"हां।"

"सिक्का कौन है?"

"कौन है से क्या मतलब?"

"आपसे कैसे सम्बंधित है?"

"फ्रेंड है, वैलविशर है, कुछ मामलों में मेरा एजेंट है।"

"जैसे कि फ्लैट के मामले में! आप से उसको अख्तियार हासिल है कि वो जैसे चाहे फ्लैट का इस्तेमाल कर सकता है! फ्लैट का भी और उसमें मौजूद साजोसामान का भी!"

"यही समझ लो।"

"समझ लूं?"

"ऐसा ही है।"

"वो किसी को अस्थायी रूप से उस फ्लैट में बसा सकता है, उसको उसका—जो कि आपका है—कोई भी साजोसामान, जैसे कि आपकी

ड्रेसिज, आपके जाती इस्तेमाल की चीजें, इस्तेमाल करने की इजाजत दे सकता है?"

"हां।"

"जिन बातों की आप हामी भर रही हैं, उनको आप लिखत में कह सकती हैं?"

"जब जुबानी कह सकती हूं तो लिखत में क्यों नहीं कह सकती!"

"सवाल मैंने किया है।"

"हां, कह सकती हूं।"

"कहिये।"

सुनील ने उसके सामने एक पैड और बालपैन सरकाया।

"लेकिन इसकी जरूरत क्या है?"—वो बोला।

"है।"

"मैं इसकी जरूरत नहीं समझती।"

"मैं समझता हूं।"

"कोई वजह तो हो!"

"आप इस बात से वाकिफ हैं कि उस फ्लैट के सिलसिले में सिक्का आजकल क्या कुछ कर रहा है!"

"हां, वाकिफ हूं।"

"उसमें आपकी रजामंदगी है?"

"हां, है।"

"क्यों कर रहा है?"

"है कोई वजह। जो मैं तुम्हें बताना जरूरी नहीं समझती।"

"बहरहाल आपको मालूम है कि आजकल वहां आपके फ्लैट में उदिता चोपड़ा नाम की एक लड़की स्थापित है जो कि कद काठ, शक्ल सूरत में मोटे तौर पर आप जैसी है और जिसको सिक्का की हिदायत है कि पूछे जाने पर वो अपना नाम सुजाता सक्सेना बताये। जब आपको सब कुछ मालूम है तो कोई वजह नहीं कि ये बात आपको न मालूम हो कि आपकी गैरहाजिरी में आपके फ्लैट में आपकी इमपर्सनेशन चल रही है जिसके जरिये ये भ्रम पैदा करने की कोशिश की जा रही है कि कोई गैर नहीं, खुद आप अपने फ्लैट में मौजूद हैं।"

वो खामोश रही।

"आपको ये बात लिखत में देनी होगी कि इमपर्सनेशन के, बहूरूप के उस ड्रामे की वजह से अगर बहूरूपिये के लिये, उदिता चोपड़ा नाम की सिक्का द्वारा बकायदा एंगेज की गयी युवती के लिये या उसकी वहां उसके साथ मौजूद अचला तलवार नाम की कम्पैनियन के लिये कोई कम्पलीकेशन पैदा होती है तो उसके लिये जिम्मेदार या आप होंगी या आपका कथित प्रतिनिधि अमृत सिक्का होगा।"

"तुम तो वकीलों वाली जुबान बोल रहे हो!"

"ऐसी कोई बात नहीं। ये सिम्पल, व्यावहारिक जुबान है जिसमें किसी का हित छुपा है।"

"उस लड़की का?"

"यही समझ लीजिये।"

"जो कि तुम्हारी सगेवाली है?"

"तमाम 'डैमसेल्स इन डिस्ट्रेस' मेरी सगेवाली हैं।"

"खुदा-न-खास्ता, कल को मेरा रोल मुसीबतजदा हसीना—तुम्हारी जुबान में डैमसेल इन डिस्ट्रेस—वाला हो गया तो मैं भी तुम्हारी सगेवाली?"

"बिल्कुल!"

"कमाल है!"

"आजमा के देखियेगा। सारे जहां का दर्द हमारे जिगर में है।"

"बातें बढ़िया करते हो!"

"और मुझे आता क्या है! तो आप, जो मैंने कहा, वो, लिखत में दे रही हैं?"

"नहीं।"

"वजह?"

"सिक्का इस हद तक मेरा प्रतिनिधि नहीं है कि कोई भी मनमानी कर गुजरे।"

"किस हद तक है?"

"है किसी हद तक। बहरहाल जो तुम कह रहे हो, वो मैं लिख के नहीं दे सकती। मेरी ऐसी कोई सर्टिफिकेशन तो उसे मेरी मिल्कियत मेरी हर चीज की मालकिन बना देगी। वो मेरा तमाम कीमती सामान फ्लैट से बटोरकर चल देगी और कह देगी कि ऐसा करने का अधिकार उसे खुद मैंने दिया था। सबूत के तौर पर, आथोराइजेशन के तौर पर, वो सर्टिफिकेट दिखा देगी जिसकी मांग तुम मुझसे कर रहे हो।"

"मुझे नहीं उम्मीद वो ऐसा कुछ करेगी।"

"कर तो सकती है!"

"कर सकती है तो कर सकने की बुनियाद आपके एजेंट—प्रतिनिधि—सिक्का ने ही खड़ी की है।"

"मैंने बोला न, वो इस हद तक मेरा प्रतिनिधि नहीं है।"

"मैंने भी पूछा न, किस हद तक है?"

"हर बात तुम्हें नहीं बताई जा सकती।"

"वो है कौन और क्योंकर आपसे सम्बंधित है?"

"मैं नहीं बता सकती।"

"तो वो ही बताइये जो आप बता सकती हैं।"

"क्या?"

"आप अपने हैण्डबैग में खंजर क्यों रखे हैं?"

"क्या!"

"अभी जब आप अपने कागजात वापिस हैण्डबैग में रख रही थीं तो मुझे उसकी झलक मिली थी।"

वो असहज लगने लगी।

"इतनी खूबसूरत हैं आप! आपकी तो नयन-कटारी से ही कोई भी मर जायेगा।"

"जैसे कि तुम!"

"मेरे लिये तो नयन-एके-फार्टीसेवन का इंतजाम करना होगा आपको।"

"बातें..."

"बढ़िया करता हूं। अभी आपने बताया मुझे। अब खंजर की बात कीजिये। बल्कि बात क्या करनी है! हैण्डबैग इधर कीजिये मैं खुद देखता हूं क्या है उसमें?"

"खबरदार!"

"आपको ऐतराज है..."

"सख्त ऐतराज है। मैं यहां तलाशी देने आयी हूं? एक कप काफी पिलाकर तुम मेरे से ऐसे पेश आने के हकदार बन गये हो? तुम संतोषी अपार्टमेंट्स के फ्लैट नम्बर 402 की मौजूदा आकूपेंट से मिलना चाहते थे न! मिल लिये। अब बाकी बातों का क्या मतलब है?"

"आप ताव खा रही हैं!"

"तुम बातें ही ऐसी कर रहे हो।"

"भड़क रही हैं!"

"ठीक पहचाना।"

"अगर सहयोग नहीं करना था तो..."

"किया न सहयोग! हुई न यहां तुम्हारे रूबरू! कराया न खुद को बतौर सुजाता सक्सेना आईडेंटिफाई! और क्या जान लोगे!"

"बहुत कड़क बोल रही हैं!"

प्रतिवाद में उसका मुंह खुला लेकिन तत्काल उसने होंठ भींच लिये।

"आपके हैण्डबैग में खंजर की मौजूदगी एक गैरमामूली वाकया है। गैरमामूली वाकयात ही न्यूज बनते हैं। या शायद आप भूल गयी हैं कि न्यूज पेपर के आफिस में बैठी हैं।"

"कुछ नहीं भूली हूं मैं।"

"आप खंजर की बाबत बात क्यों नहीं करना चाहतीं?"

"बस, नहीं करना चाहती।"

"और कुछ नहीं तो यही कह दीजिये कि खंजर की बाबत मुझे मुगालता लगा है। ऐसी कोई आइटम आपके बैग में है ही नहीं।"

"मैं ऐसा कहूं तो तुम्हारी तसल्ली हो जायेगी?"

"नहीं।"

"तो फिर क्या फायदा!"

"आप एक मामूली बात को मैग्नीफाई कर रही हैं।"

"तुम कर रहे हो, भई, तुम कर रहे हो। न सिर्फ मैग्नीफाई कर रहे हो, उससे गलत, नाजायज नतीजा निकाल रहे हो।"

"ऐसा?"

"हां, ऐसा। तुम खंजर की बाबत सिर्फ और सिर्फ हथियार के तौर पर सोचते हो..."

"और किस तौर पर सोचूं?"

"नावल्टी आइटम के तौर पर सोचो। एंटीक आइटम के तौर पर सोचो। मैं कहूं कि जो खंजर मेरे हैण्डबैग में मौजूद है, वो कभी छत्रपति शिवाजी महाराज की पोशाक की शोभा होता था तो तुम मेरे पास उसकी मौजूदगी को गैरमामूली करार दोगे, सैंसेशनल न्यूज करार दोगे?"

"क्या कहने! बड़े उम्दा तरीके से आपने मेरी बात की पालिश उतारी!"

वो खामोश रही।

"बहरहाल वो खंजर आपके पास एक एंटीक आइटम के तौर पर है, उसके इस्तेमाल का आपका कोई इरादा नहीं!"

"इस्तेमाल! कैसा इस्तेमाल! मुर्गी हलाल करनी है मैंने!"

"जमाना खराब है। क्राइम अगेंस्ट वुमेन में दिन-ब-दिन इजाफा हो रहा है। सोचा, शायद आप आत्मरक्षा के लिये उसे अपने पास रखे हों।"

"आत्मरक्षा के लिये मुझे हथियार की जरूरत नहीं। कोई पास तो फटक के दिखाये बद्नीयत से। न जहन्नुम की सीढ़ी चढ़ रहा हो तो बोलना।"

"ब्रावो! आप काफी और पियेंगी?"

"नहीं।"

"तो जो मैंने कहा, उसको लिखत में देने की बाबत अब फाइनल जवाब क्या है आपका?"

उसने मुंह खोला, बंद किया, उसके माथे पर ऐसे बल पड़े जैसे दिमाग पर भारी जोर दे रही हो।

सुनील बड़े धीरज के साथ उसके बोलने की प्रतीक्षा करता रहा।

"देखो"—आखिर वो संजीदगी से बोली—"मेरा बैटर जजमेंट तो यही कहता है कि जो कुछ तुम लिखत में मांग रहे हो, वो बेमानी है, गैरजरूरी है लेकिन मैं क्योंकि यहां एक सौहाद्रता का, भाईचारे का मिशन लेकर आयी हूं, और क्योंकि मुझे बताया गया है कि तुम एक बाअखलाक आदमी हो, रीजनेबल आदमी हो, इसलिये अगेंस्ट माई बैटर जजमेंट मैं तुम्हारी बात मानने को तैयार हूं।"

"थैंक्यू।"

"तुम अपनी मनमाफिक तहरीर खुद तैयार कर लो, मैं साइन कर दूंगी।"

"थैंक्यू।"

सुजाता सक्सेना अभी रुखसत हुई ही थी कि सुनील ने उदिता चोपड़ा की काल रिसीव की।

"ओह! आई एम सारी, मिस्टर सुनील"—उदिता की आवाज आयी—"पहले लाइन कट गयी थी, फिर फोन किया था तो लाइन बिजी मिली थी..."

"नैवर माइंड दैट। मैं तुम्हें याद ही कर रहा था।"

"आप क्यों याद कर रहे थे?"

"तुम्हें ये बताने के लिये कि सुजाता सक्सेना आखिर यहां पहुंच गयी थी।"

"आपसे मिली?"

"हां, भई। लम्बी मुलाकात हुई।"

"वही थी?"

"हां। मैंने पूरी तसल्ली की थी।"

"देखने में कैसी थी? ऐन मेरे जैसी?"

"मोटे तौर पर हां।"

"मिजाज की कैसी थी?"

"गर्म।"

"क्या कहती थी?"

"बहुत कुछ कहती थी, बहुत कुछ छुपाती थी लेकिन तुम्हारे मतलब की बात ये है कि मैं उससे एक सर्टिफिकेट हासिल करने में कामयाब हो गया हूं जिसमें कि अब तुम्हारी, तुम्हारी अचला आंटी की, पूरी सेफ्टी है।"

"दैट्स वैरी गुड न्यूज। फिर तो हमने सिक्का की नयी पेशकश कुबूल करके कुछ गलत न किया!"

"संतोषी अपार्टमेंट्स वापिस लौटना कुबूल कर लिया?"

"हां। मैं पिछली फोन काल पर ही आपको ये बात बताना चाहती थी लेकिन लाइन कट गयी थी।"

"वो फीस डबल करने के लिये मान गया था?"

"वो तो माना ही माना हुआ था, उसे तो अंदेशा था कि हम मानेंगी या नहीं!"

"अब तुम्हें दस हजार रुपये रोजाना और अचला आंटी को चार हजार रुपये रोजना!"

"हां।"

"चांदी हो गयी!"

"आपकी मेहरबानी से। मैं मशकूर हूं। आंटी भी।"

"दाने दाने पर लिखा है खाने वाले का नाम। तो अब मुगलबाग लौट रही हो?"

"फौरन नहीं। हमने उसकी नयी पेशकश तो कुबूल कर ली थी लेकिन साथ ही कहा था कि तुम्हारे से बात हो जाने के बाद ही, ये जान लेने के बाद ही कि

तुम्हारी सुजाता सक्सेना से क्या बात हुई थी, हम लौटेंगी। सुबह तुम्हारे जाने के बाद उसने हमें अब तक का पैसा अदा किया था, हमारा शापिंग का इरादा है।"

"लौटने में देरी होती पाकर वो भुनभुनायेगा नहीं?"

"मैं बोल दूंगी हमारी तुमसे बात काफी देर से हो पायी थी।"

"ठीक! सिक्का ने इस बात पर कोई रौशनी डाली कि क्यों वो नहीं चाहता था कि शाम से पहले तुम अपने घर लौटतीं!"

"उस बाबत कोई बात नहीं हो पायी थी लेकिन आगे जब भी पहला मौका लगेगा, मैं सवाल करूंगी।"

"तुम्हारी निगरानी हो रही थी!"

"वो अभी भी हो रही है लेकिन एक नया काम हुआ है।"

"क्या?"

"कुछ और लोग आ गये हैं। उनकी तवज्जो का मरकज भी हमीं लोग हैं।"

"तुम उन बाद में आये लोगों की तरफ ध्यान न दो। समझो कि वो तुम्हारी तरफ हैं।"

"अरे!"

"और जो पहले से तुम्हारे पर निगाह रखे हैं, उनको भी पूरी तरह से नजरअंदाज करो। अपनी शापिंग करो और ये जाहिर करो कि तुम्हें उनकी कोई खबर ही नहीं है।"

"तुम ऐसा कहते हो तो..."

"मैं ऐसा कहता हूं।"

"ठीक है फिर। बंद करती हूं।"

□□□

शाम के सात बजने को थे जबकि सुनील यूथ क्लब पहुंचा।

रमाकांत उसे अपने आफिस में बैठा सिग्रेट के कश लगाता मिला। वो अपनी चमड़ा मंढ़ी एग्जीक्यूटिव चेयर पर अधलेटा-सा पड़ा था, उसने मेज का नीचे का एक दराज खोला हुआ था और उस पर दोनों पांव टिकाये हुए थे। उसकी आंखें बंद थीं, होंठों में ताजा सुलगाया चार मीनार का सिग्रेट दबा था और लगता था कश जैसे रमाकांत न खींच रहा हो किसी ऑटोमेशन से खुद खिंच रहा हो।

सुनील के आगमन की आहट पाकर उसने बड़े यत्न से अपनी आंखें खोलीं, सुनील पर निगाह डाली, होंठों से सिग्रेट निकालकर हाथ में लिया और सीधा होकर बैठा। पांव की ठोकर से उसने खुला दराज बंद कर दिया।

"आओ"—फिर बोला—"आओ, प्यारयो। जी आया नूं। रखो तशरीफ।"

"थैंक्यू।"—सुनील बोला और उसके सामने एक विजिटर्स चेयर पर ढ़ेर हुआ।

"अपने मतलब से ही आया होगा! यार से मिलने तो आया नहीं होगा!"

"क्यों भला? मैंने बोला नहीं था शाम को आऊंगा!"

"हां, यार, बोला तो था! मैं ही भूल गया। खैर, डबल जी आया नूं। डबल तशरीफ रख। ते सूटा ला।"

सुनील ने अपना लक्की स्ट्राइक का पैकेट निकाला और एक सिग्रेट सुलगा लिया।

"घूंट अभी लगायेगा या ठहर के?"

"ठहर के।"—सुनील बोला।

"कोई मुजायका नहीं। ठहर के सही। सच पूछे तो घूंट लगाने के दो ही मुनासिब वक्त होते हैं। एक अभी और एक ठहर के। नहीं?"

"हां।"

"ज्यूंदा रह। सयाना हो गया, काकाबल्ली, मेरी सोहबत में।"

"क्या कर रहे थे?"

"क्यों, भई, दिखाई नहीं दिया था?"

"दिया तो था!"

"क्या? और खबरदार जो कहा कि सो रहा था।"

"रिलैक्स कर रहे थे।"

"रियायती पास जवाब दिया। मैं फिक्र कर रहा था।"

"तुम! फिक्र करने वाले कब से हो गये?"

"हाल ही से। नया शगल है। कोई मित्तर प्यारा कहता था कि नौबत आने से पहले ही फिक्र करने लगो तो फिक्र हलकान नहीं करती। इसलिये आज कल मैं फिक्र करने की मश्क कर रहा हूं।"

"क्या कहने!"

"फिक्र ज्यादा हो, मैं फिक्र करता हूं कि क्यों ज्यादा है! कम हो, मैं फिक्र करता हूं कि क्यों कम है! न हो तो फिक्र करता हूं कि क्यों नहीं है! मैं इस बात की भी फिक्र करता हूं कि पहले हालिया फिक्र की फिक्र करूं या उस फिक्र के अलावा कोई और फिक्र करूं! आजकल मुझे फिक्र न हो तो मेरे अंदर से आवाज उठती है कि फिक्र होनी चाहिये वर्ना मैं नार्मल इंसान नहीं हूं। अब सच पूछो तो सबसे बड़ी फिक्र मुझे ये सताती है कि कहीं ऐसा तो नहीं कि मैं फिक्र की फिक्र करने की जरूरत को नजरअंदाज कर रहा हूं। समझा?"

"हां।"

"क्या समझा?"

"ये कि मेहमान का मनोरंजन करके मेहमानवाजी का फर्ज निभा रहे हो।"

"ओये, तू माईंयवा मेहमान है?"

"और क्या हूं?"

"तू तो यार है। जिगरी।"

"यार मेहमान नहीं हो सकता? मेहमान यार नहीं हो सकता?"

"हो सकता है। यार जो चाहे हो सकता है। जो होना है, वो न हो के दिखाये तो सही!"

"आज अच्छे मूड में हो!"

"ओये, मैं हमेशा अच्छे मूड में होता हूं।"

"अभी तो फिक्र फिक्र भज रहे थे!"

रमाकांत धूर्त भाव से हंसा, उसने अपने चालू सिग्रेट का आखिरी कश लगाकर उससे नया सिग्रेट सुलगाया।

"अब बोल"—फिर बोला—"अब कौन से फटे में तेरी टांग है?"

सुनील ने तमाम किस्सा बयान किया।

"हूं।"—वो चुप हुआ तो रमाकांत बोला—"जिस औरत की मौत का अंदेशा जाहिर किया गया था, वो तो तेरे से मिलने पहुंच गयी!"

"लेकिन असल राज का कोई हल पेश होना अभी बाकी है। क्यों वो औरत—सुजाता सक्सेना—कहीं छुप के बैठी हुई है और क्यों इमपर्सनेशन के जरिये ये भ्रम पैदा करने की कोशिश की जा रही है कि वो मुगलबाग, संतोषी अपार्टमेंट्स के अपने फ्लैट में मौजूद है!"

"माईंयवे अन्ने कुत्ते हिरणां दे शिकारी।"

"सैंसेशनल न्यूज हमेशा खैरात की तरह झोली में आकर नहीं गिरती। अमूमन उसे चेज करना पड़ता है और चेज करके काबू में करना पड़ता है।"

"जो कि तू कर रहा है?"

"हां।"

"आया वड्डा चेज! जेम्स हैडले।"

सुनील हंसा।

"हस्सया ई, कंजर।"

"मेरे काम की क्या खबर है?"

"जौहरी और उसके दो जोड़ीदार लगे हुए हैं तेरे नाशुक्रे, नाननगदऊ काम में।"

"कोई रिपोर्ट नहीं आयी?"

"आयी।"

"क्या?"

"थोड़ी देर पहले जौहरी से बात हुई थी। उसने, उसकी टीम ने, होटल श्रीलेखा की लॉबी में उन दोनों जनानियों को लोकेट कर लिया था और फिर उनकी निगाहबीनी की थी। काकाबल्ली, तकरीबन टाइम वो शापिंग माल्स में ही भटकती रही थीं। फिर दिन ढ़लने लगा था तो उन्होंने मुगलबाग का रुख किया था।"

"जौहरी एण्ड कम्पनी की निगरानी में?"

"जाहिर है।"

"और जो लोग पहले से उन दोनों की निगरानी में लगे हुए थे?"

"उनकी जानकारी में आने से बचकर।"

"यानी कि जब वापिसी के लिये उन दोनों ने मुगलबाग का रुख किया तब वो जमूरे उनके पीछे थे और जौहरी एण्ड कम्पनी उन जमूरों के पीछे थी?"

"हां।"

"थे कौन वो लोग?"

"मालूम होने का फौरी जरिया तो कोई नहीं था, मालको, लेकिन जौहरी ने फिर भी मालूम कर लिया था।"

"दैट्स वैरी गुड। क्या मालूम किया?"

"नागरथ डिटेक्टिव एजेंसी के फील्ड वर्कर्स थे, लैगमैन थे।"

"कैसे जाना?"

"उसमें से एक को जौहरी पहले से जानता पहचानता था इत्तफाक से, ऐसे जाना।"

"आई सी।"

"नाम परमेश राणा है। पहले डेल्टा सिक्योरिटीज में था, लेकिन वहां से डिसमिस कर दिया गया था।"

"क्यों?"

"मालूम नहीं। जौहरी मिले तो पूछना। या मैं पूछूंगा।"

"ठीक है। तो अब ये परमेश राणा नागरथ डिटेक्टिव एजेंसी में फील्ड आपरेटर है?"

"हां।"

"मैंने तो इस डिटेक्टिव एजेंसी का पहले कभी नाम नहीं सुना!"

"जैसे बाकियों का सुना है।"

"मेरा मतलब है कि कोई बड़ी, मशहूर डिटेक्टिव एजेंसी होती तो चांस था कि सुना होता।"

"बड़ी नहीं है। मैजेस्टिक सर्कल पर आफिस है, इसी से साबित होता है कि बड़ी नहीं है। बड़ी होती तो आफिस शंकर रोड पर होता, लिंक रोड पर होता, मुगलबाग में होता।"

"ये जान पाने का कोई जरिया कि वो लोग किसके लिये काम कर रहे थे?"

"जौहरी जैसे तैसे ये जानकारी निकाल लेगा लेकिन टाइम लगेगा।"

"एजेंसी के उस लैगमैन से जिसे कि जौहरी पहचानता था?"

"या किसी और तरीके से। तू जौहरी को कम न समझ। बुरे के घर तक पहुंच कर दिखाने वाला है अपना जवान।"

"गुड।"

तभी सुनील के मोबाइल की घंटी बजी।

उसने फोन निकाल कर हाथ में लिया और उसकी तरफ तवज्जो दी।

लाइन पर उदिता चोपड़ा थी।

“मैं उदिता बोल रही हूं।”—वो घबराई, बौखलाई आवाज में बोली।

“मालूम।”—सुनील बोला—“कहां पर हो?”

“वहीं...जहां वापिस लौटना था।”

“संतोषी अपार्टमेंट्स।”

“हां।”

“इतनी घबराई हुई क्यों हो?”

“यहां कयामत आ गयी है। होश उड़ाये दे रही है। यहां जो हालात हैं, हमें लगता है उन्हें तुम्हीं सम्भाल सकते हो वर्ना...”

“वर्ना क्या?”

“वर्ना हम तो गयीं काम से।”

“हो क्या गया है?”

“फोन पर बोलूं?”

“हां, भई।”

“कोई सुन लेगा।”

“नहीं सुन लेगा।”

“तुम यहां आ जाते तो...”

“मुझे एक ही काम नहीं है। और फिर पता तो लगे कि वहां क्यों आना है मैंने! ऐसा क्या हो गया है वहां जो तुम कहती हो तुम्हारे होश उड़ाये दे रहा है?”

“वो...वो...”

“टाइम जाया मत करो। जो कहना है जल्दी कहो।”

“वो...सिक्का...सिक्का...”

“क्या हुआ उसे।”

“मरा पड़ा है।”

“क्या!”

“यहां एक कुर्सी पर ढ़ेर है। छाती में...छाती में खंजर गड़ा है।”

“ओ, माई गॉड! पक्का है कि मर गया है?”

“हां।”

“कबसे मरा पड़ा है?”

“मालूम नहीं।”

“खंजर कब घुंपा?”

“मालूम नहीं। मुझे कतई कुछ नहीं मालूम। सिवाय इसके कि वो फ्लैट में एक कुर्सी पर मरा पड़ा है।”

“पुलिस को खबर की?”

“नहीं। सबसे पहले तुम्हें ही फोन किया।”

“कब से वहां हो?”

"अभी से। बस अभी पहुंची ही हैं हम यहां।"

"शापिंग इतनी लम्बी चली?"

"हं-हां।"

"शापिंग के बाद सीधे वहां लौटीं?"

"हां। आते ही ये नजारा देखने को मिला। ओ, माई गॉड! ओ, माई गॉड! अब क्या होगा!"

"गॉड को भजना बंद करो और काबू पाओ अपने आप पर। जो हुआ सो हुआ, अब उसे अनहुआ कोई नहीं कर सकता। समझीं!"

"हं-हां।"

"अपने होशोहवास पर काबू पाओ और सबसे पहले पुलिस को फोन करो।"

"म-मैं करूं?"

"और कौन करे? लाश तुमने बरामद की न!"

"बद्‌किस्मती से हां।"

"तो अगला, स्वाभाविक कदम उठाने के लिये कोई आसमान से उतरेगा?"

"तुम आकर कुछ करते तो..."

"मैं पता नहीं कब पहुंच पाऊंगा! तब तक लाश के सिरहाने बैठी रहोगी?"

"मुझे डर लग रहा है।"

"फोन फिर भी करो पुलिस को। जरूरी है।"

"अच्छा, करती हूं।"

"शाबाश! जब वहां से छुटकारा हो जाये तो यूथक्लब पहुंचना।"

"छुटकारा! छुटकारा क्या मतलब?"

"समझो। पुलिस आयेगी तो ऐसे ही तो नहीं तुम्हें छोड़ देगी! बहुत कुछ पूछेगी। बहुत बार पूछेगी। बहुत देर तक पूछेगी।"

"हे भगवान। सुनो, अगर हम चुपचाप यहां से खिसक जायें, जाहिर करें कि हम यहां आयी ही नहीं थीं तो..."

"नहीं चलेगा। आखिर तो वहीं आना होगा अपनी उजरत में ताजा ताजा हुए डबल इजाफे के तहत! तब भी तो वही सिचुएशन होगी जो अब है!"

"तब तक शायद कोई और..."

"और कौन? वहां या तुम्हारे और अचला के कदम हैं या सिक्का के। तुम लोगों के दो फेरों के बीच और कौन है जो वहां पहुंच जायेगा?"

"ओह!"

"फिर तुम्हारा फेरा छुपा भी तो नहीं रह सकता!"

"क-क्यों!"

"तुम उन लोगों को भूल रही हो जो तुम्हारे पीछे लगे हैं—वो गवाह हैं तुम्हारी संतोषी अपार्टमेंट्स में वापिसी के।"

"हे भगवान! उन्हें तो मैं भूल ही गयी थी!"

"इसलिये वहां से चुपचाप खिसक लेने का खयाल मन से निकाल दो और पुलिस को वाकये की खबर करो।"

"अच्छी बात है।"

"याद रखना, वहां से जान छूटते ही तुमने यूथ क्लब पहुंचना है क्योंकि जो कुछ वहां हुआ, उसकी बाबत मैं तफसील से तुम्हारी जुबानी सुनना चाहता हूं।"

"यूथ क्लब कहां है?"

"मेहता रोड पर है। मशहूर जगह है। पहुंचने में कोई दिक्कत नहीं होगी। किसी भी आटो, टैक्सी वाले को बोलना।"

"तुम वहां मिलोगे?"

"हां।"

"हमें यहां से छुटकारा देर से मिला तो?"

"तो भी। मैं देर तक तुम्हारा इंतजार करूंगा।"

"ओह।"

"थोड़ी देर के लिये कहीं इधर उधर चला गया हुआ होऊं तो मेरा इंतजार करना।"

"ठीक है।"

सुनील ने काल डिसकनैक्ट की।

"की होया?"—रमाकांत ने उत्सुक भाव से पूछा।

सुनील ने बताया।

"बल्ले, भई!"—रमाकांत बोला—"आखिर बन ही गया ये तेरी लाइन का काम। अर्जुन होता तो कहता ऐन तेरी गली में। राइट अप युअर ऐली।"

"अर्जुन! यस, अर्जुन!"

"क्या हुआ?"

सुनील ने उत्तर न दिया। उसने अर्जुन का मोबाइल खड़काया।

"कहां पर है?"—जवाब मिलने पर उसने पूछा।

"आफिस में।"—जवाब मिला—"आप कहां पर हैं?"

"फौरन मुगलबाग पहुंच। वहां फर्स्ट क्रास रोड पर संतोषी अपार्टमेंट्स नाम का एक हाउसिंग कम्पलैक्स है। उसके फ्लैट नम्बर 402 में अमृत सिक्का नाम के एक आदमी का कत्ल हो गया है।"

"कब?"

"अभी थोड़ी देर पहले।"

"आप वहां पर हैं?"

"नहीं, मैं यूथ क्लब में हूं।"

"फिर भी आपको कत्ल की खबर है!"

"हां।"

"फिर भी आप अभी यूथ क्लब में ही हैं!"

"हां, हूं। कत्ल की हर वारदात को कवर करने का मैंने ठेका नहीं लिया हुआ। तू पहुंच वहां और जाकर अपनी नौकरी कर, तनखाह कमा।"

"बहुत कड़क बोल रहे हो, गुरु जी!"

"एक बात का खास खयाल रखना। वहां पहुंचा तू पहला प्रैस रिपोर्टर न हो।"

"मैं समझा नहीं।"

"जब तक कोई दूसरा बिरादरीभाई वहां दिखाई न दे जाये, न्यारा ही रहना।"

"ऐसा क्यों?"

"मैं नहीं चाहता कि तेरे से सवाल हो कि सबसे पहले तेरे को कत्ल की खबर कैसे लगी!"

"गुमनाम टिप मिली। अखबार को ऐसी टिप्स मिलती ही रहती हैं।"

"गुलेगुलजार, ऐज ए स्पैशल केस इस बार इस एक्सक्यूज में पनाह पाने से परहेज रखना है।"

"आपकी आज्ञा शिरोधार्य, गुरु जी।"

"शाबाश।"

सुनील ने फोन बंद किया।

"मोतियांवालयो"—रमाकांत बोला—"जिस उलझन में तुमने अभी अर्जुन को डाला है, सच पूछो तो उसमें मैं भी हूं। हमेशा मौकायवारदात पर सबसे पहले पहुंचने वाले तुम कैसे सब्र किये बैठे हो इस बार?"

"मैं इंस्पेक्टर प्रभूदयाल को हैरान करना चाहता हूं।"

"क्या!"

"चकरा जायेगा वो मुझे वहां न पाकर। हैरान हो जायेगा। परेशान हो जायेगा। फिर देखता हूं मेरी सलामती से फिक्रमंद होकर वो मेरी कोई खोज खबर लेता है या नहीं!"

"पुड़िया है। खास सुनीलियन पुड़िया है।"

"ये बातें हम बाद में भी कर सकते हैं, तुम अभी एक जरूरी बात सुनो।"

"सुना।"

"डिटेक्टिव एजेंसी के आदमी, जो उदिता चोपड़ा और अचला तलवार की निगाहबीनी पर तैनात हैं, जाहिर है कि उनकी निगाहबीनी करते उनके पीछे संतोषी अपार्टमेंट्स पहुंचे होंगे। ठीक?"

"आहो!"

"पुलिस अब तक या तो वहां पहुंच चुकी होगी या पहुंचने वाली होगी। पुलिस की वहां हाजिरी नोट करते ही वो लोग फौरन समझ जायेंगे कि वहां पुलिस की तवज्जो के लायक कुछ हुआ था लेकिन क्या हुआ था, ये जानने में उन्हें वक्त लगेगा।"

"कोई ज्यादा नहीं। पुलिस प्राइवेट डिटेक्टिव्स का लिहाज करती है।"

"मुझे तुम्हारी बात से इत्तफाक है। अब ये बोलो कि कत्ल की बाबत जान जाने के बाद वो लोग क्या करेंगे?"

"क्या करेंगे?"

"कत्ल एक बड़ा वाकया होता है, जाहिर है कि फौरन अपनी एजेंसी में खबर करेंगे। फिर एजेंसी क्या करेगी?"

"क्लायंट को खबर करेगी।"

"ऐग्जैक्टली। अब बोलो कैसे खबर करेगी?"

"ओये, मां सदके, चिट्ठी थोड़े ही लिखेगी! जाहिर है कि फोन पर।"

"ठीक। लेकिन फोन पर खबर ही हो पायेगी, हाईलाइट्स ही जारी हो पायेंगी। क्लायंट अगर फुल डिटेल्स जानने का अभिलाषी होगा तो क्या करेगा?"

"तू बोल?"

"फौरन डिटेक्टिव एजेंसी के आफिस में पहुंचेगा।"

"तो?"

"तो ये कि ये उस शख्स की शिनाख्त का सुनहरा मौका है। अब से थोड़ी देर बाद जो कोई भी लपकता झपकता एजेंसी के आफिस में पहुंचे, वो ही हमारा जमूरा।"

"तो?"

"तो? लगता है अभी भी अपने फिक्र वाले मोड में ही हो।"

"क्या कहना चाहता है?"

"अरे, तुम्हें डिटेक्टिव एजेंसी का नाम पता है, उसका अड्रैस पता है, गोली की तरह किसी को मैजेस्टिक सर्कल भेजो जो डिटेक्टिव एजेंसी के आफिस पर वाच रखे और देखे कि कौन वहां आंधी तूफान की तरह पहुंचता है और फिर उसकी शिनाख्त करने की कोशिश करे।"

"कैसे?"

"ये भी कोई पूछने की बात है! जब वो डिटेक्टिव एजेंसी से रुखसत हो तो उसके पीछे लगे।"

"मैं...मैं अभी इंतजाम करता हूं।"

उसने फोन की तरफ हाथ बढ़ाया लेकिन फिर खुद वहां से बाहर को लपका। कुछ क्षण बाद वो वापिस लौटा।

"सब इंतजाम कर दिया है।"—उसने बताया—"दिनकर को भेजा है, बाद में एक आदमी और भी उसके पास पहुंच जायेगा।"

"गुड।"

"अब तू मुझे एक बात बता।"

"पूछो।"

"साफ।"

"पूछो तो सही!"

"कत्ल उस लड़की ने किया है जिसने अभी तेरे को काल लगायी थी?"

"कैसे होगा? वो हर वक्त डिटेक्टिव एजेंसी वालों की निगाह में थी, डिटेक्टिव एजेंसी वाले तुम्हारे आदमियों की निगाह में थे। कैसे होगा?"

"निगाह में थी। सिर्फ ओपन में। फील्ड में। उसकी निगाहबीनी करता कोई उसके पीछे फ्लैट के भीतर तो नहीं चला गया होगा!"

"ऐसा क्योंकर होगा!"

"और क्या कह रहे हैं तेरे वड्डे भापा जी? वो लड़की फ्लैट में पहुंचती है, उसे वहां कुर्सी पर बैठा सिक्का दिखाई देता है, दोनों में कोई मुख्तसर लेकिन तीखी तकरार होती है जिसके नतीजे के तौर पर वो लड़की सिक्का की छाती में खंजर उतार देती है, फिर रोती धोती तुझे फोन लगाती है और विलाप करती ड्रामा करती है कि वो फ्लैट पर पहुंची तो सिक्का उसे वहां मरा पड़ा मिला। तू माईयवा औरत के टसुवों से झट पिघल जाने वाला बंदा उसकी बात पर यकीन कर लेता है। अब बोल, कहां झोल है मेरी बात में! कोई खोट निकाल के दिखा अपने वड्डे भापा जी की थ्योरी में!"

सुनील ने जवाब न दिया।

"मालको, एक झोल है जो वड्डे भापा जी अपना वड्डापन सथापत करते खुद निकाल कर दिखाते हैं।"

सुनील की भवें उठीं।

"खंजर! खंजर कोई ऐसी आइटम नहीं जो सहज स्वाभाविक किसी नौजवान लड़की को उपलबद हो।"

सुनील ने गहरी सांस ली।

"अगर उस लड़की को किसी तरीके से खंजर उपलबद है तो समझ ले कातिल वो ही है, कत्ल उसी ने किया है, भोली भाली सूरत वाले ही जल्लाद हैं।"

"है।"—सुनील दबे स्वर में बोला।

"क्या?"

"खंजर।"

"क्या खंजर?"

"उसे उपलब्ध।"

"ओये, क्या कह रहा है?"

"उसकी कम्पैनियन—अचला तलवार—अपनी प्रोटेक्शन के लिये हमेशा अपने हैण्डबैग में खंजर रखती है।"

"कौन बोला?"

"वो लड़की—उदिता चोपड़ा—ही बोली।"

"फिर तो वीर मेरे, ये ओपन एण्ड शट केस है उस लड़की के खिलाफ। उसी ने अपनी कम्पैनियन...क्या नाम बोला था?"

"अचला तलवार!"

"हां। अचला तलवार का खंजर चुराकर अपने कब्जे में किया और सिक्के के घोड़े की छाती में उतार दिया। अब खंजर की बाबत जो सफाई देगी, अचला तलवार देगी। कोई सफाई नहीं दे पायेगी तो उसे ही कातिल समझा जायेगा।"

"उदिता अचला की इज्जत करती है, उसे आंटी कहती है, वो उसकी ये गत बनाने का सामान करेगी!"

"किसी की गत बनेगी तो खुद उसकी दुरगत होने से बचेगी न! इसे कहते हैं कोई मरे चाहे जिये, सुथरी घोल बताशा पिये।"

सुनील खामोश रहा।

"मुझे लगता है अंदर से तुझे मालूम है कि वो लड़की ही कातिल है इसीलिये तू मौकायवारदात पर जाने से, प्रभूदयाल के मत्थे लगने से कतरा रहा है।"

"नानसेंस!"

"खामखाह नानसेंस! फौरन से पेश्तर कत्ल के मौकायवारदात पर पहुंचने वाला मेरा यंग मैन दि लालटैन जब मुगलबाग का रुख करना तो दूर, यहां से हिलने तक की कोशिश नहीं कर रहा तो खामखाह नानसेंस!"

"अच्छा, नहीं नानसेंस! एक बात बताओ।"

"दो पूछो, मोतियांवालयो।"

"एक ही बताओ। बकौल उदिता, खंजर अभी भी मकतूल की छाती में पैबस्त है। अचला तलवार ने अपना खंजर पेश कर दिया तो?"

"नहीं कर पायेगी।"—रमाकांत पूरे विश्वास के साथ बोला।

"मैं एक हाईपॉथेटिकल सवाल कर रहा हूं। अचला तलवार का खंजर अभी उसके हैण्डबैग में ही हुआ तो?"

रमाकांत को जवाब न सूझा।

"तो"—फिर वो पूरी ढ़िठाई के साथ बोला—"उस जनानी के पास खंजर दो होंगे!"

सुनील ने असहाय भाव से गर्दन हिलाई।

रमाकांत शान से हंसा।

"मेरी राय में"—सुनील बोला—"अभी इस विषय से हमें किनारा करना चाहिये और बाजरिया अर्जुन या बाजरिया जौहरी या बाजरिया दिनकर कोई रिपोर्ट यहां पहुंचने का इंतजार करना चाहिये।"

"करना चाहिये। क्यों नहीं करना चाहिये! यार कहता है तो जरूर करना चाहिये। तेरे वड्डे भापा जी तेरे इंतजार के जोड़ीदार।"

"थैंक्यू!"

"लेकिन काकाबल्ली, इंतजार के दौरान क्या करना चाहिये?"

"चियर्स बोलना चाहिये।"

रमाकांत का चेहरा खिल उठा।

"ज्यूंदा रह पुत्तरा। वड्डियां उम्रां। चियर्स यहीं बोलेगा या बाहर बार में चलके?"

"यहीं बोलूंगा।"

"मैं अभी इंतजाम करता हूं। अमरीक सिंह काला बिल्ला बस आया कि आया।"

रमाकांत फोन से उलझ गया।

□ □ □

नौ बज गये।

उस दौरान रमाकांत का फोन निरंतर बजता रहा और वो हासिल जानकारी आगे सुनील को सरकाता रहा।

हासिल जानकारी में अहमतरीन ये थी कि उस शख्स की शिनाख्त हो गयी थी जिसने कि उदिता और अचला की निगरानी के लिये नागरथ डिटेक्टिव एजेंसी को ऐंगेज किया था।

सुनील का तुक्का चल गया था कि कत्ल की खबर मिलते ही विस्तृत जानकारी हासिल करने के लिये क्लायंट ने लपकता झपकता एजेंसी में पहुंचना था। वो ऐन ऐसे ही मैजेस्टिक सर्कल, डिटेक्टिव एजेंसी के आफिस में पहुंचा था इसलिये फौरन दिनकर की जानकारी में आ गया था। एक होंडा सिटी खुद चलाता वो मैजेस्टिक सर्कल खुद पहुंचा था जिसका रजिस्ट्रेशन नम्बर नोट कर लिया गया था और फौरन आगे रमाकांत को पहुंचा दिया गया था। रमाकांत ने भी फौरन पुलिस हैडक्वार्टर में मौजूद अपने कांटैक्ट को फोन लगाया था और वार फुटिंग पर मोटर वहीकल्स रजिस्ट्रेशन के कम्प्यूट्राइज्ड रिकार्ड से उस नम्बर की कार के मालिक की जानकारी निकाली जाने की दरख्वास्त की थी जिसका जवाब किसी भी क्षण वहां अपेक्षित था।

दिनकर की रिपोर्ट के अनुसार होंडा सिटी का मालिक कोई पैंतालीस साल का लम्बा ऊंचा तंदुरुस्त, सूट बूट से सजी अच्छी पर्सनैलिटी वाला, सूरत से ही सम्पन्न लगने वाला आदमी था। कोई आधा घंटा वो शख्स डिटेक्टिव एजेंसी में रुका था और जब पूर्ववत् अपनी कार खुद चलाता वहां से रुखसत हुआ था तो दिनकर चुपचाप उसके पीछे लग लिया था। उसकी मंजिल मंडेला रोड पर स्थित गोदावरी अपार्टमेंट्स थी जिसका एक अपार्टमेंट उसका आवास था। सिक्योरिटी स्टाफ से मामूली पूछताछ से दिनकर ये जानकारी निकालने में कामयाब हो गया था कि उस शख्स का नाम समीर सक्सेना था और वे शहर का बड़ा एंटीक और क्यूरियो आइटम्स का डीलर था।

दिनकर ने बहुत दानाई से अपनी पड़ताल को उस लाइन पर आगे बढ़ाया था तो मालूम पड़ा था कि चार साल पहले उसने अपने से आधी उम्र की सुजाता भटनागर नाम की लड़की से शादी की थी जिसका जो हुलिया मालूम पड़ा था वो साफ साफ सुजाता सक्सेना से मिलता जुलता था।

मोटर व्हीकल्स रजिस्ट्रेशन के रिकार्ड से निकल कर जो नाम सामने आया, वो समीर सक्सेना ही था।

लिहाजा दोहरी तसदीक हुई थी कि नागरथ डिटेक्टिव एजेंसी का उदिता और अचला की निगाहबीनी कराने के मामले में जो क्लायंट था, वो नगर का बड़ा बिजनेसमैन, मंडेला रोड पर स्थित एक अपार्टमेंट का निवासी बाइज्जत, बाहैसियत, बारसूख शख्स समीर सक्सेना था।

जौहरी की मौकायवारदात से आयी रिपोर्ट से मालूम हुआ था कि सिक्का की छाती में जो खंजर पैबस्त पाया गया था, वो उसकी तत्काल मौत की वजह बना था। खंजर की कोई शिनाख्त नहीं हो पायी थी, उस पर किन्हीं फिंगरप्रिंट्स की पड़ताल के लिये खंजर को सावधानी से मकतूल की छाती से निकाल कर पुलिस के फिंगरप्रिंट्स एक्सपर्ट के हवाले कर दिया गया था।

कत्ल के वक्त की बाबत पुलिस का अंदाजा दोपहरबाद के किसी वक्त का था जबकि इस बाबत कोई पुख्ता जानकारी बाजरिया पोस्टमार्टम ही हासिल हो पाती।

एकाएक सुनील ने अपना विस्की का गिलास मेज पर रख दिया और सिग्रेट को ऐशट्रे में झोंक दिया।

"की होया, प्यारयो?"—रमाकांत बोला।

"मैं चलता हूं।"—सुनील बोला और उठ खड़ा हुआ।

"चलता है! क्यों चलता है? तेरी मोटर साइकल कित्थे गयी माईंयवी?"

"अरे, भई, जाता हूं।"

"जान कड लई सजना जान वाली गल्ल करके।"—रमाकांत तरन्नुम में बोला, फिर संजीदा हुआ—"क्यों जाता है भरी जवानी में?"

"तौबा! अरे, जहान से नहीं जाता, यहां से जाता हूं।"

"क्यों?"

"क्योंकि 'ब्लास्ट' की नौकरी बजानी है।"

"माईंयवा नौकर। बै जा अरमान करके।"

"नहीं, मैं..."

"ओये, बांह छुड़ाये जात है निबल जान के मोहे?"

"सारी!"

"सारी नहीं मिल सकती। पैग एण्ड पैग अलाइक मिलेगी।"—वो फिर तरन्नुम में बोला—"मैं पैग तेरा ले लूं, तू पैग मेरा ले ले, मैं भी पियूं, तू भी पिये।"

"अगर विस्की की बात कर रहे हो तो मेरी वैसे भी बस है।"

"बस है!"

"हां।"

"तू मीडिया पर्सन है या ट्रांसपोर्ट के कारोबार में है?"

"तुम्हें नशा हो गया है।"

"बल्ले, भई। मिशन अकम्पलिश्ड। इसी बात पर एक शेर सुन..."

"रमाकांत, मैं..."

"सुन! बाहुक्म वड्डे भापा जी, सुन!"

"ठीक है, सुनाओ।"

"अर्ज किया है तेरे वड्डे भापा जी ने...क्या अर्ज किया है!...हां।...फरमा मुलाहजा माड़ा जया...पका दे अपनी बोटी को अगर कुछ शोरबा चाहे, कि खाना बर्फ में लग कर नहीं तैयार होता है।"

"रमाकांत, रमाकांत, क्यों अच्छे भले शेर की जड़ मार रहे हो!"

"ओये, मैं! जड़मार रहा हूं?"

"और क्या कर रहे हो! जब से यहां 'सरकता आंचल' के सौजन्य से प्रकाश खेमका का मुशायरा हुआ है, तुम शायरों का, शायरी का नाम बदनाम करने पर तुले हो..."

"ओये कमला होया एं!"

"सही शेर है—मिटा दे अपनी हस्ती को अगर कुछ मर्तबा चाहे, कि दाना खाक में मिल कर गुलेगुलजार होता है।"

"होयेगा माईंयवा सही शेर, लेकिन जो वजन...वजन मेरे शेर में है वो इसमें कहां है!"

"तौबा!"

"अभी इससे भी वजनी वर्शन सुन। जला दे अपनी बस्ती को अगर कुछ दबदबा चाहे; जो हरकत खुदकुशी सी हो, तो दम दमदार होता है।"

सुनील ने बुरा सा मुंह बनाया।

"ओये, दाद तो दे!"

"दाद दूं"—सुनील बोला—"या माथा पीटूं?"

"ओये न, मां सदके! मैं ही अपना प्रोग्राम बंद करता हूं।"

"शुक्र है।"

"और तेरे साथ चलता हूं।"

"जरूरत नहीं।"

"बाहर ठंडी हवा चल रही है। मोटर साइकल पर जायेगा तो हड्डियों में घुस जायेगी। मैं कार पर ले के चलता हूं।"

"रास्ते में फिर वाहियात शेर सुनाओगे।"

"नहीं। सौं रब दी।"

"ठीक है, चलो।"

मेज पर पड़ी जानी वाकर ब्लैक लेबल की बोतल सम्भालता रमाकांत उठा।

"ये क्या कर रहे हो?"—सुनील एतराजभरे लहजे से बोला।

"ओये, मां सदके, दूर जाना है, पैग पैग खेलते चलेंगे, रास्ता कटता पता भी नहीं चलेगा।"

"लेकिन..."

"कमलया, नियामत से मुंह नहीं मोड़ते।"

"नियामत!"

"ये है न!"

"ये नियामत है?"

"और क्या है? ऐसे ही तो किसी वड्डे शायर ने नहीं कहा कि तिन रंग नहीं मिलदे, हुस्न जवानी ते तूम्बा।"

"मुझे पंजाबी तो नहीं आती लेकिन मेरे खयाल से इस फॉक सांग में तीसरा रंग मां-बाप को बोला गया था।"

"राइम तूम्बा कर रहा है। तरन्नुम में सुन।"—रमाकांत गाने लगा—"सदा न बागां बुलबुल बोले, सदा न बाग बहारां, तिन रंग नहीं मिलदे; हुस्न जवानी ते तूम्बा।"

"इस हाल में कार चला लोगे?"

रमाकांत फौरन संजीदा हुआ।

"मैंने"—फिर बोला—"आज तक कोई एक्सीडेंट किया है?"

"नहीं।"

"तो फिर?"

"ठीक है, चलो।"

दोनों बाहर आकर रमाकांत की फोर्ड एस्कार्ट में सवार हुए।

रमाकांत दक्षता से कार को यूथ क्लब की पार्किंग से निकालकर बाहर सड़क पर लाया।

अब वो निहायत संजीदा और जिम्मेदार लग रहा था।

कार मंडेला रोड की ओर दौड़ चली।

मंडेला रोड नार्थशोर के रास्ते में थी और राजनगर की म्यूनीसिपल लिमिट्स से बाहर तक जाती थी।

"काकाबल्ली"—रास्ते में रमाकांत बोला—"अब अपने केस की बाबत कुछ उचर।"

"वड्डे भापा जी"—सुनील बोला—"तसवीर में एक अदद हसबैंड आ फिट होने की वजह से अब कुछ समझ में तो आ रहा है केस का जुगराफिया!"

"क्या समझ में आ रहा है?"

"सुनो। एक अदद बीवी की कल्पना करो जो शहर में आती है और मुगलबाग में एक फ्लैट लीज पर लेकर तनहा जिंदगी बसर करना शुरू कर देती है। एक अदद खाविंद है जो उससे तलाक चाहता है। तलाक चाहता है लेकिन रीजनेबल, बीवी के हक में जाने वाला, प्रापर्टी सैटलमेंट नहीं चाहता। बीवी को ऐसा हकमार तलाक कबूल नहीं। बिना तलाक को खातिर में लाये वो खाविंद को छोड़ कर उससे अलहदा रहने लगती है। कुछ अरसा अलहदगी का ये सिलसिला चलता

है। किन्हीं खास वजुहात से ये सिलसिला खाविंद को रास नहीं आता। वो समार्ट गेम खेलने का फैसला करता है ताकि तलाक उसकी शर्तों पर हो सके। बीवी हसीन है, नौजवान है, ऊपर से तनहा है, इंडीपेंडेंट है, इसलिये वो उम्मीद करता है कि मर्द मक्खियों की तरह उस पर भिनभिनायेंगे। कोई उसे अपने से मुतासिर कर लेगा तो ब्वायफ्रेंड का दर्जा अख्तियार कर लेगा। एक शादीशुदा औरत का गैरमर्द से अफेयर उसके कैरेक्टर को दागदार कर सकता है और खाविंद के लिये तलाक हासिल करने की राह आसान कर सकता है। लिहाजा इस शरारती सोच के तहत वो बीवी की निगाहबीनी के लिये प्राइवेट डिटेक्टिव्स एंगेज करता है और उम्मीद करता है कि यूं बीवी की बेवफाई के कोई न झुठलाये जा सकने वाले सबूत उसके हाथ लगेंगे। बीवी भी कोई ऐसी नादान नहीं जो अपने खाविंद की ऐसी किसी मूव को एंटीसिपेट न कर सके। या किसी तरीके से उसे खाविंद के उसकी निगरानी कराने के इरादों की भनक लग जाती है। बहरहाल उन दोनों के बीच 'तू डाल डाल मैं पात पात' वाला खेल शुरू हो जाता है।"

"बीवी क्या करती है?"

"वो अपने फ्लैट को अपने से मिलने जुलते कद काठ, रंग रूप, फिगर मेज़रमैंट्स वाली एक लड़की के हवाले करती है और खुद गायब हो जाती है। प्राइवेट डिटेक्टिव्स को बताया गया होता है कि उन्होंने फलां इलाके में फलां पते पर रहती औरत को वाच करना था जो कि वो करते हैं।"

"खाविंद ने जासूसों को बीवी की कोई तसवीर नहीं मुहैया कराई होगी!"

"नहीं कराई होगी। कराई होगी तो वो कोई ऐसी तसवीर होगी जो कि बीवी की आज की शक्ल से इंसाफ नहीं करती होगी। कोई बड़ी बात नहीं कि खाविंद ने डिटेक्टिव्स को ऐसी कोई तसवीर मुहैया कराना जरूरी ही न समझा हो, उसने बीवी का बारीकी से हुलिया बयान कर देना ही काफी समझा हो। फिर बीवी के रिहायशी पते की गारंटी थी, ये गारंटी थी कि वो वहां अकेली रहती थी। आम हालात में किसी कनफ्यूजन की कहां गुंजायश थी!"

"ठीक!"

"डिटेक्टिव्स अपनी असाइनमेंट पर मुगलबाग और आगे संतोषी अपार्टमेंट्स पहुंचते हैं और वहां के फ्लैट नम्बर 402 के आकूपेंट के बारे में खामोशी से दरयाफ्त करते हैं तो तसदीक होती है कि उन्हें बताये गये हुलिये की एक औरत वहां रहती थी। कोई फर्क था तो ये कि अब उसके साथ एक उम्रदराज औरत बतौर कम्पैनियन रहती थी जो कि कोई अहम बात नहीं थी। वो अपनी निगरानी शुरू कर देते हैं और दस्तूर के मुताबिक खाविंद को बाजरिया उनकी डिटेक्टिव एजेंसी उनकी रेगुलर रिपोर्ट मिलती रहती है जो ये कहती हैं—और खाविंद को हैरान करती हैं—कि बीवी पूरी शालीनता के साथ, पूरे सदाचार के साथ अपने फ्लैट में रह रही थी।"

"जबकि बीवी कहीं और थी और अपने मन मुताबिक ऐश कर रही थी!"

"ऐग्जैक्टली!"

"फिर?"

"फिर एक अरसे की निगरानी के बाद खाविंद इस नतीजे पर पहुंचता है कि उसकी वो स्ट्रेटेजी फेल थी, उसमें कुछ नहीं रखा था, बीवी को अय्याशी करते, खाविंद से बेवफाई करते, रंगे हाथों पकड़ने का उसका मंसूबा ढ़ेर था। नतीजतन वो बीवी की पसंद शर्तों पर तलाक वर्क आउट करने का मन बना लेता है।"

"जनानी तो माईंयवी रज्ज के चालाक निकली, मालको!"

"ऐसा ही जान पड़ता है।"

"ठोकू कौन? वो जिसका मर्डर हुआ है? सिक्का?"

"मेरे खयाल से नहीं।"

"क्यों नहीं?"

"अगर बीवी सच में वैसी चालाक है जैसी का कि तुमने तसव्वुर किया है तो अमृत सिक्का को उस फ्लैट के आकूपैंट्स के गिर्द मंडराता नहीं होना चाहिए।"

"फ्लैट की आकूपेंट्स तो उदिता चोपड़ा और कम्पैनियन हैं!"

"असल में डिटेक्टिव्स की निगाह में बीवी और कम्पैनियन हैं।"

"हां, यार।"

"सिक्का ब्वायफ्रेंड होता तो बीवी की हिदायत होती कि वो उस फ्लैट के करीब भी न फटके क्योंकि डिटेक्टिव्स उसके पीछे लग सकते थे।"

"तो फिर असल में सिक्का कौन है?"

"था। कोई जोकर इन दि पैक जैसा जमूरा। बीवी की डुगडुगी पर नाचने वाला बंदर।"

"ठीक। अब तू खाविंद से मिलने जा रहा है। क्या बात करेगा उससे?"

"कुछ सवाल हैं मेरे जेहन में जो मैं उससे करूंगा।"

"वो जवाब देगा?"

"देखेंगे।"

"क्यों देगा?"

"भई, मैं मीडिया पर्सन हूं। न्यूजहाउंड हूं। न्यूज को चेज करना मेरा करोबार है।"

"ओ दी बला तों मारया। काकाबल्ली, तू खुद को कुछ भी बताये, कुछ भी फुंदने लगाये, उसकी निगाह में तेरा दर्जा 'तू कौन मैं खामखाह' वाला ही होगा।"

"देखेंगे।"

"देखेगा। रात खोटी किये बिना तुझे कुछ दिखाई नहीं देता?"

सुनील हंसा।

"हस्सया ई, कंजर।"

"वड्डे भाप जी, समझो हम तफरीहन निकले हुए हैं।"

"तफरीहन! आहो, यार।"

उसने जानी वाकर की बोतल बरामद की और नीट ही एक घूंट लगाया। फिर उसने बोतल सुनील की तरफ बढ़ाई।

रमाकांत का दिल रखने के लिये सुनील ने बोतल को मुंह लगाया।

वे मंडेला रोड पहुंचे।

गोदावरी अपार्टमेंट्स तलाश करने में उन्हें कोई दिक्कत न हुई।

वो एक फाइव स्टार होटल जैसी लुक वाला रेजीडेंशल कम्पलैक्स था। वो भीतर दाखिल हुए तो उन्होंने पाया कि लॉबी में किसी बड़े होटल जैसा ही मिनी रिसैप्शन स्टेशन था।

"समीर सक्सेना से मिलना है।"—सुनील रिसैप्शन क्लर्क से बोला।

उसने गौर से दोनों का मुआयना किया।

"मेरी ठोडी के नीचे तिल है।"—रमाकांत बोला।

"जी!"

"ओये, मां सदके, कई बार गौर से देखने पर भी नहीं दिखाई देता, इसलिये बोला।"

क्लर्क ने जल्दी से रमाकांत पर से निगाह हटाई और वापिस सुनील पर टिकाई।

"सक्सेना साहब को आपकी आमद की खबर है?"—उसने पूछा।

"नहीं।"

"लेट नाइट को वो गैस्ट्स रिसीव करते तो नहीं!"

"अभी नाइट है।"—रमाकांत बोला—"लेट नाइट बारह बजे के आसपास होती है।"

क्लर्क हड़बड़ाया, स्वयमेव रमाकांत की ओर उठ गयी अपनी निगाह को उसने सप्रयास उस पर से हटाया और फिर सुनील से सम्बोधित हुआ—"आपका शुभ नाम?"

"सुनील।"—सुनील बोला—"सुनील चक्रवर्ती। चीफ रिपोर्टर, 'ब्लास्ट'।"

"ओह!"

"क्या ओह!"

"मैं आपके नाम से वाकिफ हूं। बड़ा नाम है आपका न्यूज की दुनिया में।"

"थैंक्यू।"

"ये..."

"मेरे सहयोगी हैं। नाम रमाकांत मल्होत्रा है।"

"वन मिनट, सर।"

उसने फोन पर एक नम्बर डायल किया और दबे स्वर में उसके माउथपीस में कुछ बोला। जल्दी ही उसने फोन वापिस रख दिया और बोला—"जाइये।"

"कहां जाइये?"—सुनील बोला।

"नाइंथ फ्लोर। फ्लैट नम्बर नौ सौ एक।"

"थैंक्यू।"

लिफ्ट ने उन्हें नौवीं मंजिल पर पहुंचाया।

सुनील ने 901 नम्बर फ्लैट की काल बैल बजाई।

दरवाजा जिस व्यक्ति ने खोला, वो यकीनन वही था जिसका हुलिया दिनकर ने मैजेस्टिक सर्कल, नागरथ डिटेक्टिव एजेंसी के आफिस में पहुंचे शख्स के तौर पर बयान किया था।

उसने अपलक बारी बारी दोनों आगंतुकों का मुआयना किया।

"मिस्टर समीर सक्सेना!"—सुनील अपने स्वर में मिश्री घोलता बोला।

"हां।"—वो गम्भीरता से बोला—"तुममें से सुनील कौन है?"

"मुझे ये फख्र हासिल है।"

"सुनील होना फख्र की बात है?"

"मेरे लिये तो है! आपका पता नहीं।"

"सुनील चक्रवर्ती! चीफ रिपोर्टर, 'ब्लास्ट'!"

"वही। साक्षात!"

"ये भी"—उसने रमाकांत की तरफ निगाह दौड़ाई—"रिपोर्टर हैं?"

"जी नहीं। ये मेरे सहयोगी हैं।"

"किस काम में सहयोगी हैं?"

"हर काम में।"

"आओ।"

सक्सेना उन्हें एक विशाल, भव्य रूप से सुसज्जित ड्राईंगरूम में लेकर आया।

"बैठो।"—वो बोला।

दोनों ने थैंक्यू बोला और अगल बगल एक सोफे पर बैठे।

वो उनके सामने एक सोफाचेयर पर बैठ गया।

"रात की इस घड़ी"—फिर बोला—"मैं तुम लोगों की कोई खिदमत नहीं कर सकता।"

"घड़ी को कुछ नहीं हुआ, मालको"—रमाकांत बोला—"लेकिन आप खातिर जमा रखिये, हम खिदमत के तलबगार नहीं।"

"सो नाइस आफ यू।"—वो शुष्क स्वर में बोला फिर वापिस सुनील की तरफ घूमा—"अब बोलो, क्या बात है? क्यों मिलना चाहते थे?"

"मैं इनवैस्टिगेटिंग जर्नलिस्ट हूं"—सुनील बोला—"अपनी एक इनवैस्टिगेशन के सिलसिले में आपसे चंद सवाल पूछना चाहता हूं।"

"मैं नहीं समझता कि तुम्हें मेरे से सवाल करने का अख्तियार है लेकिन अब आ गये हो तो पूछो, क्या पूछना चाहते हो?"

"आप शादीशुदा हैं?"

"हां।"

"लेकिन मैडम आपके साथ नहीं रहतीं!"

"तो क्या हुआ?"
"कहां रहती हैं?"
"तुम्हें इससे क्या, भई!"
"शायद कुछ हो!"
"क्यों, भई! यहां फिशिंग एक्सपिडीशन पर आये हो?"
"मेरे कारोबार में सवाल पूछने की बहुत अहमियत है। कई बार किसी केस की इनवैस्टिगेशन के सिलसिले में ऐसे सवाल भी पूछने पड़ते हैं जिनकी प्रत्यक्ष में कोई सार्थकता नहीं दिखाई देती। इसलिये कई बार मेरे सवाल आप जैसे किसी महानुभाव को फिशिंग एक्सपिडीशन जान पड़ सकते हैं।"
"ठीक जान पड़ते हों तो तुम लोग मुझे अपने किन्हीं सवालों के जवाब देने के लिये मजबूर कर सकते हो?"
"नहीं।"
"सो देयर!"
"लेकिन ऐसा रुख अख्तियार करने की वजह जानने की दरख्वास्त कर सकते हैं।"
"दरख्वास्त नाकबूल हो तो?"
"तो क्या! किस्सा खत्म। गुड नाइट कबूल फरमाइये और इजाजत दीजिये।"
सुनील ने—रमाकांत ने भी—उठने का उपक्रम किया।
"कीप सिटिंग।"—उसका स्वर आदेशात्मक हुआ।
दोनों ने अपने शरीर वापिस सोफे पर ढ़ीले छोड़ दिये।
"जिस सवाल का जवाब मुझे खुद मालूम नहीं, वो मैं तुम्हें कैसे दे सकता हूं?"
"क्या मतलब!"—सुनील बोला—"आपको नहीं मालूम आज की तारीख में आपकी बीवी का मुकाम कहां हैं?"
"और मैं क्या कह रहा हूं?"
"हूं।"
"लेकिन मेरी बीवी में तुम्हारी दिलचस्पी का सबब क्या है? क्यों जानना चाहते हो वो कहां रहती है?"
"मैं इस बात को इसका दूसरा सिरा पकड़ कर कहने की कोशिश करता हूं। किन्हीं खास वजुहात से मेरी दिलचस्पी सुजाता सक्सेना नाम की एक महिला में बन गयी है जो कि मुगलबाग, फर्स्ट क्रॉस रोड पर स्थित संतोषी अपार्टमेंट्स की चौथी मंजिल पर फ्लैट नम्बर 402 में रहती हैं। मेरे को जिज्ञासा ये जानने की है कि क्या वो महिला आपकी पत्नी हैं!"
"क्यों!"
"मेरी एक लीड स्टोरी में उनका दखल है इसलिये मैं उनकी बैकग्राउंड से वाकिफ होना चाहता हूं।"
"बैकग्राउंड से क्या मतलब है तुम्हारा?"

"मसलन उनकी वाकफियत का सर्कल क्या है! किन लोगों में वो उठती बैठती हैं, वगैरह!"

"कुछ जाना?"

"अभी तो नहीं।"

"जान पाओगे?"

"उम्मीद तो है!"

"जो जानो, समझो, उसमें मेरी भी दिलचस्पी है।"

"आपकी! यानी कि आप तसदीक कर रहे हैं कि वो महिला आपकी पत्नी हैं?"

"हां।"

"आप दोनों में अलहदगी हो चुकी है?"

"हां।"

"कब से?"

"छ: महीने से।"

"अलहदगी का अगला कदम तलाक होता है!"

"हां।"

"आपने तलाक की अर्जी दाखिल की है?"

"नहीं।"

"मैडम ने?"

"नहीं।"

"इरादा तो आपका होगा!"

"तुम्हें क्या!"

"मैडम का?"

"मैडम से जा के पूछो।"

"सुलह सफाई की कोई गुंजायश है?"

"इससे भी तुम्हें क्या?"

"सर, गुस्ताखी माफ, आप सहयोग नहीं कर रहे हैं।"

"ठीक पहचाना। वजह समझो। जब तक ये बात साफ न हो जाये कि तुम्हारा गेम क्या है, मैं अपने पत्ते खोलने को तैयार नहीं हूं। मेरे से सहयोग की उम्मीद करते हो तो पहले साफ बोलो, क्यों आये हो, क्या चाहते हो?"

"आपका मैडम से कोई हालिया कांटैक्ट है?"

"नहीं।"

"कब से नहीं है? मेरा मतलब है आखिरी बार आपकी उनसे रूबरू मुलाकात कब हुई थी?"

"कोई तीन महीने पहले हुई थी। इत्तफाक से हुई थी। किसी की शादी की रिसैप्शन की पार्टी थी, उसमें वो भी इनवाइटिड थी। आमना सामना हो गया था।"

"कोई आर्गेनाइज्ड मुलाकात अलहदगी के दौरान नहीं हुई?"

"नहीं हुई। बस, वो ही एक मुलाकात हुई थी जो कि सच पूछो तो मुलाकात भी नहीं थी, यूं समझो कि मेजबान के करीब तीस सेकंड को एक दूसरे के आमने सामने खड़े भर हुए थे।"

"आई सी।"

"एक बात ध्यान में रखना।"

"कौन सी बात, जनाब?"

"ये जो जवाब मैं तुम्हें दे रहा हूं, इसलिये नहीं दे रहा कि एकाएक मैं तुमसे सहयोग करने लगा हूं, बल्कि इसलिये दे रहा हूं कि ये मामूली बातें हैं जिनको तुम किसी और जरिये से भी जान सकते हो।"

"आई सी।"

"दूसरे, अगर तुम समझते हो कि तुम बहुत चालाक हो और मुझे जानकारी के लिये पम्प कर सकते हो तो ये भी तुम्हारी खामखयाली है।"

"सर, न मैं बहुत चालाक हूं और न मुझे ये खुशफहमी है कि मैं आपसे ऐसा कुछ कहलवा सकता हूं जो आप नहीं कहना चाहते।"

"अगर सच कह रहे हो तो शाबाशी है तुम्हें। अब बोलो, क्या वजह है तुम्हारी मेरी बीवी में दिलचस्पी की?"

"सर, मेरी दिलचस्पी मैडम में नहीं, मैडम की मौजूदा रिहायश में है।"

"रिहायश में है?"

"बतौर न्यूजहाउंड।"

"बतौर न्यूजहाउंड!"

"जी हां।"

"कमाल है! उस रिहायश में न्यूज वाली क्या बात है?"

"वहां एक कत्ल हो गया है।"

"अरे! कब?"

"आज दोपहरबाद किसी वक्त।"

"किसका?"

"अमृत सिक्का नाम के एक शख्स का।"

"किसने किया?"

"ये मालूम होता तो सारा वृतांत आप 'ब्लास्ट' में पढ़ते।"

"कातिल होने का शक किस पर किया जा रहा है?"

"अभी कोई नाम सामने नहीं आया है। आया है तो वो पुलिस की ही नॉलेज में है जिसे कि वो अभी आम नहीं कर रही।"

"आई सी!"

"कत्ल की बात सुनकर आपको कोई हैरानी नहीं हुई जान पड़ती!"

"क्या हैरानी हो! आये दिन लोग नाहक जान से जाते हैं—कभी कत्ल

से, कभी एक्सीडेंट से, कभी रोडरेज से, कभी टैरेरिस्ट अटैक से, कभी फर्जी एनकाउंटर से। इंसानी जान की तो कोई कीमत नहीं रही। कोई गारंटी ही नहीं रही, कोई तसल्ली ही नहीं रही कि कोई सुबह घर से निकलेगा तो शाम को घर वो पहुंचेगा, उसकी लाश नहीं।"

"इसलिये आपको अमृत सिक्का नाम के शख्स के कत्ल की खबर सुनकर कोई हैरानी न हुई!"

"क्या हैरानी हो! न होने की वजह बोली तो!"

"इस बात पर भी नहीं कि कत्ल आपकी पत्नी के फ्लैट में हुआ?"

"ऐसा ही है, भई। वैसे आइंदा अगर ये बात उजागर हुई कि कत्ल सुजाता ने किया है तो हैरानी तो नहीं, खुशी जरूर होगी।"

"जी!"

"मेरी एक बड़ी समस्या अपने आप हल हो जायेगी।"

"मैं अभी भी नहीं समझा।"

"अरे, भई, कातिल बीवी से तलाक लेना क्या मुश्किल काम होगा!"

"कमाल है!"

"वैसे है कोई उम्मीद कि कातिल मेरी बीवी हो?"

"हो या न हो, जनाब, आप तो कीजिये उम्मीद। आखिर उम्मीद पर दुनिया कायम है।"

"सही कहा।"

"बहरहाल आपको कोई हैरानी नहीं कि कत्ल आपकी बीवी के फ्लैट में हुआ!"

"अभी तो ऐसा ही है, वारदात की डिटेल्स सामने आने पर हो सकता है मैं डिफ्रेंटली रियेक्ट करूं।"

"ठीक। मैं मैडम के बारे में कुछ जानकारी चाहता हूं।"

"किससे?"

"आप सामने बैठे हैं इसलिये जाहिर है कि आप से।"

"मैडम से क्यों नहीं?"

"क्योंकि मुझे यकीन है कि आप ये काम बेहतर कर सकते हैं।"

"हूं। क्या जानकारी चाहते हो।"

"पिछले कुछ दिनों से आपने मैडम के पीछे प्राइवेट डिटेक्टिव लगाये हुए हैं। ऐसा क्यों?

उसने घूरकर सुनील को देखा।

"प्राइवेट डिटेक्टिव्स के जरिये क्या जानकारी हासिल होने की उम्मीद करते हैं आप?"

"मिस्टर!"—उसका स्वर कर्कश हुआ—"तुम चोर बहकाने की कोशिश कर रहे हो।"

"मैं ऐसा कर रहा हूं तो आप समझते हैं कि मैं इस बात को अपनी जुबानी कुबूल करूंगा!"

"मैं नहीं जानता कि तुम क्या करोगे लेकिन मेरे साथ जब कोई ब्लफ खेलता है तो उसकी हरकत मेरे से छुपी नहीं रहती।"

"आप समझते हैं मैं आपके साथ ब्लफ खेल रहा हूं! चोर बहकाने की कोशिश कर रहा हूं! आपकी जुबान में बोलूं तो फिशिंग एक्सपिडीशन पर हूं!"

"समझता क्या हूं, जानता हूं।"

"इसीलिये आप मेरे सवाल का जवाब नहीं दे रहे!"

"मैं वाहियात, बेबुनियाद सवालों का जवाब नहीं दे सकता।"

"हामी न भरिये, इंकार ही कीजिये, कहिये कि मैडम के पीछे लगे प्राइवेट डिटेक्टिव आपके एंगेज्ड नहीं हैं।"

"तुम क्यों समझते हो कि मैं अपनी बीवी के पीछे डिटेक्टिव लगाऊंगा?"

"आप बताइये।"

"मेरा जवाब एक ही है।"

"क्या?"

"तुमसे मतलब!"

"अच्छा जवाब है ये। कहीं भी फिट हो जाता है।"

वो खामोश रहा।

"मेरी खास दिलचस्पी ये जानने में है कि कत्ल के वक्त के आसपास आपकी पत्नी कहां थी!"

"जानो। मेरी तरफ से तुम्हें इजाजत है।"

"आप नहीं बतायेंगे?"

"मुझे नहीं मालूम कहां थी! मालूम होता भी तो तुम्हें बताना जरूरी न समझता।"

"आप कहां थे?"

"नो कमैंट्स।"

"जानकारी हासिल करने के और भी तरीके मुमकिन हैं।"

"अच्छा!"

"जी हां।"

"मसलन, बताओ कोई तरीका!"

"मैं पुलिस को ये टिप दे सकता हूं कि अगर वो नागरथ डिटेक्टिव एजेंसी के संचालक को तलब करें, साथ में परमेश राणा नाम के उसके एक फील्ड आपरेटर को भी तलब करें तो सिक्का के मर्डर से ताल्लुक रखती काफी कारआमद जानकारी उन लोगों को सहज ही हासिल हो सकती है।"—सुनील एक क्षण ठिठका और फिर बोला—"आप तो नागरथ डिटेक्टिव एजेंसी के बारे

में कुछ जानते नहीं होंगे! आपको तो मालूम होगा नहीं कि इस डिटेक्टिव एजेंसी का आफिस मैजेस्टिक सर्कल पर है?"

उसने उत्तर न दिया।

कई क्षण वातावरण में बोझिल सन्नाटा छाया रहा।

"काफी पहुंचे हुए आदमी हो!"—फिर वो बोला।

"अच्छा!"—सुनील की भवें उठीं—"कहां पहुंचा मैं?"

"ऐसी टिप पुलिस को जारी करने से तुम्हें क्या हासिल होगा?"

"पुलिस अखबार के लिये हॉट न्यूज का, स्पॉट न्यूज का कारआमद जरिया होती है, यूं पुलिस से दोस्ताना ताल्लुकात बनेंगे जो कि मेरे, 'ब्लास्ट' के, काम आयेंगे। किसी न्यूजहाउंड का पुलिस से 'यू स्क्रैच माई बैक, आई स्क्रैच युअर बैक' जैसा रिश्ता काफी मुफीद होता है। ऐसी टिप को आप मेरी, एक न्यूजपेपरमैन की, इनवैस्टमेंट समझिये जिसे मैं बाद में कभी भी भुना सकता हूं।"—सुनील जानबूझकर एक क्षण ठिठका फिर बोला—"भुनाऊंगा।"

"कैसे?"

"उन्हीं से पता करूंगा मैडम के पीछे लगने के लिये नागरथ डिटेक्टिव एजेंसी के आदमी किसने एंगेज किये थे!"

"हूं।"—सक्सेना ने लम्बी हूंकार भरी—"तुम्हें खबर कैसे लगी कि कोई आदमी मेरी बीवी की निगरानी करते उसके पीछे लगे थे?"

"एक उड़ती चिड़िया ने बताया।"

"क्या कहने! बताना कुछ नहीं चाहते, जानना सब कुछ चाहते हो!"

सुनील शिष्ट भाव से हंसा।

"बाकी सब कुछ भी अपनी उड़ती चिड़िया से ही क्यों नहीं पूछते?"

"चिड़िया एकाएक कैजुअल लीव पर चली गयी है..."

"लौटने तक इंतजार कर लो।"

"मैं बेसब्रा आदमी हूं। मेरे से इंतजार नहीं होता।"

"तो ये मेरी प्राब्लम है?"

"प्राब्लम तो मेरी ही है। अलबत्ता इसके किसी हल तक मैं आपके जरिये पहुंचना चाहता हूं।"

"काफी खुशफहम आदमी हो!"

"जी हां।"

"क्या जी हां?"

"काफी खुशफहम आदमी हूं।"

"अजीब..."

"वो भी।"

वो सकपकाया, विचित्र भाव से उसने सुनील की तरफ देखा।

सुनील ने नकली जमहाई ली।

"अब एक मिनट चुप बैठो।"—वो उठता हुआ बोला—"मुझे सोचने दो।"

टिक के बैठकर सोचना शायद उसका स्टाइल नहीं था, वो उठा और ड्राईंगरूम में एक सिरे से दूसरे सिर तक चहलकदमी करने लगा। तीसरे फेरे में वो ड्राईंगरूम और बाल्कनी के बीच की विशाल फ्रेंच विंडोज के सामने ठिठका, उसने वहां का एक पर्दा यूं सरकाया कि वो बाहर झांक पाता, थोड़ी देर वहां ठिठका खड़ा रहा, फिर एक डोरी खींच कर उसने एक पर्दा पूरा सरका दिया और विंडो के सामने बुत सा बना खड़ा रहा।

"मालको"—रमाकांत फुसफुसाया—"सूटा लगाना मुनासिब होगा?"

"मैं भी यही सोच रहा था।"—सुनील बोला—"अभी रुक जाओ। वो अपने ड्रामे से फारिग हो गया है और लौट रहा है।"

"चंगा।"

वापिसी में सक्सेना ने दो कदम ही उठाये थे कि एकाएक फोन की घंटी बजी। वो ठिठका, उसकी निगाह स्वयमेव ही परे एक वाल कैबिनेट पर पड़े फोन की तरफ उठी, फिर वो लम्बे डग भरता उसके करीब पहुंचा और उसने काल रिसीव की।

"हां"—वो सावधानी से माउथपीस में बोला—"क्या है?"

जवाब में दूसरी ओर से आती आवाज को उसने कुछ क्षण सुना।

"पता नहीं।"—फिर बोला, कुछ क्षण ठिठका, फिर केवल एक शब्द बोला—"जानकारी।"—फिर खामोश, फिर बोला—"देखना...फिर बात करेंगे...बंद करता हूं।"

उसने रिसीवर को क्रेडल पर रखा, वापिस लौटा और उनके सामने सोफाचेयर पर ढ़ेर हुआ। उसने अपलक रमाकांत को देखा।

रमाकांत तनिक विचलित हुआ।

"तुम्हारा कोई रोल मेरी समझ में नहीं आया।"—सक्सेना बोला।

"दोनों तरफ एक ही हाल है, मालको।"—रमाकांत लापरवाही से बोला—"जो आप कह रहे हैं, वो मेरी समझ में नहीं आया।"

"मुझे तुम सुनील की शगिर्दी में जान पड़ते हो!"

"आपको गलत जान पड़ता है। ये मेरी शागिर्दी में है।"

"तुम्हारा दर्जा उस्ताद का है?"

"उस्तादों के उस्ताद का है लेकिन मोटे तौर पर आपकी बात ठीक है।"

"कहीं ऐसा तो नहीं कि ये तुम्हारी—उस्ताद की—वजह से यहां है?"

"इसी से पूछिये।"

वो एक क्षण खामोश रहा, फिर उसने सहमति में सिर हिलाया और सुनील की तरफ आकर्षित हुआ।

"अभी तुमने एक मुहावरा इस्तेमाल किया था।"—वो बोला—"यू स्क्रैच माई बैक, आई स्क्रैच युअर बैक। नहीं?"

"जी हां।"—सुनील बोला।

"ये रिश्ता पुलिस और मीडिया में ही नहीं, किन्हीं भी दो जनों में स्थापित हो सकता है। ठीक?"

"जी हां। क्या कहना चाहते हैं?"

"यू स्क्रैच माई बैक, आई स्क्रैच युअर बैक।"

"मतलब?"

"समझो। कुछ जनवाओ, कुछ जानो।"

"आप क्या जानना चाहते हैं?"

"कैसे मालूम पड़ा कि मेरी बीवी के पीछे प्राइवेट डिटेक्टिव लगे थे?"

"इत्तफाक से। ये"—सुनील ने रमाकांत की ओर संकेत किया—"मेरे क्लोज फ्रेंड हैं..."

"उस्ताद।"

"वो भी। आप सुनिये तो सही!"

"सारी!"

"इत्तफाक से इनका एक आदमी सुजाता सक्सेना को भी पहचानता था और उसके पीछे लगे दो आदमियों में से एक को, नागरथ डिटेक्टिव एजेंसी के एक फील्ड आपरेटर को, भी पहचानता था। इन्होंने मेरी रिक्वेस्ट पर उस लाइन पर कुछ और काम कराया तो हमें आपकी भी खबर लग गयी।"

"कैसे?"

"डिटेक्टिव्स सुजाता सक्सेना के पीछे थे इसलिये जब वो मुगलबाग अपने फ्लैट पर लौटी तो वो भी पीछे लगे फर्स्ट क्रास रोड और आगे संतोषी अपार्टमेंट्स पहुंच गये। वहां मैडम के फ्लैट में कत्ल का हो हल्ला मचा तो कत्ल की खबर उन लोगों को भी लगी। उन्होंने अपनी एजेंसी में अपने एम्पलायर को खबर की तो एम्पलायर ने कत्ल की बाबत आपको साउंड आफ करने के लिये आपका फोन खड़का दिया। आप दौड़े एजेंसी के आफिस में पहुंच गये और अपनी लपक झपक और उतावलेपन की वजह से मेरे फ्रेंड के आदमियों की जानकारी में आ गये। आपकी होंडा सिटी कार का नम्बर नोट किया गया, वार फुटिंग पर मोटर व्हीकल्स रजिस्ट्रेशन के रिकार्ड में उसको ट्रेस किया गया तो आपका नाम सामने आ गया। मैजेस्टिक सर्कल से जब आपने वापिसी की तो वही आदमी आपके पीछे लगे यहां तक पहुंच गये और आपका मौजूदा रिहायशी पता मालूम पड़ गया। बस, इतनी सी बात है।"

सक्सेना भौंचक्का सा उसका मुंह देखने लगा।

सुनील ने नकली जमहाई ली।

"ये"—सक्सेना के मुंह से निकला—"इतनी सी बात है!"

"जी हां। सर, आई हैव स्क्रैच्ड युअर बैक। नाओ, प्लीज रेसीप्रोकेट।"

"अच्छी बात है।"—वो गहरी सांस लेता बोला—"बात ये है कि मुझे खबर

लगी थी कि मेरी बीवी की किसी से मेल मुलाकात इस हद तक बढ़ रही थी कि वो बाकायदा अफेयर बन सकती थी। बतौर हसबैंड मेरा कनसर्न्ड फील करना स्वाभाविक था। लिहाजा मैंने नागरथ डिटेक्टिव एजेंसी को अप्रोच किया और बीवी की निगाहबीनी का इंतजाम किया ताकि मुझे मालूम पड़ सकता कि वो कौन शख्स था जो मेरी बीवी को बेवफाई के रास्ते पर धकेल रहा था। दो दिन से वो डिटेक्टिव परछाईं की तरह मेरी बीवी के पीछे थे और लगातार मुझे एजेंसी से रिपोर्ट्स हासिल हो रही थीं। उन रिपोर्ट्स से ही मेरी जानकारी में आया कि मेरी बीवी ने बतौर कम्पैनियन अपने साथ किसी को—एक उम्रदराज औरत को—रख लिया था और मुझे अमृत सिक्का नाम के उस शख्स की खबर लगी जो कि मेरी बीवी के फ्लैट में आता जाता रहता था और हर शाम को बीवी को और उसकी कम्पैनियन को डिनर पर भी लेकर जाता था। लेकिन एजेंसी के डिटेक्टिव्स से मुझे ये भी पता लगा कि मेरी बीवी अकेले कभी उस शख्स के साथ—अमृत सिक्का के साथ—कहीं नहीं गयी थी। ये बात मुझे उलझन में डालने वाली थी। अगर वो ही शख्स मेरी बीवी का ब्वायफ्रेंड था तो उसे तीसरा शख्स—वो कम्पैनियन—तो कबाब में हड्डी की तरह चुभना चाहिये था। वो कहते नहीं हैं कि टू इज कम्पनी एण्ड थ्री इज क्राउड!"

"जी हां। खासतौर से आशिकी में।"

"अभी अपनी इस उलझन से उबरने की मैं कोई जुगत ही सोच रहा था कि उस आदमी का कत्ल हो गया, मौकायवारदात पर पुलिस पहुंच गयी और उन्होंने सब कुछ अपने काबू में ले लिया। डिटेक्टिव एजेंसी के मालिक नागरथ की पुलिस में कोई अप्रोच थी जिसकी वजह से पुलिस की तफ्तीश का नतीजा, कुछ जानकारी मुझ तक पहुंची जो कि दिलचस्पी से खाली नहीं थी।"

"क्या?"

"पुलिस द्वारा रुटीन के तौर पर जब लाश की तलाशी ली गयी थी तो उसकी जेब से मेरी बीवी के फ्लैट के मेन डोर की एक चाबी बरामद हुई थी। इस बात ने फिर मुझे उलझन में डाला और फिर से सिक्का के किरदार पर विचार करने के लिये मजबूर किया। क्यों थी उसके पास मेरी बीवी के फ्लैट की चाबी? क्यों थी, कब से थी, और कैसे थी? मेरी बीवी के दिये बिना तो उसके पास हो नहीं सकती थी! या हो सकती थी?"

सुनील ने इंकार में सिर हिलाया।

"मेरी बीवी मुझे आजाद नहीं देखना चाहती। ऐसे मामलों में ज्यादातर औरतें खुंदकी होती हैं, वो भी थी। मर्द आजाद हो जाये, अपनी मौज मारे, इस खयाल से उनकी छाती फटती है।"

"लेकिन जब तलाक..."

"तलाक बराबर, लेकिन आसानी से नहीं। तलाक बराबर लेकिन मेरी नाक

में रस्सी डाल के, मुझे नानी याद करवा के। इसीलिये छः महीने पहले जब मेरे से अलहदा हुई तो मेरे पीछे जासूस लगा दिये।"

"उसने भी?"

"बिल्कुल!"

"वजह?"

"वजह एक ही थी।"

"वही जो आपके सामने थी!"

"हां।"

"जैसे आपको सूझा अगर आप उसे चरित्रहीन साबित कर पाते तो आपके लिये तलाक की राह आसान हो सकती थी, वैसे ही उसे—आपसे पहले—सूझा कि आपको रंगीला राजा साबित करके सैटलमेंट के मामले में वो आपको ज्यादा छील सकती थी?"

"हां। सच पूछो तो उसकी उस हरकत की वजह से ही मुझे उसी जुबान में उसे जवाब देना सूझा था।"

"और आपने मैडम के पीछे जासूस लगाये थे?"

"हां।"

"मैडम के हाथ कुछ लगा था? आप, वो क्या कहते हैं अंग्रेजी में, विद पैंट्स डाउन पकड़ाई में आये थे?"

"नहीं।"

"पकड़ाई में नहीं आये थे या पकड़ाई में आने लायक कुछ था ही नहीं?"

"पकड़ाई में आने लायक कुछ था ही नहीं।"

"यू वर लीडिंग ए स्ट्रेट लाइफ?"

"यस।"

"स्ट्रेट लाइफ लीड करने की वजह ये तो नहीं थी कि आपको खबर लग गयी थी कि आपकी निगाहबीनी हो रही थी, आप खबरदार हो गये थे?"

"नहीं, ये वजह नहीं थी।"

"सच कह रहे हैं?"

"मैं तुम से झूठ क्यों बोलूंगा, भई?"

"मैडम के चलाये निगाहबीनी का वो सिलसिला कब तक चला था?"

"एक महीना। एक महीना बाजरिया डिटेक्टिव्स उसने मेरा जीना हराम करके रखा था फिर खुद ही बाज आ गयी थी।"

"क्योंकि कुछ पकड़ाई में न आया!"

"जाहिर है।"

"आपने जैसे को तैसा वाला काम कब किया?"

"दो दिन पहले।"

"इतनी देर बाद क्यों?"

"मुझे ये बद्‌अखलाक काम लगा। इसीलिये काफी देर उसे नजरअंदाज किया। फिर आखिर मेरी अक्ल ने ये फैसला किया कि जो काम उसके लिये मुनासिब था, वो मेरे लिये भी मुनासिब था।"

"और आप टिट फार टैट के इरादे से मैजेस्टिक सर्कल, नागरथ डिटेक्टिव एजेंसी में पहुंच गये?"

"हां।"

"यूं दो दिन पहले एजेंसी के डिटेक्टिव संतोषी अपार्टमेंट्स की और आगे उसके फ्लैट नम्बर 402 को निगरानी करने लगे?"

"हां।"

"फ्लैट नम्बर 402, जो कि आपसे अलहदगी के बाद से आपकी बीवी का आवास है?"

"हां।"

"जहां कि आपकी बीवी रहती थी?"

"रहती थी और अभी भी रहती है।"

"मिसेज सुजाता सक्सेना?"

"हां।"

सुनील ने गहरी सांस ली।

"क्या हुआ?"—सक्सेना बोला।

"सर"—सुनील बोला—"आई हैव ए डिसटर्बिंग न्यूज फार यू।"

"क्या?"—सक्सेना सशंक भाव से बोला।

"आपके ऐंगेज किये जासूस जिस औरत के पीछे लगे थे, वो आपकी बीवी नहीं थी।"

"नानसेंस!"

"मैं हकीकत बयान कर रहा हूं।"

"ऐसा कैसे हो सकता है?"

"जनाब, जो काम हो चुका है, उसकी बाबत मैं क्या बताऊं कि कैसे हो सकता है!"

"तुम...कहना क्या चाहते हो?"

"मैं कोशिश करता हूं समझाने की। जब आपने अपनी बीवी की निगरानी कराने का फाइनल फैसला कर लिया था तो कैसे आपने अपने फैसले पर अमल किया! आप एक प्राइवेट डिटेक्टिव एजेंसी की शरण में गये और वहां बोला कि आप मुगलबाग, फर्स्ट क्रॉस रोड, संतोषी अपार्टमेंट्स, फ्लैट नम्बर 402 में रहती सुजाता सक्सेना नाम की महिला की—जो कि उम्र में पच्चीसेक साल की थी, कद में पांच फुट चार इंच थी, वजन में पचपन किलो थी, फिगर में 34-25-34 थी, रंगत गोरी थी, नयन नक्श तीखे थे और बाल सुनहरापन लिये काले थे—ट्वेंटी फोर आवर्स बेसिज पर निगरानी कराना चाहते थे। वो जहां जाती जासूसों ने

उसके पीछे जाना था और उसके हर कार्यकलाप पर निगाह रखनी थी। कोई उससे मिलने आये या वो किसी से मिलने जाये तो उन्होंने उस पर भी निगाह रखनी थी और उसकी बाबत जानकारी निकालनी थी। ठीक?"

"हां।"

"बंदानवाज, आपके जासूस आपकी बीवी के मुगालते में जिस लड़की पर निगाह रखे थे वो एक ऐड एजेंसी में उपलब्ध नवोदित माडल्स के पोर्टफोलियोज को खंगाल कर उन में से छांटी गयी थी। ये बात बाजरिया ऐड एजेंसी स्थापित की जा सकती है। आपकी तो भी तसल्ली न हो तो उस लड़की को—जो आपकी बीवी का बहुरूप धारण करने के लिये छांटी गयी थी और संतोषी अपार्टमेंट्स के उसके फ्लैट में स्थापित की गयी थी—भी पेश किया जा सकता है।"

"लेकिन ऐसा हुआ क्योंकर? वो सब अरेंजमेंट एक टॉप सीक्रेट था..."

"जो कि किसी तरीके से लीक कर गया था। आपके डिटेक्टिव एजेंसी के जरिये बीवी की निगाहबीनी के इंतजाम की किसी को एडवांस में खबर लग गयी थी। आपकी बीवी को अपनी निगाहबीनी कबूल नहीं थी, वो हर हाल में उससे बचना चाहती थी। लिहाजा उसने अपने जैसी एक लड़की का इंतजाम किया और उसे अपनी जगह फ्लैट में स्थापित कर दिया। आप के ऐंगेज किये फ्लैट की निगरानी पर लगे जासूसों ने उस लड़की को देखा और जो हुलिया उन्हें बताया गया था, वो उस लड़की से मिलता पाकर सहज ही मान लिया कि वो ही आपकी बीवी थी और उनका सब्जेक्ट थी।"

वो हकबकाया सा सुनील का मुंह देखने लगा।

"बाई दि वे"—सुनील बोला—"आपने अपने जासूसों को मैडम की कोई तसवीर मुहैया कराई थी?"

"नहीं।"

"वजह?"

"मैंने जरूरत ही नहीं समझी थी। सच पूछो तो नागरथ ने भी नहीं समझी थी वर्ना उसने जिद करके तसवीर मांगी होती।"

"यानी कि तसवीर से इमपर्सनेशन की स्कीम में जो फच्चर पड़ सकता था, वो भी न पड़ा।"

सक्सेना ने बेचैनी से पहलू बदला।

"अब इस बात पर गौर फरमाइये कि डिटेक्टिव एजेंसी से आपका तालमेल कैसे लीक कर गया? कैसे किसी को पहले ही मालूम पड़ गया कि आप मैडम की निगरानी का इंतजाम करने वाले थे?"

उसने कई क्षण उस बात पर विचार किया।

"वो डिटेक्टिव एजेंसी गलत निकली!"—फिर बोला—"उन लोगों ने धोखा दिया! किसी लालच में जानकारी आगे किसी को सरका दी!"

"आप नागरथ डिटेक्टिव एजेंसी से वाकिफ कैसे थे?"

"नहीं वाकिफ था। उस एजेंसी को एक दोस्त ने रिकमेंड किया था।"

"आप वहां कब गये?"

"मंगलवार।"

"मंगलवार कब?"

"शाम को।"

"उसी रोज ही सब सैटल कर लिया?"

"हां।"

"जासूसों ने अपना काम कब शुरू किया?"

"अगले ही रोज। बुध को। सुबह से।"

"फिर तो बात डिटेक्टिव एजेंसी से लीक हुई नहीं हो सकती। क्योंकि इमपर्सनेशन का इंतजाम तो सोमवार ही वजूद में आ गया था। एक दो दिन बहुरूप के लिये ऐन फिट लड़की को तलाश करने में भी लगे होंगे। इससे तो जाहिर होता है कि बीवी की निगरानी का आपका मंसूबा आपके डिटेक्टिव एजेंसी की शरण में जाने से पहले ही लीक हो चुका था।"

"कैसे?"

"उस दोस्त के बारे में सोचिये जिससे आपने इस सिलसिले में मशवरा किया था।"

सक्सेना सकपकाया।

"जिसने नागरथ डिटेक्टिव को रिकमेंड किया था।"

"लेकिन"—सक्सेना ने प्रतिवाद किया—"मैंने उसे ये तो नहीं बताया था कि क्यों मुझे किसी डिटेक्टिव एजेंसी की सर्विसिज की जरूरत थी। मैंने तो महज किसी अच्छी, एफीशेंट डिटेक्टिव एजेंसी का नाम पूछा था।"

"कौन था वो दोस्त?"

"मैं बताना जरूरी नहीं समझता।"

"मर्जी आपकी। फिर तो और कुछ कहने सुनने को बाकी नहीं।"

सुनील ने उठने का उपक्रम किया।

"बैठो अभी।"—सक्सेना संजीदगी से बोला।

सुनील ने प्रश्नसूचक नेत्रों से उसकी तरफ देखा।

"मुझे ये बात हैरान कर रही है"—सक्सेना बोला—"बल्कि फिक्रमंद कर रही है कि मकतूल के पास—अमृत सिक्का नाम के उस शख्स के पास—मेरी बीवी के फ्लैट की चाबी थी।"

"आप सिक्का से कभी मिले हैं?"

"नहीं, कभी नहीं।"

"आई सी।"

"तुम मेरी बीवी से मिले हो?"

"हां।"

“कैसी जंची?”

“हाई फाई! अग्रैसिव! कड़क! चार सौ चालीस वोल्ट!”

“ठीक पहचाना।”

“जनाब, मैडम के मुकाबले में मकतूल सिक्का एक आम, मामूली आदमी था।”

“तुम्हारे खयाल से वो मेरी बीवी का ब्वायफ्रेंड हो सकता था?”

“मुझे उम्मीद नहीं। मेरे लिये उसकी कल्पना मैडम के ब्वायफ्रेंड के तौर पर करना मुहाल है। फिर आपके जासूसों की रिपोर्ट भी कहती है कि वो कभी मैडम से अकेले में नहीं मिला।”

“औरत के चरित्र का क्या पता चलता है!”—उसने एक आह सी भरी—“आज की दुनिया में जो न हो जाये, थोड़ा है। क्या पता किसको कब क्या भा जाये!”

“सही फरमाया आपने।”

“अगर वो शख्स सुजाता के मैयार पर खरा उतरने लायक नहीं था तो क्यों दी उसने उसे अपने फ्लैट की चाबी?”

“अभी ये स्थापित होना बाकी है कि चाबी मैडम ने दी।”

“मेरी तरफ से स्थापित है। क्योंकि और किसी जरिये से उसे फ्लैट की चाबी हासिल हो ही नहीं सकती थी।”

“शायद आप ठीक कह रहे हैं।”

“बहरहाल ये चाबी का किस्सा मेरे काम आयेगा।”

“किस सिलसिले में?”

“तलाक के सिलसिले में। उसकी ताकत कमजोर करने में। सैटलमेंट की उसकी नाजायज मांगों को लगाम लगाने में।”

“लेने के देने भी पड़ सकते हैं।”

“क्या मतलब?”

“ये न भूलिये कि अमृत सिक्का नाम का शख्स स्वाभाविक मौत नहीं मरा है। उसका कत्ल हुआ है।”

“तो क्या हुआ?”

“सोचिये।”

“तुम्हारा इशारा किसी शरारती बात की तरफ जान पड़ता है।”

“अच्छा!”

“इसीलिये पूछ रहे थे दोपहरबाद मैं कहां था!”

“अच्छा!!”

“अगर तुम समझते हो कि कत्ल मैंने...बट दैट्स शियर नानसेंस! मैं तो उस शख्स को जानता तक नहीं था।”

“जनाब, मैंने कोई इलजाम तो नहीं लगाया!”

“कोई कसर भी नहीं छोड़ी।”

“ऐसी कोई बात नहीं।”

"है भी तो परवाह नहीं। मिस्टर, इलजाम लगाना आसान होता है, उसे साबित करके दिखाना बहुत मुश्किल होता है। कई बार तो नामुमकिन होता है।"

"सही फरमाया आपने। सो इन प्रेजेंट केस यू आर ऐट पीस विद युअर- सैल्फ एण्ड दि वर्ल्ड!"

"बिल्कुल तो नहीं!"

"जी!"

"ये चाबी वाली बात मुझे परेशान कर रही है।"

"अपने पीडी से मशवरा कीजिये। शायद वो कुछ सुझा सके!"

"मैं सोचूंगा इस बाबत।"

"उन लोगों से आपको रिपोर्ट्स कैसे हासिल होती थीं?"

"डिटेक्टिव एजेंसी से?"

"जी हां।"

"कैसे क्या मतलब?"

"जुबानी या लिखत में?"

"मेल से।"

"रोजाना?"

"दिन में दो बार।"

"मैं देख सकता हूं?"

"क्यों?"

"कोई खास वजह नहीं। यूं ही।"

"तुम्हारी इस मामले में क्या दिलचस्पी है?"

"सर, शुरू में ही बताया। भूल गये शायद आप। मैं न्यूजहाउंड हूं, न्यूज चेज करना मेरा कारोबार है। इनवैस्टिगेटिंग जर्नलिस्ट हूं, इनवैस्टिगेट करना मेरी ड्यूटी है। एक कत्ल का केस सामने है, अगर उसका एक्सपोज 'ब्लास्ट' के जरिये सामने आता है तो ये मेरे लिये वाहवाही की बात होगी।"

"लिहाजा तुम्हारी नौकरी 'तू कौन मैं खामखाह' जैसी है?"

"ऐसी बात नहीं है, सर। मेरी नौकरी जानकारी हासिल करने जैसी है, जानकारी पब्लिक का हक है, इसलिये पब्लिक सर्विस जैसी है।"

"हूं।"

"तो मेल आप दिखा रहे हैं?"

"नहीं। वो पर्सनल, कंफीडेंशल कम्यूनीकेशन है, तुम्हें दिखाना मैं जरूरी नहीं समझता।"

"ओके।"

"तुम मेरी बीवी से कहां मिले, कैसे मिले?"

"मैडम 'ब्लास्ट' के आफिस में तशरीफ लाई थीं।"

"अच्छा! कब?"

"हाल ही में।"

"हाल ही में कब?"

"मालूमात के कारोबार में वन वे ट्रैफिक तो ठीक नहीं, जनाब!"

"क्या मतलब?"

"जानकारी का फ्लो दोतरफा होना चाहिये। वो शेयर की जानी चाहिये। आप तो इस हक में नहीं जान पड़ते!"

"तुम्हें अपनी मेल नहीं दिखा रहा, इस वजह से कह रहे हो?"

"है तो ऐसा ही कुछ कुछ।"

"ओके।"—वो उठ खड़ा हुआ—"दैट्स एनफ। लैट्स काल इट ए डे। आओ, तुम्हें बाहर तक छोड़ के आऊं।"

"थैंक्यू, सर। एण्ड गुड नाइट, सर।"

इमारत से निकल कर, वापिस कार में पहुंच कर दोनों ने सबसे पहले अपने अपने ब्रांड के सिग्रेट सुलगाये और बोतल से एक एक घूंट लगाया—रमाकांत ने माउथफुल, सुनील ने चुसकी।

"मालको"—फिर रमाकांत बोला—"तुम्हारा तुक्का तो माईंयवा तीर बन गया!"

"कौन सा?"—सुनील बोला।

"उस लड़की को—उदिता चोपड़ा को—ऐंगेज किये जाने की जो वजह तुमने सोची थी, ऐन वही निकली।"

"वो तो है।"

"अलबत्ता और कुछ हाथ न आया।"

"कुछ तो आया!"

"अच्छा!"

"हां।"

"मुझे तो न दिखाई दिया हाथ आता!"

"क्योंकि तुम्हारी तवज्जो नहीं थी। तुम साफ बोर हो रहे थे।"

"यार, था तो सही ऐसा ही कुछ कुछ। अब जो हाथ आया, तू उस पर चानन डाल अपने वड्डे भापा जी की खातिर।"

"उसके ड्राईंगरूम का अक्स अपने जेहन में उतारो।"

"क्या कहना चाहता है?"

"पर्दे नये। गुलाबी रंग के। सोफा सैट के सीट कवर्स नये। गुलाबी रंग के। कार्पेट नया। पर्दों से मैच करते लाल रंग का। वहां मौजूद आर्टीफैक्ट्स—सजावटी सामान—सब नया।"

"आर्टीफैक्ट्स का क्या है! वो खुद डीलर है ऐसी आइटम्स का। बड़ा

डीलर है। इस काम में कौन से उसके पौंड लगने हैं, भले ही वो साजोसामान वो रोज बदले।"

"ठीक। लेकिन सलैक्शन, चायस, हर चीज से हर चीज की हॉरमनी कैजुअल वर्क नहीं, स्पैश्लाइज्ड काम है।"

"ओये मां सदके, कहना क्या चाहता है? समझा के बोल!"

"वो तमाम नये इंतजामात—सजावट, साजोसामान—किसी औरत के हाथ की चुगली करते थे। हर नयी आइटम जनाना पसंद की थी। सक्सेना, साफ जाहिर होता था कि, एक अक्सर कलपा रहने वाला, रूखा, सर्दमिजाज आदमी था, ऊपर से बीवी का सताया हुआ था, कहने को तनहा था। क्या ऐसे शख्स से आवास की साजसज्जा के सिलिसिले में ऐसे रूमानी अंदाज की उम्मीद की जा सकती है?"

"नहीं।"

"उम्मीद तो क्या, उसको तो ऐसे किसी कदम की जरूरत ही नहीं महसूस हो सकती थी। लिहाजा वहां एक फैमीनिन हैंड का दखल साफ उजागर है।"

"माशूक!"

"पक्की बात।"

"पर वो तो कहता था कि ऐसी कोई बात नहीं थी! बीवी की कराई एक महीने की निगाहबीनी में भी ऐसी कोई बात नहीं निकली थी!"

"वो कोई बड़ी बात नहीं। समझो, या तो बीवी के ऐंगेज किये जासूस नालायक थे या फिर हमारी तवज्जो का मरकज वो हमारा जमूरा हद से ज्यादा चालाक था, पकड़ाई में न आया।"

"हो तो सकता है!"

"है। बीवी से अलहदगी के बाद शर्तिया उसकी जिंदगी में किसी नयी औरत के कदम पड़े हैं जो उसे संवारने के साथ साथ अपने, खास जनाना टेस्ट के मुताबिक, उसका घर बार भी संवार रही है।"

"कमाल है, भई! जनानी दियां कर्तबां ते तेरिया आब्जरवेशनां!"

"अब जरा उस टेलीफोन काल को जेहन में लाओ जो उसने पीछे हमारी मौजूदगी में रिसीव की थी।"

"उसमें क्या है?"

"उसमें नोट करने लायक बात ये थी कि उसने सुना ही सुना था, बोला नाम मात्र को था।"

"तो क्या हुआ?"

"हुआ कुछ नहीं। तुम्हारे खयाल से काल किसने की हो सकती है?"

"किसने की हो सकती है?"

"हां। अपना कोई अंदाजा बताओ।"

"अरे, भई, किसी ने भी की हो सकती है। शहर से बाहर से की हो सकती है, बल्कि मुल्क से बाहर से की हो सकती है।"

"तुम सोच नहीं रहे हो।"

"ओ, यार, सोचने से मेरा नशा उतर जाता है।"

"फिर चढ़ा लेना। अब सोचो और फिर जवाब दो।"

वो सच में गहरी सोच में पड़ गया। उसने फिर बोतल को मुंह लगाया और सिग्रेट का एक लम्बा कश खींचा।

"जानकारी!"—आखिर एकाएक बोला—"उसने एक लफ्ज 'जानकारी' बोला था। काल रिसीव करने के बाद जो पहला लफ्ज उसकी जुबान से निकला था, वो 'जानकारी' था।"

"तो?"

"ये उसकी डिटेक्टिव एजेंसी की तरफ इशारा है। काल नागरथ डिटेक्टिव एजेंसी से थी।"

"उसने 'देखना' भी कहा था। क्या देखना?"

"क्या पता?"

"'फिर बात करेंगे' कहा था। 'फिर बात करेंगे' का क्या मतलब? क्यों भला कोई डिटेक्टिव एजेंसी से रिपोर्ट किस्तों में हासिल करना चाहेगा?"

"आहो, यार! क्यों करेगा कोई ऐसा?"

"अब याद करो, काल आने से ऐन पहले वो क्या कर रहा था?"

"क्या कर रहा था? बैठा हमारे से बातें कर रहा था और क्या कर रहा था!"

"मैंने काल से ऐन पहले बोला!"

"ऐन पहले! ऐन पहले! हां, चहलकदमी कर रहा था—जैसे कम्पनी बाग में हो भूतनी दा—तीन बार एक सिरे से दूसरे सिरे तक गया।"

"दूसरे सिरे पर क्या था?"

"फ्रेंच विंडोज।...ओ, यार, खपा नहीं। एकमुश्त बोल क्या कहना चाहता है?"

"उसने वहां एक डोरी खींचकर एक पर्दा विंडो पर से हटाया था।"

"ताकि वो बाहर झांक पाता?"

"या कोई भीतर झांक पाता।"

"भीतर झांक पाता! नीचे सड़क से नौवीं मंजिल पर..."

"नौवीं मंजिल से नौवीं मंजिल पर।"

"क्या मतलब?"

"याद करो पर्दा हटाने के बाद उसने क्या किया था?"

"क्या किया था! वापिस लौट पड़ा था।"

"और अभी दो ही कदम उठाये थे कि फोन की घंटी बज उठी थी। नहीं?"

"हां।"

"क्या मतलब हुआ इसका?"

"तू बता।"

"उसके पर्दा हटाने से किसी को भीतर झांकने की सहूलियत हुई, भीतर हमें मौजूद पाकर उत्सुकता हुई, उसने फौरन फोन खड़काया और हमारी बाबत सवाल किया कि देर रात के मेहमान हम कौन थे और क्या चाहते थे! जवाब में सक्सेना बोला 'जानकारी'। फिर बोला 'देखना'। तब जरूर उससे हमारी रुखसती के बारे में सवाल हुआ था। आखिर में बोला 'ठीक है, फिर बात करेंगे'। माशूक से ऐसे ही तो पुचपुच की जाती है!"

"माशूक!"

"शर्तिया माशूक।"

"दम तो है, यार, तेरी बात में! कभी कभी मेरे दिमाग से सोच ही लेता है तू!"

"अब तुम्हारे दिमाग से सोच कर जिस अगले नतीजे पर मैं पहुंचा हूं, वो सुनो।"

"बोल।"

"जिस माशूक की सम्भावना मैंने जाहिर की, उसके संदर्भ में प्राइवेट जासूसों की एक महीने की विजिल से सक्सेना की पोल न खुली तो इसकी जो वजह मेरी समझ में आती है वो ये है कि वो माशूक—वो लड़की जिसका आज की तारीख में सक्सेना से अफेयर है—गोदावरी अपार्टमेंट्स में ही कहीं रहती है!"

"बल्ले, भई। है तो लम्बी छलांग लेकिन जंच रही है तेरे वड्डे भापा जी को।"

"नौवीं मंजिल पर ही।"

"इत्तफाक से!"

"मेरे खयाल से एक साधनसम्पन्न व्यक्ति के इंतजाम से। जुगाड़ से।"

"जुगाड़?"

"अगर वो ऐन बाजू के फ्लैट में बसी हुई निकली तो ऐसा जुगाड़ से ही तो हुआ होगा!"

"वड्डी जुगाड़ से। माईंयवा चिराग तले अंधेरा। अगल से बगल में जाना हो तो कैसे कोई इमारत की निगरानी करते जासूसों की पकड़ में आयेगा?"

"ऐग्जैक्टली। अब क्या वड्डे भापा जी के लिये ये पता निकलवाना बहुत मुश्किल काम होगा कि गोदावरी अपार्टमेंट्स के नाईंथ फ्लोर पर समीर सक्सेना के फ्लैट के बाजू वाले फ्लैट में कौन बसा है! कब से बसा है!"

"बाजू वाले फ्लैट में ही क्यों?"

"उस कम्पलैक्स में हर फ्लोर पर चार फ्लैट हैं, नाईंथ फ्लोर के बाकी के तीन फ्लैटों में सही!"

"नाईंथ फ्लोर पर ही क्यों?"

"क्योंकि किसी और फ्लोर की किसी खिड़की से सक्सेना के फ्लैट के

ड्राईंगरूम में इतना भीतर तक नहीं झांका जा सकता कि किसी को भीतर बैठे हम दिखाई दे जाते और वो उत्सुक होकर हमारी बाबत सक्सेना को फोन लगाता।"

"लगाती।"

"अब बोलो, क्या करोगे?"

"क्या करूंगा! वही करूंगा जो तू चाहता है मैं करूं।"

"थैंक्यू। और समीर सक्सेना की भी निगरानी और गहरी पड़ताल का कोई इंतजाम करना।"

"ओये, इतने आदमी नहीं हैं मेरे पास!"

"दिनकर एण्ड कम्पनी को नागरथ डिटेक्टिव एजेंसी की निगरानी से फारिग करा लो।"

"फिर ठीक है।"

वे यूथ क्लब लौटे।

उदिता चोपड़ा और अचला तलवार वहां सुनील का इंतजार कर रही थीं।

उदिता उस घड़ी डेनिम की नीली जींस, कालर वाली काली शर्ट और जींस जैसी स्लीवलैस जैकेट पहने थी जिसके आगे के तमाम बटन खुले थे। अचला एक गले पर एम्ब्रायड्री वाला गुलाबी सलवार सूट और गुलाबी कार्डीगन पहने थी और अपने मोटापे के बावजूद उस ड्रैस में बहुत आकर्षक लग रही थी।

रमाकांत के आफिस में सुनील उनके रूबरू हुआ।

"कब आयीं?"—उसने पूछा।

"अभी कोई दस मिनट पहले।"—अचला तलवार बोली।

"पुलिस ने इतनी देर से पीछा छोड़ा!"

"अभी भी छोड़ा कहां है! बोल के गये फिर आयेंगे या हैडक्वार्टर बुलायेंगे।"

"हूं। अब शुरू से बोलो क्या हुआ था!"

अचला ने उदिता की तरफ देखा।

"क्या बोलूं क्या हुआ था!"—उदिता बोली—"हमारी तरफ से तो रुटीन से हट कर कुछ नहीं हुआ था। हम शापिंग के बाद वापिस फ्लैट पर लौटी थीं, मेन डोर का ताला खोलकर भीतर दाखिल हुई थीं, अपनी शापिंग अनलोड करने के लिये सहज स्वाभाविक ढंग से बैडरूम की तरफ बढ़ी थीं, दरवाजा खोला था कि...वो...वो मरा पड़ा दिखाई दिया था।"

"कहां?"

"बैडरूम की एक कुर्सी पर। रेत के बोरे की तरह ढ़ेर। छाती में खंजर। सारा फ्रंट खूनोखून!"

उसके शरीर ने जोर से झुरझुरी ली।

"फिर तुमने क्या किया?"

उसने जवाब देने के लिये मुंह खोला लेकिन मुंह से आवाज न निकली। उसका शरीर फिर जोर से कांपा।

"चीखें मारने लगी।"—अचला बोली—"बड़ी मुश्किल से चुप कराया।"

"फिर!"

"फिर मैंने...मैंने बेडरूम के भीतर जाकर उसका मुआयना किया, तसदीक की कि वो मरा पड़ा था।"

"छाती में खंजर घुंपा होने की वजह से?"

"हां। खंजर मूठ तक छाती में बायीं तरफ पैबस्त था। जरूर दिल में घुस गया था।"

"खंजर को छुआ?"

"नहीं, बिल्कुल नहीं।"

"मूठ को..."

"छूती तो मूठ को ही छूती, बाकी तो जिस्म के अंदर था।"

"...पकड़कर खंजर बाहर खींचने की कोशिश की हो!"

"किसलिये?"

"ये एक स्वाभाविक प्रक्रिया होती है। जैसे खंजर खींच लेने से वो बच सकता हो।"

"मैंने ऐसा कुछ नहीं सोचा था, कुछ नहीं किया था।"

"वो खंजर आपका था?"

"क्या!"

"आपके पास एक खंजर था..."

"खामखाह!"

"आप हमेशा अपने साथ एक खंजर रखती हैं..."

"अपने आफिस में तुम तोप का जिक्र कर रहे थे, फिर गन का हिंट ड्रॉप करने लगे थे, अब खंजर पर आ गये क्योंकि क...वारदात खंजर से हुई है।"

"आप मिलिट्री में नर्स थीं, तब किसी वजह से वर्दी के साथ आपको एक खंजर भी इशु हुआ था जिसे आपने अपनी प्रीमैच्योर रिटायरमेंट पर सरंडर नहीं किया था। वो खंजर आज भी आपके पास है, आत्मरक्षा की गरज से आप उसे हर वक्त अपने पास रखती हैं।"

"कौन कहता है?"—उसके स्वर में आवेश का पुट आया।

सुनील ने उदिता की तरफ देखा।

अचला ने उदिता की तरफ निगाह उठाई तो उसने सिर झुका लिया।

"इससे पूछो"—अचला बोली—"कि मेरे पास खंजर इसने अपनी आंखों से देखा था!"

"आप ही पूछिये।"—सुनील बोला।

अचला फिर उदिता की तरफ घूमी।

"जवाब दे!"—वो तीखे स्वर में बोली।

"आ-आंखों से तो नहीं देखा था। ले-लेकिन..."

"क्या लेकिन?"

"आपने खुद ऐसा कहा था।"

"कैसा कहा था?"

"कि आत्मरक्षा के लिये आप अपने पास खंजर रखती थीं।"

"बस!"

"और मिर्ची पाउडर।"

"और?"

"और स्प्रे कैन।"

"इनमें से कौन सी चीज कभी तूने अपनी आंखों से मेरे पास देखी?"

"आंखों से तो नहीं देखी लेकिन आपने कई बार ऐसा बोला था कि..."

"तेरी खातिर। तुझे ये तसल्ली देने की खातिर कि तू मेरे साथ कितनी सुरक्षित थी।"

"सब ब-ब्लफ था?"

"सब नहीं।"

"मतलब?"

"मिर्ची पाउडर और स्प्रे कैन की बात ठीक है, खंजर की बात तेरी हवा हवाई है।"

"क्या!"

"तेरी कल्पना की उपज है।"

उदिता के चेहरे पर विश्वास के भाव न आये।

"यकीन नहीं आता?"—अचला बोली।

"आंटी"—उदिता दबे स्वर में बोली—"अब क्या कहूं?"

"कहना क्या है, कर।"

"क्या?"

अचला ने उसके सामने अपना हैण्डबैग रखा।

"इसमें से खंजर निकाल के मेज पर रख।"—फिर बोली।

"वो तो...वो तो..."

"लाश में गया! पुलिस के कब्जे में गया! यही कहना चाहती है न...जो कि कह नहीं पा रही!"

उदिता खामोश रही।

"ठीक है, तू न कर, मैं करती हूं।"

जबड़े भींचे अचला ने हैण्डबैग उठाया, उसकी जिप खोली और उसे दोनों हाथों से पकड़कर उसका तमाम सामान मेज पर उलट दिया।

सुनील और रमाकांत दोनों ने उत्सुक भाव से मेज पर ढ़ेर सामान की तरफ देखा।

ढ़ेर में आम जनाना आइटमों के अलावा उन्हें कुछ न दिखाई दिया। मिर्ची पाउडर की पुड़िया और स्प्रे कैन खुद अचला ने ढ़ेर में से बरामद करके ढ़ेर से अलग रखे।

फिर खुद सुनील ने सब सामान वापिस बैग में भरा, उसकी जिप बंद की और बैग अचला के सामने रखा।

ऐसा करने के पीछे वस्तुतः उसका मंतव्य पूरी तरह से सुनिश्चित करना था कि कोई आपत्तिजनक चीज किसी दूसरी, निर्दोष, चीज के पीछे नहीं छुपी हुई थी।

अचला के जबड़े भिंचे रहे।

"जब आप लोगों ने लाश बरामद की थी"—सुनील बोला—"आपके खयाल से तब उसको मरे कितना टाइम हो चुका था?"

उदिता खामोश रही।

"क्या कहा जा सकता है!"—अचला बोली—"वैसे मैंने उसकी कलाई थामी थी तो उसे बिल्कुल ठण्डी पाया था।"

"कपड़े पूरे पहने था?"

"नहीं। कोट कुर्सी की पीठ पर टंगा हुआ था।"

"कलाई क्यों थामी थी?"

"नब्ज देखने के लिये।"

"ठीक से देखी थी?"

"भई, मेरी आधी जिंदगी नर्सिंग में गुजरी है।"

"सॉरी! बात ध्यान से हट गयी थी। नब्ज नहीं थी?"

"कहां से होती! मुर्दा पड़ा था कुर्सी पर।"

"कोई और चीज छुई हो, टटोली हो!"

"और चीज क्या?"

"उसकी जेबें।"

"हे भगवान! किसलिये भला?"

"उदिता हर घड़ी आपके साथ थी? आपके करीब थी?"

"अरे, भई, इन सवालों का मतलब क्या है? पुलिस ने भी यही सवाल खोद खोद के पूछे थे लेकिन उनकी बात जुदा थी। उनका कारोबार होता है अपनी तफ्तीश के दौरान ऐसे सवाल पूछना। तुम तो कोई लिहाज करो।"

"मेरा कारोबार भी उनसे मिलता जुलता ही है।"

"क्या!"

"रिपोर्टर भी सवाल पूछ पूछ कर ही अखबार में छपने लायक जानकारी जुटाता है। सवाल नहीं पूछेगा तो जानकारी कैसे जुटायेगा, रिपोर्टिंग क्या करेगा!"

"मैं हर घड़ी"—उदिता एकाएक बोली—"आंटी के साथ थी, आंटी के करीब थी।"

"टेलीफोन तो बैडरूम में नहीं है! वो तो बाहर ड्राईंगरूम में है!"

"सिवाय उस एक दो मिनट के जबकि मैं तुम्हें फोन कर रही थी।"

"फ्लैट से बाहर भी—वहां से निकलने के बाद से और लौटने के वक्त तक—हर घड़ी साथ थीं?"

"हां।"

"हर घड़ी?"

"हां।"

"हूं। पुलिस ने ये न पूछा उस फ्लैट में तुम लोग क्योंकर रह रहे थे?"

"पूछा।"

"क्या जवाब दिया?"

"सब कुछ सच सच बोल दिया।"

"सब कुछ! ये कि तुम वहां मकतूल सिक्का की पेड, टैम्परेरी एम्पलायमेंट पर थीं?"

"हां।"

"फ्लैट की असल आकूपेंट सुजाता सक्सेना को इमपर्सनेट करने के लिये?"

"इतना कुछ पुलिस को बोलने की जरूरत नहीं थी।"—अचला बोली—"हम क्यों नाम लेतीं इमपर्सनेशन का! उदिता को एक काम मिला था जो ये कर रही थी। एम्पलायर चाहता था पूछे जाने पर इसने अपना नाम सुजाता सक्सेना बताना था तो इसके लिये ये इसकी एम्पलायमेंट का हिस्सा था। अगर कत्ल न हो गया होता तो ये एक मामूली बात थी, क्यों ये उसमें मीनमेख निकालती!"

"पुलिस को मेरे बारे में बोला?"

"बोलना पड़ा मजबूरन।"

"ये भी कि मेरी 'ब्लास्ट' के आफिस में सुजाता सक्सेना से मुलाकात अरेंज की गयी थी?"

"नहीं, इतनी डिटेल में हम नहीं गये थे।"

"मेरे संदर्भ में कितनी डिटेल में गये थे? क्या बोला था?"

"यही बोला था कि मैं तुम्हारे से पहले से वाकिफ थी..."

"पहले से वाकिफ थीं! ऐसा बोला आपने?"

"हां। मैं ये कैसे कह सकती थी कि एक कत्ल का अंदेशा मुझे पहले से था जिसको हाईलाइट करने के लिये, एक्सपोज करने के लिये, मैं मीडिया तक पहुंचाना चाहती थी।"

"इसलिये आप ऐसे मेरे से मिलीं जैसे किसी वाकिफ से कोई सलाह करने के लिये मिलता है?"

"हां। और जो सलाह मुझे हासिल हुई, वो ये थी कि जब तक कोई पुख्ता

सबूत सामने न हो, तब तक कोई इलजाम लगाती बात मुंह से निकालना वाजिब नहीं था। दूसरी सलाह तुमने हमें ये दी कि जैसी एम्पालायमेंट में हम थीं वो संदिग्ध किस्म की थी इसलिये हमें उससे किनारा कर लेने की बाबत सोचना चाहिये था। ये सलाह हासिल होने के बाद हमने उस पर फौरन अमल करने का मन बनाया था, हम फ्लैट से निकली थीं और फिर हालात में ऐसी तब्दीली आयी थी कि लम्बी शापिंग के बाद वापिस लौटी थीं जबकि...जबकि...”

“ठीक। जो लोग आप लोगों की निगाहबीनी करते आपके पीछे लगे थे, उनकी बाबत क्या बोला?”

“कुछ नहीं।”

“जिक्र ही न किया उन लोगों का?”

“न। लेकिन लगता था कि पुलिस को उन लोगों की हमारे बताये बिना ही खबर थी।”

“कैसे लगता था?”

“जो दो आदमी हमने अपने पीछे लगे देखे थे, उनमें से एक फ्लैट में मौजूद था।”

“क्यों?”

“मुझे तो यही लगा था कि उसका बयान होना था। बाई दि वे, थे कौन वो आदमी और क्यों हमारे पीछे लगे थे?”

“वो एक प्राइवेट डिटेक्टिव एजेंसी के जासूस थे जो आपके फ्लैट में जा कर बसने के थोड़ा बाद से ही आपके पीछे लगे हुए थे। क्यों लगे हुए थे, ये उजागर होना अभी बाकी है।”

“कमाल है! क्यों हमारी एकाएक इतनी अहमियत बन गयी कि किसी को हमारे पीछे जासूस लगाने पड़े!”

“कहना मुहाल है।”

“सिक्का को ये बात मालूम होगी?”

“ये भी कहना मुहाल है।”

“ओह!”

“और क्या बताया पुलिस को?”

“और बाकी क्या बचा? हम महज एक काम कर रही थीं पैसा कमाने की खातिर। हमने कोई फ्रॉड नहीं किया था, उदिता ने कोई बहुरूप धारण नहीं किया था। बस।”

“पुलिस को किसी षड़यंत्र की बू लगी थी?”

“ऐसा कुछ नहीं हुआ था। जब कोई षड़यंत्र था ही नहीं तो बू कहां से लगती?”

“ठीक?”

“दूसरे, वो मरने वाले से—अमृत सिक्का से—वाकिफ जान पड़ते थे।”

“वाकिफ जान पड़ते थे!”

"वाकिफ थे। कोई कह रहा था कि बतौर सट्टेबाज उसका पुलिस रिकार्ड था। और कोई ये भी कह रहा था कि कत्ल के पीछे सट्टेबाजी से ताल्लुक रखती ही कोई वजह थी।"

"पुलिस को आगे उपलब्ध रहने के मामले में आपको क्या हुक्म हुआ?"

"उन्होंने हमारे पते नोट कर लिये जहां कि जरूरत समझेंगे तो खुद ही पहुंचेंगे।"

"यानी कि अब आपका मुकाम मुगलबाग वाला फ्लैट नहीं है! अब आप अपने अपने घर जा के रहेंगी?"

"हां। यहां से सीधे हम वहीं जायेंगी।"

"ठीक है फिर।"

"तुमने हमारी बहुत मदद की, कैसे हम तुम्हारे शुक्रगुजार हो सकते हैं?"

"शुक्रगुजार होने का एक ही उम्दा तरीका होता है, आंटी जी"—रमाकांत अंगूठे और उंगली से सिक्का उछालने का एक्शन करता बोला—"लेकिन ये तो वालंटियर है, वालंटियर का कौन शुक्रगुजार होता है!"

अचला के चेहरे पर उलझन के भाव आये।

"कभी घर में कोई बिजली का बल्ब बदलना हो, किसी पंखे में तेल देना हो, किसी नलके में नयी वाशर डालनी हो तो इसे बुलाना, अपनी वालंटियर वाली छवि बरकरार रखने के लिये दौड़ा आयेगा।"

अचला—उदिता भी—भौंचक्की सी उसका मुंह देखने लगी।

"मजाक कर रहे हैं।"—सुनील जबरन मुस्कराता बोला—"ठीक है, कोई खास बात हो तो खबर कीजियेगा।"

"जरूर कीजियेगा।"—रमाकांत बोला—"आलू टमाटर सस्ते ला देता है, गैस का सिलेंडर भी जल्दी डिलीवर करवा देता है, ये सब भी खास बातें ही हैं।"

"गुड नाइट, मैडम।"—सुनील जल्दी से बोला—"गुड नाइट, उदिता।"

दोनों अभिवादन करती उठीं और वहां से रुखसत हो गयीं।

"हुए दोस्त तुम जिसके"—पीछे सुनील बोला—"दुश्मन उसका आसमां क्यों हो।"

"चल ओये, चल।"—रमाकांत भुनभुनाया—"जब मुझे शेर कहने से मना करता है तो खुद क्यों कहता है?"

"औरतों के सामने मेरा जुलूस निकाल दिया!"

"और तू है किस काबिल! ओये, जो नगदऊ थामने के काम का नहीं, वो किसी काम का नहीं।"

"रमाकांत, आदमी के बच्चे को संतोषी होना चाहिये।"

"ओये, बरगला रहा है! मिसगाइड कर रहा है! गलत राह पर लगा रहा है!"

"नहीं।"

"झूठ मत बोल। ऐन यही कर रहा था तू।"

"अगर तुम ऐसा समझते हो तो..."

"मैं ऐसा समझता हूं। अब माफी मांग अपने वड्डे भापा जी से।"

"माफी मांगने वाली कोई बात तो नहीं हुई लेकिन...ठीक है, माफी।"

"सारी बोल।"

"सारी।"

"अब बोल, मो सम कौन कुटिल खल कामी।"

"खामखाह!"

"बोल, नहीं तां खसमा नू खा।"

सुनील हंसा।

"हस्सया ई, कंजर।"

सुनील फिर हंसा।

"माईंयवा सारा नशा उतार दिया वाहियात बातों में।"

"मैंने कीं वाहियात बातें?"

"तू तो कहेगा मैंने कीं।"

"कहूंगा ही!"

"तो तूने मुझे रोका क्यों नहीं?"

"क्या कहने! इसे कहते हैं चित्त भी मेरी पट भी मेरी।"

इस बार रमाकांत हंसा।

"अब"—फिर बोला—"वन फार दि रोड के लिये तैयार हो जा..."

तभी फोन की घंटी बजी।

रमाकांत ने हाथ बढ़ाकर फोन उठाया।

काफी देर वो फोन सुनता रहा।

आखिर उसने फोन क्रेडल पर रखा और वापिस सुनील की तरफ तवज्जो दी।

"जौहरी का फोन था।"—वो बोला—"करारी खबर है।"

"क्या?"—सुनील उत्सुक भाव से बोला।

"बेबे ने कहा था न कि नागरथ डिटेक्टिव एजेंसी का एक आदमी मौकायवारदात पर—संतोषी अपार्टमेंट्स वाले फ्लैट पर—मौजूद था?"

"हां।"

"वो आदमी परमेश राणा था जिसकी बाबत मैंने बोला था कि जौहरी उसे पहले से पहचानता था।"

"आई सी।"

"जौहरी कहता है कि पुलिस ने—तेरी जुबान में बोलूं तो—उसका फुल पुलंदा बांध दिया। नतीजतन उसको अपनी निगाहबीनी वाली जॉब के बारे में सब कुछ बक देना पड़ा। अब पुलिस के पास उन दोनों औरतों की मंगलवार से अब तक की हर मूवमेंट की फुल रिपोर्ट है। जितनी भी रिपोर्टें एजेंसी ने अपने

क्लायंट को—समीर सक्सेना को—ई-मेल की थीं, उन सबकी कापी नागरथ को पुलिस को सौंपनी पड़ी है। कहने का मतलब ये है कि जो मेल तुझे समीर सक्सेना ने दिखाने से इंकार कर दिया था, वो अब पुलिस के पास भी उपलबद है।"

"उपलब्ध है। रमाकांत, पहले भी कई बार बोला, तुम्हारी पंजाबी समझना आसान है, हिन्दी समझना मुश्किल है। भगवान के लिये हिन्दी मत बोला करो।"

"खामखाह! मेरे हिरदे में राष्टर भाषा के लिये इतना सथान है, समान है..."

"रमाकांत, प्लीज।"

"हला, हला।"

"अब आगे बढ़ो।"

"कहां आगे बढ़ूं? क्या कह रहा था मैं?"

"समीर सक्सेना के केस वाली रिपोर्ट्स अब पुलिस के पास भी उपलब्ध हैं, ये कह रहे थे।"

"आहो!"

"तुम उनको महकमे के रिकार्ड से निकलवाने की जुगत कर सकते हो?"

"कोशिश कर सकता हूं। नतीजा जैसा कमलीवाला चाहेगा, सामने आ जायेगा।"

"ठीक।"

"लेकिन रिपोर्ट की एक ऐन बल्ले बल्ले बात—जौहरी के कमाल से—तुझे अभी मालूम पड़ सकती है।"

"वो कौन सी हुई?"

"बताता हूं। पहले सलाम कर वड्डे भापा जी को और उनके जहूरे को।"

"बाद में करूंगा न!"

"पहले कर। खड़ा हो के कर। मुस्तैदी से कर।"

"बड़े सख्त हाकिम हो, वड्डे भापा जी!"

"ओये, कमलया, ये साथ नहीं आसां बस इतना समझ ले तू, इक हींग का गोला है और चूस के खाना है।"

सुनील ने बुरा सा मुंह बनाया, फिर उसने उठकर रमाकांत को फरमायशी सैल्यूट मारा।

"शाबाश!"—रमाकांत बोला—"ज्यूंदा रह। वड्डियां उम्रां! विस्कियों नहा, ब्रांडियों फल। और अब सुन बल्ले बल्ले बात। प्राइवेट डिटेक्टिव एजेंसी के जासूसों की रिपोर्ट के हवाले से ये बात सामने आयी है कि कोई पौने तीन बजे के करीब वो दोनों औरतें हामिद अली रोड के श्रीलेखा होटल की लॉबी में थीं जबकि बेबे—अचला तलवार—अपने साथ की नौजवान लड़की से—उदिता चोपड़ा से जो कि तब फोन करने में मशगूल थी—अलग हुई थी और घूम फिर कर लॉबी की, वहां मौजूद शॉपिंग आर्केड की, रौनक देखने में मशगूल हो गयी थी..."

"स्वाभाविक बात है। टाइम पास के लिये औरतें ऐसे एक्ट करती ही हैं।"

"लेकिन वो रौनक ही तो न देखती रही!"

सुनील सम्भल कर बैठा।

"क्या किया?"

"एक लम्बे गलियारे से गुजरती पिछवाड़े गयी। वहां किचन के बाहर की गली में कचरे का ड्रम पड़ा होता है जिसमें कि किचन का कचरा डाला जाता है। वहां पिछवाड़े के रास्ते से रोज सुबह एक कचरा उठाने वाला डम्पर उस गली में आता है और उस ड्रम को खाली करके जाता है।"

"उस कचरा उठाने वाले की कोई अहमियत है?"

"कचरे के ड्रम की अहमियत है।"

"आई सी। क्या?"

"उस औरत ने—अचला तलवार ने—पिछली गली में जाकर ड्रम का ढक्कन उठाया और ड्रम के भीतर झांका। पीछे लगे डिटेक्टिव एजेंसी के जासूस ने—परमेश राणा ने—ये बात नोट की और अपने नोट्स में दर्ज की। नोट्स क्योंकि पुलिस को मुहैया कराये जाने पड़े थे इसलिये उनको स्टडी करने के बाद ये बात पुलिस के नोटिस में भी आई। पहले तो उन्होंने इसे एक आम, मामूली बात जान के रिजेक्ट कर दिया, ये सोच के खातिर में न लाये कि जनानी कचरे के ड्रम में कोई कचरे का दर्जा रखने वाली आइटम ही डाल रही होगी और क्या कर रही होगी! लेकिन फिर उनके जेहन में ये रौशन खयाल आया कि शायद उसने कचरे के ड्रम को अपने पास मौजूद किसी ऑब्जेक्शनेबल आइटम से, किसी बखेड़े वाली चीज से किनारा करने  जरिया बनाया था। लिहाजा पुलिस वाले परमेश राणा को साथ लेकर वहां पहुंचे। राणा ने किचन के पिछवाड़े का वो ड्रम पुलिस को दिखाया, जिसका ढ़क्कन उठाते उसने अचला तलवार को देखा था। उन्होंने ढ़क्कन उठा कर ड्रम में झांका तो कोई खास तवज्जो के लायक चीज उनकी निगाह में न आयी। तब किसी को सूझा कि हो सकता था कि अचला के वहां से लौटने और पुलिस के वहां पहुंचने के बीच ड्रम में और कचरा डाला गया हो। वो बात पुलिस को जंची। नतीजतन पोलीथीन की एक शीट बिछाकर उस पर ड्रम को उलटा गया, कचरा बाहर फैलाया गया और...क्या खयाल है, काकाबल्ली, क्या बरामद हुआ होगा?"

"ऐलीमैंट्री, माई डियर वाटसन!"

"ओये, नाम ले आइटम का!"

"नाम तुम्हें मालूम है।"

"मुझे मालूम है। तू बता तुझे क्या मालूम है?"

"जो तुम्हें मालूम है।"

"अपनी जुबानी खंजर कहते तेरा व्रत टूटता है?"

"दिल टूटता है...इस खयाल से कि जिस औरत के साथ मैं इतनी डीसेंसी से पेश आया, उसने मेरे से झूठ बोला।"

"बात तेरी बिल्कुल ठीक है, काकाबल्ली। इससे साबित होता है कि रिटायर्ड हुस्न वाले भी किसी के यार नहीं होते हैं।"

"बहरहाल पुलिस ने कचरे से खंजर बरामद किया!"

"हां।"

"अलायकत्ल!"

"और क्या होगा?"

"फिर भी उसे अलायकत्ल साबित करने के लिये पुलिस ने कुछ किया तो होगा!"

"जरूर किया होगा, उनका काम है, लेकिन जौहरी को फिलहाल इस बाबत कोई खबर नहीं।"

"आई सी।"

"पर काकाबल्ली, तू ये मान के चल कि कचरे के ड्रम से बरामद हुआ वो खंजर यकीनी तौर पर मर्डर वैपन है।"

"बंध गया पुलंदा। रमाकांत, किसी को उनके पीछे दौड़ाओ। उनके पास अपनी कोई सवारी तो है नहीं। शायद अभी बस स्टैण्ड पर या टैक्सी स्टैण्ड पर ही हों।"

रमाकांत ने फोन की तरफ हाथ बढ़ाया लेकिन फिर खुद उठ कर बाहर को लपका।

पीछे सुनील ने एक सिग्रेट सुलगा लिया।

उसका सिग्रेट समाप्त होने पर रमाकांत लौटा।

"नहीं मिलीं"—वो बोला—"स्कूटर पर किसी को दौड़ाया। शायद कोई राह चलती टैक्सी या ऑटो मिल गया।"

"कोई बात नहीं।"—सुनील बोला—"मुझे पता है वो दोनों कहां रहती हैं!"

"फिर क्या बात है!"

"लेकिन उनके पुलिस के हत्थे चढ़ने से पहले मैं उनसे बात करना चाहता हूं।"

"माईंयवा! अन्ने कुत्ते हिरणां दे शिकारी! क्यों करना चाहता है? तू मामा लगता है?"

"भई, अगर कत्ल में उस औरत का दखल है तो वो न्यूज है और न्यूज को चेज करना मेरा काम है।"

"तू काम बनाता है, जबरन काम बनाता है।"

"तो भी क्या हुआ? निकम्मा आदमी किस काम का?"

"ओये, मां सदके, काम किसी काम का तो होना चाहिये! अभी मिसाल नहीं दी मैंने तेरे को निकम्मे काम की! अंधा कुत्ता हिरण के पीछे दौड़ेगा तो उसे पकड़ लेगा?"

"मुझे अंधा कुत्ता कह रहे हो?"

"नहीं। तू तो सुजाखा है।"

"लेकिन कुत्ता…"

"हुन पिच्छा छोड़। इस वाहियात मसले को छोड़ेगा तो मैं आगे कुछ बोलूंगा न!"

"अभी है कुछ आगे बोलने को?"

"हां।"

"क्या?"

"छोटी वाली ने—कुड़ी ने…क्या नाम था? हां…उदिता चोपड़ा ने—पुलिस को अपने बयान में बताया है कि मकतूल सिक्का के पास चमड़े का ब्राउन कलर का एक बटुवा था जिसको निकाल कर उसने उन्हें पेमेंट की थी। मालको, जब पुलिस ने लाश की जामातलाशी ली थी तो ऐसा कोई बटुवा बरामद नहीं हुआ था।"

"आई सी। पुलिस को बतौर कातिल उन दोनों में से किसी पर शक है?"

"कैसे होगा? वो दोनों हर घड़ी, हर जगह डिटेक्टिव एजेंसी के जासूसों की निगाह में थीं।"

"हर घड़ी नहीं। हर जगह नहीं। संतोषी अपार्टमेंट्स वाले फ्लैट के भीतर वो जासूसों की निगाह में नहीं थीं।"

"तब एक दूसरे की निगाह में थीं।"

"अचला जब होटल की शापिंग आर्केड की सैर पर निकली हुई थी, तब वो उदिता की निगाह में नहीं थी, तब उदिता मुझे फोन करने में मशगूल थी।"

"पुलिस को उन्होंने यही बोला है कि वो हर घड़ी साथ थीं।"

"एक दूसरे की एलीबाई बनने के लिये। एलीबाई में झोल पाया गया, बल्कि गवाही झूठी पायी गयी तो दोनों के लिये प्राब्लम होगी। खंजर की—अगर वो मर्डर वैपन है—बरामदी के बाद अगर अचला तलवार को कातिल करार दिया गया तो उदिता के लिये ज्यादा प्राब्लम होगी। उसे झूठी गवाही से, झूठ बोलने से रोकना जरूरी है।"

"वो तो वो बोल चुकी।"

"जो बोल चुकी, उसको वो अब सच बोल के कवर कर सकती है। वो सच की बाबत, असलियत की बाबत—जो भी वो है—चुप्पी लगाये बैठी नहीं रह सकती।"

"बात तो तेरी ठीक है। इसीलिये किसी वड्डे आदमी ने कहा है—मरने से पहले कहा है या मरने के बाद कहा है, ये मुझे मालूम नहीं—कि सच का गला झूठ उतना नहीं घोंटता जितना कि खामोशी घोंटती है।"

"ऐग्जैक्टली। उदिता, साफ दिखता है कि, अचला से बहुत मुतासिर है

लेकिन मैं इस बात की कल्पना नहीं कर पा रहा हूं कि जब अचला मकतूल की छाती में खंजर घोंप रही थी—अगर उसने ऐसा किया था—तब मूक दर्शक बनी उदिता उसके करीब खड़ी थी।"

"ओये, क्या कह रहा है?"

"अगर वो एक दूसरे की हर घड़ी की जामिन हैं तो और क्या हुआ होगा!"

"नहीं, यार। उनमें इतने हौसले! उहूं! नहीं।"

"तो फिर जब वो फ्लैट से निकली थीं, तब अचला किसी बहाने से थोड़ी देर के लिये पीछे रुक गयी होगी या बाहर निकल जाने के बाद किसी बहाने से वापिस लौटी होगी। बाद में जब लाश बरामद हुई होगी तो उदिता पर अपने प्रभाव के तहत अचला ने उसे समझा लिया होगा कि उनकी यही दावा करने में गति थी कि वो दोनों हर घड़ी एक दूसरे के साथ थीं, एक दूसरे की निगाह में थीं। उदिता क्योंकि बतौर कातिल अचला आंटी की कल्पना सपने ने भी नहीं कर सकती थी इसलिये जाहिर है कि वो अचला की राय के मुताबिक बयान देने के लिये झट तैयार हो गयी होगी।"

"दम है तेरी बात में। अब इरादा क्या है तेरा? क्या करेगा?"

"मेरे पास उन दोनों का नम्बर है, मैं ट्राई करता हूं।"

उदिता और अचला के फोन नम्बर उसने बारी बारी कई बार ट्राई किये।

कोई जवाब न मिला।

आखिर उसने फोन से किनारा किया।

"अब?"—रमाकांत बोला।

"वो घर ही गयी होंगी। अगर उन्होंने बस पकड़ी होगी तो हम उनसे पहले वहां पहुंच सकते हैं।"

"वहां कहां?"

"फ्रेजर रोड।"

"वहां कौन रहती है।"

"उदिता।"

"पहले उदिता के गले लगेगा?"

"क्या!"

"पड़ेगा!"

"हां।"

"शावाशे! पहले जवान को ही चुनना चाहिये। और तू 'हम' बोला!"

"मेरे मन में तो यही था, लेकिन अगर…"

"खामखाह अगर! चल, उठके खड़ा हो।"

"थैंक्यू।"

"और देख रमाकांत अम्बरसरिये दियां स्पीड़ां। हम न उनसे पहले फ्रेजर रोड पहुंचे हुए हों तो समझना तू पैदल फ्रेजर रोड गया। चल।"

वे फ्रेजर रोड पहुंचे।

उन्होंने उस इमारत का रुख किया जिसमें उदिता चोपड़ा का आवास था।

वहां तत्काल सुनील की निगाह में आया कि उस इमारत की निगरानी हो रही थी। इमारत के सामने की सड़क के दोनों सिरों पर दो कारें यूं खड़ी थीं कि भीतर बैठे व्यक्ति बड़ी सहूलियत से इमारत के प्रवेश द्वार पर निगाह रख सकते थे।

"पुलिस!"—रमाकांत बोला।

"और कौन होंगे!"—सुनील संजीदगी से सिर हिलाता बोला।

"ऐसी निगाहबीनी का मतलब?"

"सिवाय इसके क्या होगा कि उदिता चोपड़ा अभी घर नहीं पहुंची!"

"बस ही पकड़ी मेहता रोड से, जैसे कि तू सोच रहा था!"

"हां। बस स्टैंड तलाश करना होगा।"

जो कि उन्होंने किया।

रमाकांत ने बस स्टैंड के करीब कार खड़ी करके उसकी लाइट्स आफ कर दीं।

अपने अपने ब्रांड के सिग्रेट के कश लगाते वो इंतजार करने लगे।

"वो"—एकाएक रमाकांत बोला—"हमारे सामने बस से उतरी तो तू क्या करेगा?"

"बात करूंगा।"—सुनील बोला।

"बात तो करेगा, क्या बात करेगा?"

"माहौल के मुताबिक देखूंगा, सोचूंगा, पहले मुलाकात तो हो!"

"जब देखेगा, सोचेगा, तब ये याद रहेगा तेरे को कि बेबे कातिल है और कुड़ी अकम्पलिस है?"

"पुलिस का महज ऐसा खयाल है।"

"यकीन है। क्योंकि यकीन की बुनियाद है उनके पास। मालको, उस औरत की गति इसी बात में है कि वो दावा करे कि जो किया था, आत्मरक्षा के लिये किया था, भले ही झूठा दावा करे।"

"तुम्हारे खयाल से वो कातिल है?"

"मेरे खयाल से तो है। और वो कुड़ी—उदिता चोपड़ा—मुलाहजे में या कैसे भी, जुर्म में शरीक है।"

"अच्छा!"

"हां। काकाबल्ली, तेरी यहां मौजूदगी मुझे कुछ और ही सिग्नल दे रही है।"

"क्या?"

"तू यहां अपनी किसी खास सुनीलियन हरकत की नुमायश कर सकता है।"

"अरे, क्या कह रहे हो?"

"तू उन्हें पुलिस के हत्थे न चढ़ने देने की कोई कोशिश कर सकता है। तूने

ऐसा कोई कदम उठाया तो तेरा अंजाम बुरा होगा। पहले कभी नहीं हुआ तो अब होगा। लॉ आफ ऐवरेज समझता है न?"

"नहीं।"

"देसी जुबान में जिसे लोहार की एक कहते हैं!"

"जो पड़ी तो तुम भी लपेटे में आ जाओगे। यही अंदेशा है न तुम्हें?"

"अंदेशा नहीं है मेरे को, लेकिन होगा यही।"

"एक बस आ रही है। मुझे यहीं उतार दो और तुम निकल लो।"

"कमला, माईंयावा। ओये, मैं ये कहने की कोशिश कर रहा हूं कि तूने कुड़ी से जो बात करनी है, वो कर लेकिन फिर उनके पुलिस के हत्थे चढ़ने में कोई अड़ंगा लगाने का खयाल अगर तेरे जेहन में हो तो उसे छोड़ दे। तेरी आदत बन गयी है 'आ बैल मुझे मार' वाली। आज तक बैल ने तेरा लिहाज किया तो इसका मतलब ये नहीं है कि आगे भी करेगा।"

"बस रुक रही है।"

"भूतनी दा, बस की कमेंट्री कर रहा है, मेरी बात नहीं सुनता।"

"वो बस से उतर रही हैं। हैडलाइट्स आन करो, डिपर चलाओ।"

बस स्टैण्ड से आगे बढ़ गयी तो डिपर की वजह से उदिता चोपड़ा की तवज्जो कार की तरफ गयी। उसने उधर कदम बढ़ाया, फिर ठिठक गयी।

सुनील के आदेश पर रमाकांत ने कार आगे बढ़ाई और उसके पहलू में ले जाकर खड़ी की।

"हल्लो!"—रमाकांत खिड़की से सिर निकालकर बोला।

तब कार के पैसेंजर उसकी पहचान में आये।

"आप लोग!"—उदिता के मुंह से निकला—"यहां!"

"कार में बैठो।"—सुनील बोला।

"मैंने थोड़ी ही दूर जाना है..."

"थोड़ी ही दूर है सामान तुम्हारा पुलंदा बंधने का।"

"क्या!"

"पुलिस तुम्हारे फ्लैट वाली इमारत की निगरानी कर रही है और बड़ी बेसब्री से तुम्हारे घर लौटने का इंतजार कर रही है।"

"खामखाह! हमारे बयान हो गये, उन्होंने हमें चले जाने की इजाजत दे दी, अब फिर गले पड़ने का क्या मतलब?"

"पुलिस के मिजाज का ऊंट ऐसे ही करवट बदलता है। खड़े पैर उन्हें कुछ और दरयाफ्त करना सूझ गया होगा!"

"अच्छा!"

"आंटी कहां है?"

"वो पीछे मेहता रोड पर बस स्टैण्ड पर ही मेरे से अलग हो गयी थी। उसने

कूपर रोड की डायरेक्ट बस पकड़ ली थी, मेरे को रास्ते में कहीं और जाना था इसलिये मैंने डाइवर्शन किया और वहां जा के यहां आयी।"

"फिर तो आंटी तो घर पहुंच भी चुकी होगी!"

"हां।"

"कार में बैठो।"

"क्यों?"

"तुमसे कुछ बात करनी है।"

"यहां क्या है?"

"यहां पुलिस का साया है, उनसे दूर कहीं बात करनी है।"

"क्या बात करनी है? बात तो खत्म हो चुकी है!"

"तुम्हें लगता है ऐसा।"

"लेकिन..."

"हुज्जत न करो। कार में बैठो वर्ना मुझे कुछ और ही सिग्नल पहुंचेगा।"

"और क्या?"

"मतलब निकल गया तो अब तुम मेरी शक्ल नहीं पहचानतीं।"

"ओ, माई गॉड!"

तत्काल वो पीछे कार में सवार हुई।

रमाकांत ने मंथर गति से कार सड़क पर आगे दौड़ाई।

"तुमने"—सुनील गर्दन घुमाकर पीछे उसकी तरफ देखता बोला—"पुलिस को अपने बयान में कहा था कि आज तुम हर घड़ी, हर जगह अचला आंटी के साथ थीं!"

"तुम्हें कैसे मालूम?"—वो सकपकाई सी बोली।

"जवाब दो।"

"हां, कहा था।"

"क्यों?"

"क्यों क्या मतलब? क्योंकि ये सच है।"

"जो कहा, जुबानी कहा या लिखत में भी कहा?"

"भई, मेरे बयान को साथ के साथ शार्टहैण्ड में नोट किया जा रहा था, फिर उसे टाइप किया गया था और उस पर मेरे साइन लिये गये थे।"

"पुलिस को तहरीरी तौर पर बयान देकर उससे मुकरने का या उसके गलत पाये जाने का अंजाम जानती समझती हो!"

"तुम तो मुझे डरा रहे हो!"

"मेरे डराये से कहां डरने वाली हो! पुलिस डरायेगी तो डरोगी—ऐसा कि प्राण कांप जायेंगे।"

"क्या कहना चाहते हो?"

"मैं पुलिस नहीं हूं। पुलिस से झूठ बोलने की कोई वजह हो सकती है, कोई मकसद हो सकता है, मेरे से झूठ बोलना बेकार है, बेमानी है। नहीं?"

उसका सिर मशीनी अंदाज से सहमति में हिला।

"गुड। तो फिर जवाब दो। तमाम दिन तुम अचला आंटी के साथ थीं?"

"हां।"

"हर घड़ी! हर क्षण!"

"त-तकरीबन।"

"ब्राइटआइज, दोनों जवाब एक दूसरे से मुख्तलिफ हैं। हर घड़ी का मतलब हर घड़ी होता है, तकरीबन का मतलब हर घड़ी नहीं होता।"

वो कसमसाई।

"अब जवाब दो।"

"वो...क्या है कि...कुछ क्षणों के लिये तो कोई स्वाभाविक तौर पर ही इधर उधर हो जाता है। हम श्रीलेखा होटल की लॉबी में थे...लेडीज रूम में जाना हो सकता है, विंडो वाचिंग के लिये जाना हो सकता है, होटल की कोई खास रौनक करीब से देखने के लिये जाना हो सकता है। हर वक्त साथ होने का मतलब ये तो नहीं कि हम दोनों गोंद से एक दूसरे से जुड़ी हुई थीं। आंटी ने टायलेट जाना होता तो क्या मैं उसके साथ जाती?"

"होटल के संदर्भ में तुम्हारी बात ठीक है। अब उससे पहले की बोलो। तब की बोलो जब तुम अभी मुगलबाग में फ्लैट में ही थीं!"

"क-क्या बोलूं?"

"वही जो होटल की लॉबी का बोला। फ्लैट में साथ हर घड़ी था या तकरीबन हर घड़ी था?"

वो सोचने लगी।

"ओ, कम आन!"—सुनील उतावले स्वर में बोला।

"याद तो करने दो!"

"जिन बातों की बाबत बयान दे चुकी हो, तहरीरी तौर पर साइन कर चुकी हो, उन्हें थोड़े ही अरसे बाद याद करने में तुम्हें दिक्कत महसूस हो रही है?"

"न-हीं।"

"तो फिर?"

"वो...वो...मुझे अब याद आ रहा है कि हम जब फ्लैट से निकली थीं और नीचे पहुंची थीं तो आंटी को एकाएक याद आया था कि उसकी कोई चीज ऊपर फ्लैट में रह गयी थी। तब वो अपनी चीज कलैक्ट करने के लिये ऊपर चल दी थीं तो मैं तुम्हें फोन करने में मशगूल हो गयी थी।"

"चीज क्या?"

वो खामोश हो गयी, उसने बेचैनी से पहलू बदला।

"चीज क्या?"

"अब क्या बोलूं?"

"क्यों न बोलूं? आंटी ने बताया तो था कि वो चीज क्या थी!"

"फ्लैट में लौटते वक्त नहीं बताया था।"

"लौटकर बताया था?"

"नहीं।"

"लेकिन बताया था! तुम्हारी बातों से साफ ऐसा लग रहा है मुझे।"

"हां।"

"कब?"

"जब हम होटल श्रीलेखा की लॉबी में थे। तब उसने मुझे बताया था कि खंजर...अपना खंजर वो फ्लैट में वाल कैबिनेट के एक दराज में भूल आयी थीं।"

"हैण्डबैग से निकाल कर खंजर दराज में क्यों रखा?"

"होगी कोई वजह। न उसने बताई थी, न मैंने पूछी थी। अलबत्ता उसने ये जरूर बताया था कि उसने खंजर को दराज से निकाला था तो तभी फोन की घंटी बजने लगी थी। उसने खंजर को कैबिनेट के ऊपर रखकर फोन अटेंड किया था तो बाद में उसकी तवज्जो खंजर की तरफ से हट गयी थी और उसे ध्यान नहीं रहा था कि उसने उसे वापिस हैण्डबैग में नहीं रखा था। हमारी फ्लैट से रुखसती के वक्त संतोषी अपार्टमेंट्स की लॉबी में उसे इस बात का खयाल आया था कि खंजर तो ऊपर फ्लैट में वाल कैबिनेट के टॉप पर ही रखा रह गया था। तब मुझे लॉबी में छोड़कर खंजर कलैक्ट करने—जिसका पीछे छूट जाना तो किसी लिहाज से ठीक नहीं था—ऊपर फ्लैट में गयी थी।"

"लेकिन यूथ क्लब में तो उसका दावा था कि ऐसी कोई आइटम उसके पास थी ही नहीं!"

"अब मैं क्या कहूं?"

"तब तो तुमने भी ये बात सुन ली! जो अब कह रही हो, वो तब न कहा!"

"आंटी की खातिर! जब वो खंजर की मिल्कियत कुबूल नहीं करना चाहती थी तो मैं कोई जुदा बात क्यों कहती!"

"वफादारी दिखाई!"

वो खामोश रही।

"पुलिस को क्यों न बोला?"

"आंटी की वजह से।"

"वो ही करती हो जो आंटी कहे? अपनी सोच समझ से, अपनी अक्ल से कभी काम नहीं लेती हो?"

उसने जोर से थूक निगली।

"क्या बोली आंटी?"

"बोली, खंजर का जिक्र करने का कोई फायदा नहीं था।"

"कौन से खंजर का जिक्र करने का! जो उससे फ्लैट में वाल कैबिनेट के टॉप पर छूट गया था?"

"हां।"

"यानी कि उसने तुम्हें बताया था—कुबूल किया था—कि वो खंजर उसका था और उससे वहां छूटा था?"

"हां। जब होटल की लॉबी में खंजर का जिक्र किया था तो उसकी मिल्कियत की हामी भरना तो जरूरी था!"

"खंजर रीक्लेम करने वो ऊपर फ्लैट में कब गयी थी?"

"कब क्या मतलब?"

"मेरा सवाल उस वक्त के टाइम की बाबत है।"

"अच्छा वो! मेरे खयाल से ढ़ाई बजे थे तब। एक दो मिनट ऊपर या नीचे होंगे।"

"उस दौरान तुम नीचे लॉबी में थीं?"

"हां।"

"इमारत से बाहर कदम रखा था?"

"बाहर!"

"जहां कि तुम्हारी निगरानी पर लगे डिटेक्टिव एजेंसी के जासूस तुम्हें देख पाते!"

"नहीं, मैंने तब संतोषी अपार्टमेंट्स की लॉबी से बाहर कदम नहीं रखा था।"

"ऊपर वापिस गयी आंटी तब कितना अरसा तुम्हारी निगाहों से दूर रही थी?"

"यही कोई छः या सात मिनट।"

"चौथी मंजिल तक बस आवाजाही करने के लिहाज से ये वक्त ज्यादा नहीं?"

"ज्यादा भी है तो क्या हुआ? ऊपर फ्लैट में गयी आंटी कहीं और तो चली गयी नहीं हो सकती थी!"

"ठीक!"

"इतने सवालों की वजह क्या है?"

"सोचो। एक कत्ल हुआ है। अलायकत्ल एक खंजर है। तुम खुद गवाह हो कि एक खंजर तुम्हारी अचला आंटी हमेशा अपने हैण्डबैग में रखती थी। वो खंजर अब आंटी के हैण्डबैग में नहीं है लेकिन एक खंजर मकतूल की छाती में पैबस्त है। अब दो में दो जोड़ कर जवाब चार निकालना बहुत मुश्किल काम है तुम्हारे वास्ते?"

"तुम ये कैसे कह सकते हो कि जो खंजर मकतूल सिक्का की छाती में घुपा पाया गया है, वो आंटी का है?"

सुनील ने तुरंत जवाब न दिया, उसकी रमाकांत से निगाह मिली।

"कचरे से बरामद"—रमाकांत दबे स्वर में बोला—"आइटम की इसे खबर होगी!"

सुनील ने इंकार में सिर हिलाया।

"नहीं कह सकता।"—फिर उसने उदिता को उसके सवाल का जवाब दिया—"क्योंकि केस में एक नहीं, दो खंजरों की हाजिरी बन गयी है।"

"क्या मतलब?"

"एक खंजर पुलिस ने भी बरामद किया है।"

"कहां से?"

"होटल श्रीलेखा से। वहां की किचन के कचरे के एक ड्रम में से।"

"किचन के कचरे के ड्रम में खंजर का क्या काम!"

"आम हालात में कोई काम नहीं लेकिन तुम्हारी अचला आंटी को उस ड्रम का ढक्कन उठाकर भीतर झांकते देखा गया था।"

"ऐसा?"

"हां।"

"आंटी ने उस ड्रम के कचरे में अपना खंजर डाला?"

"हो सकता है। अलबत्ता खंजर पर आंटी का नाम तो नहीं लिखा होगा!"

"अगर वो खंजर आंटी का था तो लाश की छाती में पैबस्त खंजर तो आंटी का नहीं हो सकता!"

"बशर्ते कि आंटी के पास दो खंजर न हों!"

"उसकी एक खंजर की मिल्कियत तो सथापत हो नहीं रही"—रमाकांत बोला—"दो की कैसे होगी!"

"होगी तो आंटी के किये ही होगी। देखते हैं वो क्या कहती है!"

"क्या देखते हैं? जो उसने कहना है, वो कह नहीं चुकी?"

"ये कि उसके पास कभी कोई खंजर नहीं था?"

"और क्या!"

"हूं।"—वो वापिस उदिता की तरफ आकर्षित हुआ—"झूठ बोलने के मामले में तुम्हारी अचला आंटी कहां स्टैण्ड करती है?"

उदिता के चेहरे पर उलझन के भाव आये।

"उससे पुरानी वाकिफ हो, मिजाज की कोई खूबियां, खामियां जानकारी में आयी ही होंगी! कुछ तुमने फोन पर बयान की थीं, बाकी अब करो।"

"भई, वो नर्स थी"—वो कठिन स्वर में बोला—"बीस साल का लम्बा अरसा नर्स थी। नर्स को मरीजों से उनकी कंडीशन के बारे में झूठ बोलना ही पड़ता है। टर्मिनल इलनैस का शिकार कोई मरीज मर रहा हो तो उसके पूछने पर नर्स उसे ये तो नहीं कह सकती उसका ठीक हो जाना नामुमकिन था, वो मौत की दहलीज पर खड़ा था! वो यही तो कहेगी—पूरे आश्वासन के साथ—कि वो बिल्कुल भला चंगा हो जायेगा! नर्स को मरीजों को ऐसी झूठी तसल्लियां रोज देनी पड़ती हैं।"

"इसलिये आंटी एक्सपीरियंस्ड लायर! झूठ बोलने का बीस साल का तजुर्बा! इसी वजह से खंजर की बाबत बेहिचक झूठ बोल सकी! नहीं?"

"हं-हां।"

"तुम्हें बाखूबी मालूम था कि वो झूठ बोल रही थी।"

"ये बात पहले हो तो चुकी है! एक ही बात बार बार दोहराने का क्या फायदा!"

"ऐंजलफेस, आंटी के लिये वफादारी को दरकिनार करके जवाब दो। आंटी के पोजेशन में खंजर था या नहीं था?"

"मेरे खयाल से तो था!"

"खयाल से नहीं, यकीन से बोलो।"

"था। जब हमेशा होता था तो अब क्यों न होता!"

"यस, दैट्स मोर लाइक इट। लिहाजा आंटी ठीक कहती थी कि उसका खंजर फ्लैट में रह गया था!"

"हं-हां।"

"वो फ्लैट में वापिस गयी तो जो वाल कैबिनेट के टॉप पर पड़ा मिलने की जगह सिक्का की छाती में पैबस्त मिला। गुलेगुलजार, ये मैं तुम्हारी आंटी का लिहाज करके कह रहा हूं वर्ना कहता कि जो उसने वाल कैबिनेट के टॉप से उठा कर सिक्का की छाती में पैबस्त किया।"

"हमारी फ्लैट से छः सात मिनट की गैरहाजिरी में सिक्का वहां पहुंच गया!"

"पहुंचा ही! लाश तो उड़ कर वहां पहुंच नहीं गयी होगी! कम्पलीट विद डैगर इन चैस्ट!"

"अगर आंटी ने अपना खंजर वाल कैबिनेट पर से उठाकर सिक्का की छाती में घोंप दिया तो उसके पास होटल श्रीलेखा की किचन के कचरे में फेंकने के लिये खंजर कहां से आया? अब फिर ये न कहना कि आंटी के पास दो खंजर थे। मैं सात जन्म ये बात नहीं मान सकती। मैं...मैं आंटी से साफ साफ बात करूंगी।"

"कब?"

"अभी।"

"कूपर रोड जाकर?"

"और कहां!"

"इस बात के पूरे चांसिज हैं कि जैसे यहां तुम्हारे फ्लैट की निगरानी के लिये पुलिस मौजूद है, वैसे पुलिस कूपर रोड भी पहुंची हुई हो।"

वो सकपकाई।

"हम मालूम कर सकते हैं।"—फिर बोली।

"कैसे?"

"कूपर रोड से गुजरेंगे। पुलिस वहां मौजूद होगी तो पता लग जायेगा।"

"यहां से कूपर रोड जाने के लिये जो रास्ता पकड़ना होगा, उसकी खबर है?"

"हां, है।"

"ठीक है, चलते हैं। रमाकांत को बोलो रास्ता।"

—उसने बोला।

तब तक दिशाहीन ढ़ंग से कार चलाते रमाकांत ने कार उस रास्ते पर डाली।

"माई डियर"—सुनील बोला—"तुम्हारा अचला आंटी की फिक्र करना, उसकी तरफदारी करना, उससे वफादारी दिखाना मुझे अच्छा लगा...जबकि वो असल में तुम्हारी आंटी है भी नहीं। लेकिन मेरे खयाल से मस्जिद में दिया जलाने से पहले घर में दिया जलाने की फिक्र करनी चाहिये।"

"क्या मतलब?"

"मतलब बहुत पूछती हो, जबकि इतनी नादान नहीं जान पड़ती हो।"

"क्या मतलब?"

"तुमने पुलिस को लिखत में बयान दिया है कि आज तुम हर घड़ी अचला आंटी के साथ थीं। इसका जो खास मतलब है, वो समझती हो?"

"कौन सा खास मतलब?"

"जब आंटी सिक्का की छाती में खंजर उतार रही थी, तब भी तुम उसके साथ थीं, ये खास मतलब। कत्ल में तुम भी शरीक, ये खास मतलब।"

वो घबरा गयी।

"कोई बड़ी बात नहीं कि पुलिस तुम्हारी गिरफ्तारी के लिये ही पीछे फ्रेजर रोड पर मौजूद हो।"

"म-मेरी गिरफ्तारी!"

"कातिल की सहयोगिनी के तौर पर।"

"हे भगवान! तुम क्यों मेरे होश उड़ाये दे रहे हो!"

"घबरा नहीं, बीबी।"—रमाकांत रियरव्यू मिरर से उसकी तरफ झांकता बोला—"अगर ये होश उड़ा रहा है तो ठिकाने भी ये ही लगायेगा। इसे तेरी फुल फिक्रां हैं, इसीलिये तेरे से पहले तेरे द्वारे पहुंचा हुआ था। भरोसा रख इस पर।"

उसके चेहरे पर से घबराहट छंटने लगी।

"ये हैबिचुअल डू गुडर है। जब तक ये गुड डीड आफ दि डे न कर ले, इसे रात को नींद नहीं आती। मालूम क्यों?"

"क-क्यों?"

"ही कैन नाट सी ए डैमसेल इन डिस्ट्रेस।"

"जी!"

"किसी हसीना को—जो कि तू है—मुसीबत के हवाले नहीं देख सकता।"

"ओह!"

"भूतपूर्व हसीना को भी। इसीलिये रात की इस घड़ी तेरी आंटी के द्वारे जा रहे हैं माईंयवे अन्ने कुत्ते हिरणां दे शिकारी।"

"फिलहाल"—सुनील जल्दी से बोला—"वहां की पोजीशन भांपने जा रहे हैं। आगे जैसा हाल वहां पायेंगे, वैसा कदम उठायेंगे।"

वे कूपर रोड पहुंचे।

आगे उदिता ने रमाकांत को अचला तलवार के वार्किंग गर्ल्स होस्टल का पता समझाया।

वहां उन्होंने इमारत के सामने भीड़ लगी पायी।

"लगता है बंध गया पुलंदा।"—सुनील बड़बड़ाया—"आगे निकाल ले चलो।"

रमाकांत ने दो फरलांग आगे ले जा कर कार रोकी।

"अब तुमने"—सुनील उदिता से बोला—"होशियारी से काम लेना है और कुछ करना है।"

"क्या?"

"हम दोनों में से किसी का पीछे लगी भीड़ के करीब जाना ठीक नहीं होगा क्योंकि पुलिस के निजाम में हम दोनों ही बहुत जाने माने, थाने चौकी में पहचाने आदमी हैं। हममें से कोई गया तो कुछ मालूम होना भी होगा तो नहीं होगा। इसलिये तुम्हें जाना होगा।"

"मुझे!"—वो हड़बड़ाई।

"हां।"

"लेकिन..."

"घबराओ नहीं। किसी की तुम्हारी तरफ कोई खास तवज्जो नहीं जाने वाली। आजकल सब जवान लड़कियां एक सी लगती हैं, ऊपर से रात का वक्त है। देख लेना, कोई नहीं पहचानेगा।"

"अच्छा!"—वो संदिग्ध भाव से बोली।

"हां। जाओ और जाकर पता लगाओ कि वहां क्या हो गया है जिसकी वजह से भीड़ जमा है।"

हिचकिचाती हुई वो कार से निकली और फिर भीड़ की दिशा में बढ़ गयी।

पीछे सुनील और रमाकांत ने सिग्रेट सुलगाये

दस मिनट बाद वो वापिस लौटी तो बुरी खबर का अंदाजा उसकी सूरत से ही किया जा सकता था।

"गिरफ्तार!"—सुनील बोला।

उसने सहमति में सिर हिलाया।

"पुलिस पहले से उसके इंतजार में बैठी बताते हैं।"—वो बोली—"होस्टल में दाखिल ही हुई थी कि थाम ली गयी थी। फिर सवालों की ऐसी अंधाधुंध बौछार की कि उसका दिमाग हिला दिया। फिर एक खंजर दिखाया और पूछा नहीं, धमका कर कुबूल करने को बोला कि उसका था।"

"किया कबूल?"—सुनील संजीदा लहजे से बोला।

"करना पड़ा। हमला ही ऐसा था। न करती तो बार बार, बार बार पूछ पूछ कर ही अधमरा कर देते।"

"फिर?"

"फिर गिरफ्तार करके ले गये। वहां जमा भीड़ से बस मैं इतना ही जान सकी।"

"आई सी।"

"आगे अब मेरी गिरफ्तारी तो महज वक्त की बात होगी! नहीं?"

"हां। लेकिन तुम चाहो तो उस वक्त को स्ट्रैच कर सकती हो।"

"कैसे?"

"वक्ती तौर पर गिरफ्तारी से बच कर।"

"वो कैसे?"

"फ्रेजर रोड अपने फ्लैट में वापिस न जाओ। रातगुजारी का कोई और ठिकाना करो। इतने बड़े शहर में ये कोई मुश्किल काम नहीं। बल्कि तुम जगह तजवीज करो, हम तुम्हें वहां पहुंचा के आते हैं।"

"नहीं, नहीं, मैं खुद मैनेज कर लूंगी।"

"जहां मुकाम पाओ, वहां की खबर करना।"

"ठीक है।"

"फौरन!"

"पहुंचते ही तुम्हारे मोबाइल पर काल लगाऊंगी। जवाब न मिला तो एसएमएस छोड़ूंगी।"

"दैट्स लाइक ए गुड गर्ल।"

"तुम क्या करोगे?"

"वही जो अक्सर करता हूं।"

"क्या?"

"ऊखल में सिर दूंगा।"

"कैसे?"

"वारिसशाह न आदतां जांदियां ने"—गहरी सांस लेता रमाकांत बोला—"भावें कट्टिये पोरिया पोरिया जी।"

"कल पुलिस की हाजिरी भरूंगा। पता करूंगा उनके केस में कितना दम है! ये भी जानने की कोशिश करूंगा कि तुम्हारे बारे में किस फिराक में हैं!"

"क्या जरूरत है? मैं ही पुलिस के पास पहुंच जाऊं और सब सच सच बयान कर दूं तो?"

"इस बात का फैसला कौन करेगा कि जो तुमने बयान किया, वो सब सच है, आंटी की वफादारी, बल्कि चाटुकारी, के तहत गढ़ी हुई कोई ऐसी कहानी नहीं जो आंटी के खिलाफ पुलिस के केस में फच्चर डाल सकती हो!"

वो गड़बड़ाई।

"जैसा कि मैं समझता हूं, पुलिस की मंशा तुम्हें आंटी के खिलाफ बतौर मजबूत गवाह खड़ा करने की होगी और देर सबेर वो ऐसा करके रहेंगे। तुम अड़ी करोगी तो बतौर को-एक्यूज्ड वो तुम्हें आंटी की बगल में खड़ा करके रहेंगे।"

"मिलूंगी तो ऐसा करेंगे न!"

"तुम पुलिस की ताकत को, उन लोगों की सलाहियात को बहुत कम करके आंक रही हो। तुम थोड़ी देर के लिये ही उनकी निगाहों में आने से बची रह सकती हो, हमेशा के लिये नहीं।"

"ओह!"

"तुम्हारी गति इसी में है कि तुम पुलिस से सौदा करो।"

"कैसा सौदा?"

"अगर तुम आंटी के खिलाफ गवाही देना कबूल करोगी तो पुलिस के किये तुम्हारा कोई अहित नहीं होगा।"

"मैं ऐसा करूंगी?"

"नहीं करोगी तो पुलिस के पास जेल में जगह का कोई तोड़ा तो है नहीं!"

"तुम मुझे डरा रहे हो! बल्कि दहशत में डाल रहे हो!"

"अपना डर, अपनी दहशत अभी मुल्तबी रखो। अपने घर के अलावा कहीं रातगुजारी का प्रबंध करो, कल की कल देखेंगे। ओके?"

उसने हिचकिचाते हुए सहमति में सिर हिलाया।

□□□

सुबह सवा दस बजे सुनील पुलिस हैडक्वार्टर पहुंचा।

वो लॉबी में दाखिल हुआ और फिर बारह जमा सात जमा दो, इक्कीस सीढ़ियां चढ़ कर पहली मंजिल पर पहुंचा जहां कि इंस्पेक्टर प्रभूदयाल का आफिस था।

वो अपने आफिस में मौजूद था।

"गुड मार्निंग, सर!"—सुनील मीठे स्वर में बोला।

उसने सिर उठा कर आगंतुक की तरफ देखा।

"आओ"—फिर भावहीन स्वर में बोला—"आओ, रिपोर्टर साहब। बिराजो।"

"थैंक्यू।"

"कैसे आये सुबह सवेरे?"

"इधर से गुजर रहा था, सोचा, आपके दर्शन करता चलूं।"

"इधर से गुजर रहे थे!"

"जी हां।"

"कैसे? पुलिस हैडक्वार्टर तो न तुम्हारे घर की राह पर है, न आफिस की!"

"दिल से दिल को राह होनी चाहिये, बंदानवाज...होती है।"

"लिहाजा इस विजिट का कल इसी इलाके में हुए कत्ल से कोई रिश्ता नहीं?"

"जनाब, कोई सब्जी खरीदने निकला डबल रोटी भी खरीद लाये तो उस पर कोई पाबंदी तो नहीं आयद होती न!"

"यहां डबल रोटी नहीं बिकती।"

"हा हा। मजाक कर रहे हैं।"

"कल ऐसा पहली बार हुआ कि कत्ल के मुकाम पर न तुम पहले से मौजूद थे, न मेरी मौजूदगी में पहुंचे थे। ऐसा क्योंकर हुआ?"

"माई बाप, 'ब्लास्ट' में मैं इकलौता पत्रकार तो नहीं!"

"ऐसे खास खूबी वाले पत्रकार इकलौते हो जिसे कत्ल की सूंघ दस मील से लग जाती है।"

"बादल न छाये हों तो बारह मील से।"

"कल क्यों न लगी? बारह मील से भी दूर थे?"

"नहीं, ऐसी बात तो नहीं!"

"तो फिर?"

"मैं जवाब दूंगा तो आप नाराज हो जायेंगे।"

"नहीं, ऐसा नहीं होगा। जवाब दो।"

"मैं कहीं और खास अपनी देख रेख में एक कत्ल आर्गेनाइज करा रहा था ताकि 'ब्लास्ट' को मोस्ट एक्सक्लूसिव स्टोरी हासिल हो पाती।"

"हुई?"

"नहीं।"

"क्यों? कत्ल न हुआ?"

"जी हां।"

"लिहाजा उधर से भी गये और इधर से भी गये!"

"जी हां। ऐसा ही हुआ कुछ कुछ।"

"स्मार्ट टाक काफी हो गयी हो तो अब आमद की वजह बोलो।"

"माई बाप, कोई चाय काफी..."

"टोस्ट आमलेट! केक बिस्कुट!"

"हा हा हा।"

"तनखाह नहीं मिली इस महीने?"

"जी!"

"ब्रेकफास्ट पुलिस के खाते में करना चाहते हो?"

"अरे, नहीं जनाब! मुझे तो रुटीन के तौर पर आपकी काफी याद आ गयी जिसे कि आप भूल गये हैं। अब भूले ही रहेंगे तो आप ही का रिकार्ड खराब होगा न!"

"हूं।"

प्रभूदयाल ने घंटी बजाकर हवलदार को तलब किया और उसे काफी लाने का आदेश दिया।

जो कि अविलम्ब पहुंची।

"राजनगर पुलिस के सौजन्य से।"—प्रभूदयाल बोला।

"थैंक्यू।"

सुनील ने काफी का एक घूंट भरा, बेध्यानी में जेब में पड़े लक्की स्ट्राइक के पैकेट की तरफ हाथ बढ़ाया और तत्काल वापिस खींचा।

"मैं सुन रहा हूं।"—प्रभूदयाल भावहीन स्वर में बोला।

"वो क्या है कि"—सुनील धीरे से बोला—"उदिता चोपड़ा मेरी फ्रेंड है।"

"वो कौन है?"

"आपको मालूम है, जनाब, वो कौन है।"

"कौन है?"

"वो वो लड़की है जो अभी कल शाम तक संतोषी अपार्टमेंट्स में सुजाता सक्सेना के फ्लैट नम्बर चार सौ दो में अचला तलवार नाम की एक उम्रदराज महिला के साथ रह रही थी जो कि उस कत्ल के इलजाम में गिरफ्तार है जिसका कि अभी आपने इशारा किया।"

"तुम्हें कैसे मालूम?"

"न्यूज है। जैसे बाकी मीडिया को मालूम, वैसे 'ब्लास्ट' को मालूम। मुझे मालूम।"

"तुम्हारा अलग से सोर्स है, जो कि बाकी मीडिया का नहीं है।"

"जी!"

"सखी। सखी से मालूम। सखियों का तुम्हें कोई तोड़ा नहीं। जैसे गांधारी ने अपने गर्भ के सौ टुकड़े किये थे तो सौ बेटे हो गये थे, वैसे तुमने अपने दिल के सौ टुकड़े किये तो सौ सखियां हो गयीं।"

"आप मजाक कर रहे हैं।"

"या हजार! पुराने जमाने के उस गाने की तरह—इक दिल के टुकड़े हजार हुए, कोई यहां गिरा कोई वहां गिरा। कोई यहां गिरा, कोई उदिता चोपड़ा की झोली में गिरा।"

"हे भगवान! आप तो मुझे बादशाह सोलोमन साबित करने पर आमादा हैं!"

"जमा, शहर में डैमसेल्स इन डिस्ट्रेस की कमी नहीं—ईंट उखाड़ो, निकलती हैं। अब बोलो, ये उदिता चोपड़ा डैमसेल इन डिस्ट्रेस है या दिल का टुकड़ा!"

"घिस रहे हो, माईबाप! खिल्ली उड़ा रहे हो?"

"रिपोर्टर साहब"—प्रभूदयाल का स्वर शुष्क हुआ—"मेरे पास शास्त्रार्थ का टाइम नहीं है। वो भी सुबह सवेरे। मतलब की बात करो वर्ना जाओ, जाकर अपनी नौकरी करो।"

"वही कर रहा हूं। कल आपने उदिता चोपड़ा का जुबानी और तहरीरी बयान लिया था। उसने बाद में महसूस किया था कि बयान में अनजाने में उससे कुछ गलतबयानी हो गयी थी जिसे कि वो दुरुस्त करना चाहती है।"

"तुम्हारी मार्फत!"

"क्योंकि पुलिस से खौफ खाती है।"

"क्यों?"

"क्यों क्या! हर नेक शहरी पुलिस से खौफ खाता है। पुलिस की छवि ही ऐसी बनी हुई है।"

"पुलिस के बारे में तुम्हारे रौशन खयाल मैं फिर कभी सुनूंगा, अभी बोलो, वो कहां है?"

"कौन? कौन कहां है?"

"जिसका जिक्र हो रहा है। जिसका भौंपू बने तुम इस वक्त यहां मौजूद हो। उदिता चोपड़ा। मुझे कलपाओ नहीं सुबह सवेरे।"

"मुझे नहीं मालूम वो कहां है!"

"आई सी। तो बयान की गलतबयानी की बाबत उसने तुम्हें चिट्ठी लिखी!"

"वो...वो..."

"मौकायवारदात से रुखसत पाने के बाद वो अपने फ्लैट पर वापिस न लौटी—अभी तक भी नहीं लौटी है—तुम्हें कब मिली? कहां मिली?"

"यूथ क्लब में।"

"कल रात?"

"हां।"

"वो वहां क्या करने गयी थी?"

"फ्रेंड से मिलने गयी थी। फ्रेंड से अपनी दुश्वारी के नोट्स एक्सचेंज करने गयी थी।"

"फ्रेंड, यानी कि तुम!"

"जी हां।"

"फिर तुम्हें तो मालूम होगा वो कहां है!"

"नहीं मालूम।"

"क्यों नहीं मालूम? जब पूरी मुस्तैदी से हर वाकये के तुमसे नोट्स एक्सचेंज करती है तो ये न बताया कि वो कहां छुपी हुई थी?"

"छुपी हुई थी बोला, जनाब!"

"हां, छुपी हुई थी बोला। कल अपने घर न लौटी तो जाहिर है कि जान बूझ कर छुपी हुई है। अगर उसकी इस बेजा हरकत में शहर के मशहूरोमाहरूफ मुसीबतजदा हसीनाओं के सगे का हाथ है तो उसकी खैर नहीं।"

"आप किस की बात कर रहे हैं?"

"तुम्हें मालूम है किस की बात कर रहा हूं! बाज आ जाओ, रिपोर्टर साहब, वर्ना अंजाम बुरा होगा।"

"ये धमकी मैं एक अरसे से सुनता आ रहा हूं।"

"ये धमकी नहीं, वार्निंग है।"

"वार्निंग भी मैं एक अरसे से सुनता आ रहा हूं।"

"तुम...नहीं सुधरोगे।"

सुनील निर्दोष भाव से मुस्कराया।

"तो तुम्हें नहीं मालूम उदिता चोपड़ा कहां छुपी हुई है?"

"आई स्वियर बाई माई गॉड, मुझे नहीं मालूम। लेकिन ये बराबर मालूम है कि वो छुपी नहीं हुई है।"

"कैसे मालूम है?"

"छुपने की कोई वजह ही नहीं है। क्यों छुपेगी वो?"

"उसकी कथित कम्पैनियन अचला तलवार गिरफ्तार है। कत्ल में उसका रोल कम्पैनियन की अकम्पलिस का हो सकता है। इस लाइन पर पूछताछ करने के लिये पुलिस उसे हिरासत में लेना चाहती है। वो—या उसका कोई सगा बनके दिखाने वाला"—उसने इलजाम लगाती निगाह से सुनील की तरफ देखा—"ऐसा नहीं चाहता। इसलिये गायब है। कहीं जा छुपी है। लेकिन छुपी रह नहीं सकती। रहेगी तो उसको फरार समझा जायेगा। तो उसका अंजाम और बुरा होगा। अब बोलो, कहां है वो?"

"मुझे नहीं मालूम।"

"यही बोलो कि वो क्या अमेंडमेंट करना चाहती है अपने बयान में?"

"वो कहती है अपने बयान में उसने कहा था कि वो हर घड़ी अचला तलवार के साथ थी। बाद में उसने ठण्डे दिमाग से सोचा था, अपने जेहन में हर घड़ी का अक्स उतारा था तो उसे लगा था कि ऐसा नहीं था। असल में हर घड़ी वो अचला तलवार के साथ न थी, न हो सकती थी। अचला तलवार उसकी पुरानी वाकिफ है, जिसकी वो रिस्पैक्ट करती है, आंटी कहती है, इसलिये बिना अपने कथन की गम्भीरता को समझे उसने ये ब्लैंकेट स्टेटमैंट जारी कर दी कि वो हर घड़ी अचला तलवार के साथ थी।"

"जो कि कातिल है।"

"ऐसा साबित होना अभी बाकी है।"

"खंजर अपने पास होने की बात उसने कबूल की है।"

"ये साबित होना भी अभी बाकी है कि जो खंजर उसके पास था, वो ही अलायकत्ल है।"

"तुम्हें क्या मालूम!"

"दो जमा दो बराबर चार की तरह मालूम। अगर आप आलायकत्ल को अचला तलवार की मिल्कियत साबित कर चुके होते, अचला तलवार को निर्विवाद रूप से कातिल साबित कर चुके होते तो आपको इतनी शिद्दत से उदिता चोपड़ा की तलाश न होती।"

"काफी समझदार हो।"

"फिर केस में दो खंजरों की हाजिरी है। पुलिस को कनफ्यूज करने में इस हकीकत का अपना रोल है। इतनी लम्बी आप भी नहीं छोड़ सकोगे, कृपानिधान, कि अचला तलवार के पोजेशन में दो खंजर थे।"

"हूं।"

"उदिता चोपड़ा अपने बयान पर अड़ी रहे कि वो हर घड़ी अचला तलवार के साथ थी तो कैसे आप अचला तलवार को कातिल साबित कर पायेंगे? क्योंकर वो उदिता चोपड़ा की जानकारी में आये बिना मकतूल की छाती में अपना… अपना खंजर उतार सकी?"

"दैट्स दि होल प्वायंट, रिपोर्टर साहब, यही तो वो वजह है जिसके तहत हमें उदिता चोपड़ा की तलाश है!"

"जी!"

"अचला तलवार उदिता चोपड़ा की जानकारी में आये बिना मकतूल का कत्ल नहीं कर सकती थी, इसका साफ मतलब है कि कत्ल उदिता चोपड़ा की जानकारी में हुआ था। यूं उदिता चोपड़ा का दर्जा या कातिल की अकम्पलिस का बनता है या चश्मदीद गवाह का। दोनों ही वजुहात से हमें उसकी जरूरत है। पकड़ाई में आ जाने पर वो या बतौर चश्मदीद गवाह अचला तलवार के खिलाफ बयान देगी या कबूल करेगी कि कत्ल की साजिश में वो भी शरीक थी।"

"नहीं थी।"

"तुम्हें क्या पता!"

"वो मेरी फ्रेंड है, मुझसे कुछ नहीं छुपाती।"

"पक्की बात?"

"जी हां।"

"तो बोलो, वो कहां है?"

"मुझे नहीं मालूम।"

"दोनों बातें नहीं हो सकतीं। या तुम्हारा दावा गलत है कि वो तुमसे कुछ नहीं छुपाती या तुम्हें मालूम है वो कहां छुपी हुई है।"

"मेरा दावा गलत नहीं है। वो कहां है, ये बताने का उसे मौका नहीं लगा अभी तक। बस, इतनी सी बात है।"

"मौका लगेगा तो बतायेगी कहां छुपी हुई है?"

"बतायेगी कहां मौजूद है। छुपी होने का क्या मतलब!"

"और तुम आगे हमें खबर करोगे?"

"आप कहते हैं तो…"

"मैं कहता हूं।"

"…करूंगा।"

"अपनी सखी को क्या कहोगे? कातिल की जोड़ीदार या कत्ल की चश्मदीद गवाह!"

"न जोड़ीदार न गवाह। यही तो वो अमेंडमेंट है जो उदिता चोपड़ा अपने बयान में करना चाहती है।"

"क्या?"

"अपने पिछले दावे के खिलाफ वो हर जगह, हर घड़ी अचला तलवार के

साथ नहीं थी। इसलिये कातिल अगर सच में अचला तलवार है तो कत्ल न उसकी नालेज में हुआ, न नजर में हुआ।"

"चलो, मान ली मैंने तुम्हारी बात। अब बोलो, बयान में गलतबयानी उससे अनजाने में हुई या अपनी कथित आंटी को प्रोटेक्ट करने के लिये उसने जानबूझ कर की?"

"मुश्किल सवाल है।"

"तुम्हारे लिये! मीडिया की नाक...वो क्या नाम लेते हो किन्हीं खास मौकों पर तुम अपना!...हां। सुनील भाई मुलतानी के लिये!"

"अनजाने में हुई।"—सुनील बोला।

"बस, इतनी सी बात!"

"हां।"

"तो आकर कहे ऐसा। छुपके बैठने का—तुम्हारी सलाह से या तुम्हारी सलाह के बिना—छुप के बैठने का क्या मतलब!"

"आखिर तो कहेगी!"

"आखिर का मैं कयामत के दिन तक इंतजार नहीं कर सकता।"

"इतना इंतजार नहीं करना पड़ेगा। वो किसी खास काम से कहीं मसरूफ है, लौटेगी तो कहेगी, बल्कि मैं उसे राय दूंगा कि सबसे पहले वो यही काम करे।"

"जो कि तुम्हारा पुलिस के महकमे पर अहसान होगा।"

"जो कि मेरा फर्ज होगा।"

"अपना फर्ज तुम इसलिये निभाओगे क्योंकि तुम पुलिस के खैरख्वाह हो!"

"क्योंकि मैं एक जिम्मेदार शहरी हूं।"

"पुड़िया है।"

"आप लोगों ने दो खंजर बरामद किये हैं। अलायकत्ल कौन सा खंजर है?"

"ये भी कोई पूछने की बात है?"

"जो मकतूल की छाती में पैबस्त पाया गया?"

"और क्या?"

"अचला तलवार ने उसकी शिनाख्त अपने खंजर के तौर पर की?"

प्रभूदयाल ने उत्तर न दिया।

"या उस खंजर को अपना बताया जो कि आपने होटल श्रीलेखा के कचरे से बरामद किया?"

"वो इस बाबत कनफ्यूज्ड है।"

"क्यों?"

"इत्तफाक से दोनों खंजर देखने में एक जैसे हैं।"

"आई सी। लाश में पैबस्त खंजर की मूठ पर फिंगरप्रिंट्स पाये गये?"

"अभी मेरे पास फिंगरप्रिंट्स एक्सपर्ट की रिपोर्ट नहीं पहुंची। दोनों ही खंजरों की पड़ताल अभी हो रही है।"

"आई सी।"

"अब तुम अपनी आमद का असल मकसद बयान करो।"

"मैं चाहता हूं कि उदिता चोपड़ा का जो बयान कल तहरीरी तौर पर दर्ज किया गया था, उसे खातिर में न लाया जाये और उस बयान को उसका आफिशियल बयान माना जाये जो वो अब, विद अमेंडमेंट, देगी।"

"कहेगी कि कोई एक अरसा था जबकि वो अचला तलवार के साथ नहीं थी?"

"हां।"

"उसी अरसे में कत्ल हुआ?"

"जाहिर है।"

"लिहाजा अपनी आंटी को कातिल करार दिये जाने में मददगार बनेगी?"

"मजबूरी है।"

"कब देगी वो बयान?"

"बहुत जल्द। आज ही किसी वक्त वो आपके पास पहुंचेगी।"

"तुम्हें क्या मालूम?"

"सर, इट स्टैण्ड्स टु रीजन। अगर आप उसे छुपी हुई करार न दें तो ये एक स्वाभाविक कदम होगा जो कि वो उठायेगी। वो किसी जरूरी काम से कहीं गयी है, जल्दी ही—आज ही—लौट आयेगी।"

"तुम उसे बोल दोगे कि वो आज ही प्रकट हो जाये!"

सुनील ने आहत भाव से प्रभूदयाल की तरफ देखा।

"ठीक है।"—प्रभूदयाल बोला—"आज अगर वो मेरे सामने पेश हो गयी तो मैं उसके कल के बयान को नजरअंदाज कर दूंगा और उसका नया बयान दर्ज करके कल के बयान की जगह रिकार्ड में लगा दूंगा।"

"थैंक्यू।"

"लेकिन"—प्रभूदयाल के लहजे में धमकी का पुट आया—"जो होना मैं एक्सपैक्ट कर रहा हूं, वो आज न हुआ तो उसकी खैर नहीं।"—वो एक क्षण ठिठका, उसने घूर कर सुनील की तरफ देखा, फिर बोला—"उसके हिमायती की भी खैर नहीं।"

"वार्निंग का शुक्रिया। अब इजाजत दीजिये कि मैं थोड़ी सी अपनी नौकरी भी कर लूं।"

"क्या कहना चाहते हो?"

"मोटे तौर पर केस की बाबत आपका क्या खयाल है?"

"तुम्हें बताऊं?"

"सर, मीडिया को बताइये।"

"ठीक है, मैं करूंगा ऐसा।"

"गरीबपरवर, घर में गंगा बह रही है, आप हरिद्वार जायेंगे!"

"क्या मतलब?"

"मैं हूं न मीडिया आपके सामने मौजूद!"

"मैं हर अखबार को इंडिविजुअली एंटरटेन नहीं कर सकता।"

"माईबाप, 'ब्लास्ट' हर अखबार नहीं है। 'ब्लास्ट' 'ब्लास्ट' है।"

"क्या मतलब?"

"हाथी के पांव के नीचे सब का पांव।"

प्रभूदयाल हंसा।

"तुम हाथी हो?"—फिर बोला।

"'ब्लास्ट' हाथी है।"

"अच्छी बात है। तुम भी क्या याद करोगे! सुनो। रिपोर्टर साहब, मेरी कनसिडर्ड ओपीनियन ये है कि वो औरत कातिल है और—भले ही ये बात कितनी भी फारफैच्ड लगे—उसके पोजेशन में दो खंजर थे..."

"लेकिन उस औरत के पास दो खंजर..."

"एक होना भी अजीब बात है इसलिए दो क्यों नहीं!"

"ओह!"

"जमा, मैंने पहले ही बोला कि ये बात भले ही कितनी भी फारफैच्ड लगे, कितनी भी असम्भावित लगे। नो?"

"यस...सर।"

"हमारी तफ्तीश कहती है कि ढ़ाई बजे के आसपास मकतूल अमृत सिक्का का कत्ल हुआ था। उदिता चोपड़ा के आगे आने वाले संशोधित बयान के तहत तब अचला तलवार सिक्का के साथ फ्लैट में अकेली थी। किसी प्रोवोकेशन के हवाले उसने एकाएक सिक्का की छाती में एक खंजर उतार दिया। फिर वो फ्लैट से निकली और उदिता चोपड़ा के साथ आगे, श्रीलेखा होटल पहुंची। वहां उसे ये खयाल हलकान करने लगा कि अलायकत्ल जैसा एक खंजर अभी उसके पोजेशन में और था। उसकी अक्ल ने कहा कि कत्ल की रू में वो खंजर उसके पास नहीं होना चाहिये था। लिहाजा उसने उसे भी ठिकाने लगा दिया। ठीक दो बज कर पचास मिनट पर। हमारे पास गवाह मौजूद है।"

"किचन के कचरे के ड्रम में फेंक दिया?"

"हां।"

"दोनों खंजरों पर से उसके फिंगरप्रिंट्स बरामद हो सकते हैं?"

"पोंछ न दिये होंगे तो हां।"

"वो कबूल करती है उसके पास दो खंजर थे?"

"नहीं।"

"एक!"

"कबूल करती है। कहती है कि उसके पास एक ही खंजर था जिसे वो आत्मरक्षा के लिये पास रखने की आदी थी।"

"तो फेंक क्यों दिया?"

"असल वजह तो यही थी कि वो अलायकत्ल से मिलता जुलता था इसलिये उससे छुटकारा पा लेना उसे जरूरी लगा था अलबत्ता वो कोई और ही वजह बताती है।"

"क्या?"

"आज ही किसी भलेमानस ने"—प्रभूदयाल ने अपलक सुनील की तरफ देखा—"हैबिचुअल डू गुडर ने उसे राय दी थी कि खंजर हथियार था और गन की तरह ही उसका पोजेशन गैरकानूनी था। पहले उसने उस राय को नजरअंदाज कर दिया था लेकिन फिर उसे लगा था कि वो राय नेक थी, अमल में लाने के काबिल थी। लिहाजा खंजर उसने होटल श्रीलेखा में कचरे के ड्रम में फेंक दिया था।"

"आगे आत्मरक्षा कैसे करती?"

"किसी बलात्कारी का शिकार होने के अंदेशे के मामले में वो औरत साइकिक जान पड़ती थी। उसने खंजर से ही किनारा किया था, बाकी दो इंतजाम—एक मिर्ची पाउडर की पुड़िया और दूसरा स्प्रे कैन—उसके पास महफूज थे।"

"बाकी दो इंतजामों की बाबत उसने खुद बताया?"

"खुद भी बताया, गिरफ्तारी के बाद उसके हैण्डबैग से मिर्ची पाउडर और स्प्रे कैन की बरामदी ने भी अपनी कहानी खुद कही।"

"तलाशी में और क्या बरामद हुआ!"

"हुआ तो सही कुछ।"

"कुछ?"

"खास कुछ!"

"क्या?"

"हर बात तुम्हें बताना जरूरी है?"

"गरीबपरवर"—सुनील का स्वर दयनीय हो उठा—"जिसे पास बिठा कर काफी पिलाते हैं, उसके साथ ऐसे तो नहीं पेश आते!"

प्रभूदयाल की फिर हंसी छूटी।

"बातें बढ़िया करते हो!"

"और मुझे आता क्या है?"

"मैंने तुम्हें अपनी चायस से पास नहीं बिठाया, खुद आ के गले पड़ गये। काफी मैंने न पेश की, तुमने मांग की तो मैंने तुम्हारी मांग पूरी की।"

"ठीक! ठीक! लेकिन अभी यहां शाहरुख आ जाये और यहां का नजारा करे तो यही तो कहेगा कि दो दोस्त दोस्ताना माहौल में बैठे काफी एनजाय कर रहे हैं!"

"बातें…"

"बढ़िया करता हूं। अब जिक्र कीजिये उस माल का जो अलग बांध के रखा है।"

"माल!"

"खास! जो तलाशी में बरामद हुआ!"

"बता दूं?"

"प्लीज।"

"मकतूल अमृत सिक्का का नोटों से ठुंसा बटुवा बरामद हुआ उसके हैण्डबैग से।"

"रकम कितनी?"

"ढ़ाई लाख। तमाम नोट सौ सौ डालर के।"

"डालर के! तमाम!"

"हां। सौ सौ डालर के पचास नोट थे उस बटुवे में। यानी कि पांच हजार डालर। ढ़ाई लाख रुपये।"

"इंडियन करंसी बिल्कुल भी नहीं?"

"नहीं।"

"ये अजीब बात नहीं?"

"है तो सही!"

"उसने एक सिग्रेट का पैकेट खरीदना होता तो सौ डालर का नोट पेश करता। आटो या टैक्सी का भाड़ा भरना होता तो ड्राइवर को सौ डालर का नोट देता…"

"अरे, भई, बोला न, है अजीब बात!"

"फिर इतनी बड़ी रकम बटुवे में!"

"हमेशा नहीं रखता होगा। कोई वक्ती जरूरत होगी बड़ी रकम की।"

"वो जरूरत पूरी हो जाने के बाद बटुवा खाली! पीछे उसके लिये जीरो अंडा गोल!"

"ये फिजूल की बातें हैं। जो सामने है, प्रत्यक्ष है, वो है।"

"ठीक! ये पक्की बात है कि बटुवा सिक्का का है?"

"हां। बटुवे में उसका ड्राइविंग लाइसेंस था, दो क्रेडिट कार्ड थे।"

"आई सी। इस बरामदी से आपने नतीजा क्या निकाला?"

"ये भी कोई पूछने की बात है! वो बटुवा, उसमें मौजूद बड़ी रकम, कत्ल का उद्देश्य है।"

"आई सी।"

"बटुवा चुरा रही थी—या उसमें मौजूद रकम चुरा रही थी—जबकि रंगे हाथों पकड़ी गयी। अंजाम से बचने के लिये खंजर घोंप दिया।"

"आपने तो कम्पलीट केस गढ़ लिया है अचला तलवार के खिलाफ!"

"और उसकी जोड़ीदार उदिता चोपड़ा के खिलाफ। मैं फिर दोहराता हूं उसने कोर्ट में ये दावा किया कि वो हर घड़ी अचला तलवार के साथ थी तो इसका मतलब होगा कि कत्ल उसकी मौजूदगी में, उसके सामने हुआ। फिर कत्ल के

लिये वो उतनी ही जिम्मेदार करार दी जायेगी, जितनी कि अचला तलवार। और वही सजा पायेगी जो कि अचला तलवार पायेगी।"

"उम्र कैद।"

"हां। क्योंकि औरत को फांसी की सजा कम ही होती है।"

"हूं।"

"अगर उदिता चोपड़ा ने अपना बयान बदला तो उस पर परजुरी का, झूठी गवाही का, इलजाम आयद होगा और इलजाम से मैच करती कोई सजा वो पायेगी। उस लड़की ने गायब हो कर खुद अपने पैरों पर कुल्हाड़ी मारी है। वो नहीं जानती, उसके खैरख्वाह ने उसे नहीं जनवाया, कि वो यूं गायब रहेगी तो कोर्ट उसे 'भगोड़ा' घोषित करेगा और गिरफ्तारी का नानबेलेबल वारंट जारी करेगा। इन हालात में गिरफ्तार होने पर उसका अंजाम बहुत बुरा होगा, उसकी उम्मीद से ज्यादा बुरा होगा। समझे?"

"जी हां।"

"अब मेरी उसके खैरख्वाह को, जो कोई भी वो हो, ये नेक राय है कि वो हालात की गम्भीरता को उदिता चोपड़ा को समझाये और उसे आज ही मेरे सामने पेश होने के लिये प्रेरित करे। शाम पांच बजे तक ऐसा न हुआ तो उसकी खैर नहीं। उसके खैरख्वाह की भी खैर नहीं। अब जाओ, जा के अपनी नौकरी करो। रिजक कमाओ।"

संजीदगी से सहमति में सिर हिलाता सुनील उठ खड़ा हुआ।

"नमाज बख्शवाने आया था"—फिर बोला—"रोजे गले पड़ गये।"

"क्या!"

"कुछ नहीं। जनाब, आज आप मेरे से बहुत अच्छे तरीके से पेश आये इसलिये मैं थोड़ा सा...थोड़ा सा और पसरना चाहता हूं।"

"क्या चाहते हो?"

"अचला तलवार कहां है?"

"यहीं है। हवालात में बंद है।"

"मैं उससे एक छोटी सी मुलाकात का मौका चाहता हूं।"

"किसलिये? उसे कोई सुनीलियन पट्टी पढ़ाने के लिये?"

"हरगिज नहीं।"

"तो क्यों मिलना चाहते हो?"

"अभी आपने कहा न अपनी नौकरी करूं! मैंने केस का आपका वर्शन जाना, मैं उसका वर्शन भी जानना चाहता हूं।"

"उसे कोई गलत पट्टी नहीं पढ़ाओगे?"

"बिल्कुल नहीं। आई स्वियर बाई दि वाटरी ग्रेव आफ ओसामा बिन लादेन।"

"मसखरी मारने से बाज नहीं आते हो।"

"सॉरी!"

"उसे ये समझाने की कोशिश करना कि अपना गुनाह कुबूल कर लेने में ही उसकी गति है। ऊपर से वो औरत है। सजा कम होगी।"

"तो आप मुलाकात की इजाजत दे रहे हैं?"

"और मैंने ये किसलिये कहा?"

"ठीक है।"

उसने काल बैल बजाई।


प्रभूदयाल के आफिस के बाजू में ही एक कमरा था जिससे सुनील पहले से वाकिफ था, जो इनटैरोगेशन रूम के तौर पर इस्तेमाल में न आ रहा हो तो मुलाकाती कक्ष के तौर पर इस्तेमाल होता था और जिसमें एक मेज और चार कुर्सियों के अलावा कुछ नहीं था।

सुनील इस तथ्य से भी वाकिफ था कि वहां खुफिया तौर पर माइक्रोफोन स्थापित थे जिन के माध्यम से प्रभूदयाल अपने आफिस में बैठा वहां होती हर बात सुन सकता था अलबत्ता वो नहीं जानता था कि उस घड़ी वो माइक्रोफोन सिस्टम आन था या नहीं।

उदास, पशेमान, हलकान अचला तलवार उसके सामने बैठी थी।

ओवरनाइट की हिरासत ने ही उसकी पालिश उतार दी थी।

"मैडम जी"—सुनील संजीदा लहजे से बोला—"मैं जिसे रस्सी समझा था, वो तो सांप निकला!"

वो खामोश रही।

"ये तो होम करते हाथ जलने वाला कारोबार बन गया!"

"मेरा क्या कसूर है?"—वो बिना सिर उठाये दबे स्वर में बोली।

"पुलिस की निगाह में तो सब आपका ही कसूर है। आपका और उदिता का।"

"उसका भी?"

"हां।"

"क्या कहती है पुलिस?"

"मकतूल सिक्का के बटुवे में डालर्स में ढ़ाई लाख रुपये की रकम थी जिसको हथियाने के लिये आप दोनों ने उसका मर्डर प्लान किया।"

"नानसेंस!"

"ये वो बुनियाद है जिसके गिर्द वो आपके खिलाफ बहुत पुख्ता केस खड़ा कर सकते हैं।"

"वो ऐसा करेंगे तो जुल्म करेंगे। उदिता बिल्कुल निर्दोष है।"

"यानी कि आप दोषी हैं?"

"नहीं।"

"तो?"

"मैं ज्यादा झमेले से फंसी हूं।"

"आपको इस बात का अहसास है?"

"हां।"

"इस बात का भी कि आपकी वजह से झमेला उदिता के गले पड़ रहा है?"

"अगर ऐसा है तो मुझे अफसोस है…"

"है।"

"मैंने अपनी जानकारी में, अपने इरादे से, ऐसा कुछ नहीं किया। कुछ हुआ तो ऐसे इत्तफाक से हुआ जिस पर मेरा कोई काबू नहीं था। उदिता मुझे बहुत पसंद है, वो मेरी बेटी समान है, इरादतन भला कैसे मैं उसके खिलाफ कुछ कर सकती हूं!"

"आप असलियत बयान करें, साफ साफ, सच सच बतायें कि क्या हुआ था तो मैं कोई फैसला करूं!"

वो सोचने लगी।

"मुझे बहुत छोटी सी मुलाकात की इजाजत मिली है"—सुनील बोला—"आप यूं विचार में वक्त जाया करेंगी तो कुछ भी नहीं कह पायेंगी।"

"मैं सोच रही थी…कि कहां से शुरू करूं?"

"कहीं से भी शुरू कीजिये।"

"ठीक है। तो सबसे पहले मेरी यही बात सुनो कि मैंने कत्ल नहीं किया।"

"उदिता ने?"

"उसके तो कातिल होने का कोई मतलब ही नहीं।"

"दैट्स गुड न्यूज।"

"पुलिस भी मुझे गिरफ्तार करके संतुष्ट है कि कातिल उनकी पकड़ में है।"

"लेकिन आपने कत्ल नहीं किया?"

"नहीं किया। जिसकी मर्जी कसम उठवा लो, नहीं किया।"

"साधन आपके पास था?"

"खंजर?"

"हां। जिसकी बाबत कल 'ब्लास्ट' के आफिस में आपसे मैंने सवाल किया था तो आप मुकर गयी थीं, बोल दिया था कि मुझे वहम हुआ था, मुगालता लगा था।"

"मेरे पास खंजर था। मेरी नादानी थी जो मैंने उसकी बाबत तुमसे झूठ बोला।"

"गुजरी रात यूथक्लब में भी अच्छा ड्रामा किया था। अपना हैण्डबैग मेज पर उलटकर सबको शर्मिंदा कर दिया था। कितना अच्छा होता कि थियेट्रिकल्स की जगह आप सच का सहारा लेतीं—पहले नहीं तो तब तो सच का सहारा लेतीं—आपसदारी में साफ बोलतीं कि खंजर आपके पास था लेकिन कत्ल की रू में आपने उसे ठिकाने लगा दिया था।"

उसका सिर झुक गया।

"अब क्या कहती हैं?"

"तुम्हारे आफिस से निकलने के बाद ही मुझे लगने लगा था कि खंजर मेरे पास नहीं होना चाहिये था, वो हथियार था जिसका पोजेशन—तुमने ठीक कहा था—गलत था, क्राइम था। मैंने तभी मन बना लिया था कि आइंदा खंजर मैं अपने पास नहीं रखूंगी और किसी बलात्...आततायी से मुझे मुकाबिल होना पड़ा तो मैं मिर्ची पाउडर और स्प्रे कैन पर ही निर्भर करूंगी। इसी वजह से जब मैं फ्लैट में लौटी तो मैंने खंजर को अपने हैण्डबैग से निकालकर वाल कैबिनेट के एक दराज में रख दिया जहां से उठाकर उसे ठिकाने लगाने की आगे मैं कोई जुगत करती। मुझे संतोष था कि दराज में होने की वजह से विद इमीजियेट इफैक्ट खंजर मेरे पोजेशन में नहीं था। बाद में जब हम फ्लैट से कूच करने की तैयारी कर रहे थे तो खंजर को मैंने दराज में से निकाल कर वाल कैबिनेट के टॉप पर रख दिया ताकि वो वहां पड़ा मुझे दिखाई देता रहता और मुझे याद रहता कि मैंने उसे कहीं ठिकाने लगाना था।"

"फिर भी आप उसे भूल गयीं?"

"हां। थोड़ी देर के लिये। लेकिन नीचे लॉबी में पहुंचते ही मुझे उसकी याद आ गयी थी। तब मैंने उदिता को बोला था कि मैं फ्लैट में कुछ भूल आयी थी और उसे लॉबी में छोड़कर ऊपर वापिस गयी थी।"

"तब के टाइम का कोई अंदाजा?"

"शायद ढ़ाई बजे थे।"

"फिर?"

"ऊपर मैं लिफ्ट से निकली, 402 नम्बर फ्लैट पर पहुंची और ताला खोल कर भीतर दाखिल हुई।"

"खंजर जहां आपने छोड़ा था, वहां पड़ा था?"

"हां।"

"आई सी। आपने उसे उठाया और वापिस चल दीं?"

"नहीं।"

"वजह?"

"खंजर में...खंजर में...भेद था।"

"क्या?"

"खंजर उस पोजीशन में नहीं था जिसमें मैंने उसे वहां रखा था। जब मैंने खंजर वाल कैबिनेट के दराज से निकाल कर उसके टॉप पर रखा था तब उसके फल की नोक मेरी तरफ थी और मूठ दीवार की तरफ थी। लेकिन तब खंजर यूं वहां पड़ा था कि मूठ मेरी तरफ थी और नोक दीवार की तरफ थी।"

"आई सी। इससे आपने क्या नतीजा निकाला?"

"नतीजा तो साफ था।"

"क्या?"

"किसी ने उसे वहां से उठाया था, इस्तेमाल किया था, वापिस रखा था तो पोजीशन चेंज हो गयी थी।"

"क्या करने के लिये इस्तेमाल किया था?"

"सोचो।"

"आप ही अच्छा अच्छा सोच रही हैं, आप बोलिये?"

"साफ बोलूं?"

"हे भगवान! साफ न बोलने की कोई वजह, कोई गुंजायश आपको दिखाई देती है? आप गिरफ्तार हैं, कत्ल के इलजाम में गिरफ्तार हैं, अभी भी साफ नहीं बोलेंगी तो कब बोलेंगी?"

"उस जगह पर मुझे मौत का साया मंडराता लगा था।"

"उसमें क्या नयी बात है! ऐसा तो आपने मेरे आफिस में कल भी कहा था। जब कुछ भी नहीं हुआ था, मौत का साया तो आपको तब भी वहां मंडराता लगता था, अब तो आपने वजह निकाल ली है अपने ऐसा सोचने की।"

"इसके अलावा भी तो वजह है!"

"वो कौन सी?"

"बैडरूम के बंद दरवाजे के करीब नोटों से ठसाठस भरा एक बटुवा लुढ़का पड़ा था। बटुवे में इतने नोट थे कि वो फर्श पर गिरने पर दोहरा हुआ नहीं रहा था, खुल के फैल गया था और दूर से ही पता लग रहा था कि वो नोटों से ठुंसा हुआ था। स्वाभाविक उत्सुकता के हवाले होकर मैंने उठा कर उसका मुआयना किया तो पाया कि वो सिक्का का था और उसमें सौ सौ डालर के बेशुमार नोट थे…"

"गिने थे?"

"नहीं।"

"फिर।"

"बटुवा सिक्का को लौटाने की गरज से मैंने उसे अपने हैण्डबैग में रख लिया…"

"खंजर की बदली पोजीशन की रू में अभी आपने कत्ल की तरफ साफ इशारा किया, ये न सूझा कि मकतूल सिक्का हो सकता था?"

"ध्यान तो मेरा उसकी तरफ गया था!"

"तो फिर उसका बटुवा उसे कैसे लौटातीं?"

"वो…वो क्या है कि, मैंने…बटुवा पहले उठाया था और ये खयाल मुझे बाद में आया था कि मकतूल सिक्का हो सकता था।"

"वापिस फेंक देना था।"

"तब मुझे ऐसा करना नहीं सूझा था। कत्ल का खयाल आने के बाद से मैं सख्त टेंशन में थी, टेंशन मुझे कनफ्यूज कर रही थी इसलिये…इसलिये…"

"होता है ऐसा। जब कत्ल का खयाल आया तो और क्या खयाल आया?"

"यही कि जिस किसी ने भी खंजर इस्तेमाल किया था—जो कि कातिल ही हो सकता था—वो फ्लैट में मेरे दाखिले की आहट पा कर खंजर को हड़बड़ी में कैबिनेट टॉप पर छोड़ कर बैडरूम में जा छुपा था और तब अगर मैं बैडरूम का दरवाजा खोलती तो...तो मेरा अंजाम बुरा होता।"

"ठीक!"

"इसलिये मैं दबे पांव वापिस लौटी, मैंने कैबिनेट टॉप पर से खंजर को उठाया और उसे अपने हैण्डबैग में रख लिया।"

"ये पक्की बात है कि वो खंजर आपका था?"

"और किसका होता! अपना ही खंजर तो मैंने कैबिनेट टॉप पर छोड़ा था?"

"आपने उसे कैबिनेट टॉप पर छोड़ा था इसलिये आपने उसे अपना मान लिया या आपने उसकी बाकायदा शिनाख्त की थी?"

"शिनाख्त का न मुझे खयाल आया था, न कोई जरूरत महसूस हुई थी।"

"बहरहाल खंजर आपका था?"

"हां।"

"कत्ल तभी हो के हटा था?"

"जाहिर है।"

"सिक्का का? जो कि भीतर बैडरूम में मरा पड़ा था?"

"हां।"

"लेकिन आपने लाश नहीं देखी थी!"

"कैसे देखती! बैडरूम का दरवाजा तो बंद था!"

"तो फिर आपको कैसे मालूम था कि खंजर वहीं, उस फ्लैट में इस्तेमाल हुआ था और मकतूल सिक्का था?"

"था न! जगविदित है।"

"अब है। तब कैसे मालूम था?"

"भई, उसका नोटों से ठुंसा बटुवा बैडरूम के दरवाजे के बाहर लुढ़का पड़ा था जिसकी बाबत मेरी अक्ल ने यही जवाब किया कि कातिल ने कत्ल करके बटुवा अपने काबू में कर लिया था लेकिन तभी फ्लैट में किसी की—मेरी—आमद की आहट पा कर वो वाल कैबिनेट टॉप पर खंजर फेंक कर वापिस बैडरूम की तरफ लपका था और अपनी हड़बड़ाहट में बटुवा बैडरूम के दरवाजे के करीब गिरा बैठा था जिसे फिर उठा लेने के लिये वो नहीं रुका था, रुकता तो मैंने उसे देख लिया होता।"

"बहरहाल लाश आपने नहीं देखी थी, खंजर की बदली पोजीशन की वजह से आपको अंदेशा था कि वहां कत्ल हो के हटा था और बटुवे की वजह से आपका अंदाजा, आपका बैटर जजमेंट, कहता था कि मकतूल अमृत सिक्का था?"

"हां।"

"कत्ल तभी हो के हटा था, आपके खंजर से हुआ था और कातिल अभी वहीं मौकायवारदात पर मौजूद था?"

"हां।"

"आपको ये बात न सूझी होती, आपने बैडरूम का दरवाजा खोल कर भीतर कदम रखा होता तो आप भी वहीं मरी पड़ी होतीं।"

उसके शरीर ने स्पष्ट झुरझुरी ली।

"गवाह कौन छोड़ता है!"

"लेकिन"—वो बोली—"खंजर तो पीछे वाल कैबिनेट के टॉप पर पड़ा था!"

"कत्ल के और भी तरीके होते हैं। नहीं?"

उसने जवाब न दिया, वो मुंह बाये सुनील की तरफ देखने लगी।

"फिर?"—सुनील उतावले स्वर में बोला—"फिर आपने क्या किया?"

"चुपचाप फ्लैट से निकल कर मैं वापिस नीचे उदिता के पास पहुंची, फिर हम दोनों आगे होटल श्रीलेखा पहुंचीं जो कि वहां से करीब ही था, टैक्सी से मुश्किल से पांच छः मिनट का रास्ता था। वहां मैंने पहला मौका हाथ आते ही अपने हैण्डबैग में मौजूद अपने खंजर से पीछा छुड़ाया।"

"उसे पिछवाड़े में किचन से बाहर पाये जाने वाले कचरे के ड्रम में डाल दिया?"

"हां।"

"अच्छी तरह से पोंछ कर?"

"काहे को! उस पर खून तो लगा नहीं हुआ था!"

"क्यों नहीं लगा हुआ था?"

उसने उलझनपूर्ण भाव में सुनील की तरफ देखा।

"जब उससे खून हुआ था तो..."

"अच्छा वो! मुझे खंजर को खून लगा नहीं मिला था। जाहिर है कि वो कातिल ने पहले ही पोंछ दिया था।"

"फ्लैट में वाल कैबिनेट टॉप से उठा कर उसे आपने जब अपने कब्जे में किया था तो तब कोई एहतियात बरती थी?"

"कैसी एहतियात?"

"खंजर कैसे उठाया था?"

"जैसे उठाया जाता है! मूठ से थाम कर।"

"कोई एहतियात बरती थी कि मूठ पर आपके फिंगरप्रिंट्स न बन पाते?"

वो हड़बड़ाई, फिर चिंतित दिखाई देने लगी।

"मुझे खयाल तक नहीं आया था।"—फिर बोली।

"क्योंकि यकीन था कि आपके गायब किये खंजर गायब हो जाने वाला था, वापिस बरामद नहीं होने वाला था?"

वो खामोश रही।

"आपके एहतियात न बरतने से दो खराबियां हुईं। एक तो खंजर की मूठ

पर अगर कातिल के फिंगरप्रिंट्स थे तो वो आपके फिंगरप्रिंट्स ने पोंछ दिये और दूसरे, मूठ पर आपके फिंगरप्रिंट्स बन गये। वो खंजर पुलिस बरामद कर चुकी है। अगर उस पर आपके फिंगरप्रिंट्स पाये गये और उसकी शिनाख्त आपकी प्रापर्टी के तौर पर हुई—सुना है आप कुबूल कर भी चुकी हैं कि वो खंजर आपका है—तो समझ लीजिये आपका पुलंदा तो बंध गया।"

"आई एम सॉरी!"

"सॉरी होने के लिये तो निरा वक्त होगा आपके पास, जेल में जितना मर्जी वक्त सॉरी फील कीजियेगा।"

"मैंने कत्ल नहीं किया।"

"हर कातिल यही कहता है।"

"तुम तो यकीन करो मेरी बात पर!"

"करूंगा ही, क्योंकि ऐसे मामलों में मैं सुपर ईडियट मशहूर हूं।"

"लेकिन जब एक खंजर लाश में पैबस्त पाया गया था तो जो खंजर मेरे पास था, वो मर्डर वैपन कैसे हो सकता है?"

"बड़ी देर में सूझी ये बात!"

"कैसे हो सकता है?"

"बस, इसी कनफ्यूजन में कोई पनाह है आपको। वैसे पुलिस के पास औना पौना जवाब इस बात का भी तैयार है।"

"क्या?"

"आपके पास दो खंजर थे।"

"नानसेंस! शियर नानसेंस!"

"पुलिस का यही दावा है!"

"गलत दावा है। स्टूपिड दावा है! क्या किया होगा मैंने? पहले एक खंजर से मकतूल पर वार किया, उसे पोंछ पांछकर ले जाकर कैबिनेट टॉप पर रखा, फिर दूसरे खंजर को उसकी छाती में पैबस्त किया?"

"आप बताइये?"

"मैं बताऊं! अरे, जो काम हो चुका था, उसे दोबारा करने की क्या जरूरत थी?"

"आप बताइये?"

"पहले तो यही अहमकाना बात है कि मेरे पास दो खंजर थे, फिर उससे भी टॉप की अहमकाना बात ये है कि मैंने कत्ल में दोनों को इस्तेमाल किया।"

"इस्तेमाल दोनों को किया लेकिन कत्ल में एक ही को किया।"

"क्या मतलब?"

"आलायकत्ल आपने ठिकाने लगा दिया—उसे कचरे के ड्रम में डाल के। फिर दूसरे खंजर को ठिकाने लगा दिया—उसे सिक्का की छाती में डाल के।"

"क्यों किया मैंने ऐसा?"

"केस में कनफ्यूजन पैदा करने के लिये। कनफ्यूजन को अपने बचाव का जरिया बनाने के लिये, जो कि आप बनायेंगी—बना रही हैं।"

"मेरी तो कुछ समझ में नहीं आ रहा!"

"नहीं आ रहा होगा। ऐसे ही आप उम्मीद कर रही होंगी कि पुलिस के भी कुछ समझ में नहीं आयेगा।"

"तुम तो मेरा दिमाग हिलाये दे रहे हो!"

"अगर आप कातिल हैं तो वो पहले से ही हिला हुआ है।"

"हे भगवान!"

"जब आप को मालूम था कि वाल कैबिनेट के टॉप पर पड़ा खंजर आलायकत्ल था तो आपको उसे वहां से नहीं मूव करना चाहिये था—उसे हाथ भी नहीं लगाना चाहिये था। ये लियाकत का, दानिशमंदी का काम होता जिसकी कि आपसे—एक पढ़ी लिखी, तजुर्बेकार महिला से—उम्मीद की जाती थी।"

"तुम्हें मेरी बात का विश्वास नहीं?"

"सवाल मेरे विश्वास का नहीं, सवाल कोर्ट के विश्वास का है। आपकी कहानी कोर्ट के विश्वास में आने लायक नहीं।"

"तो...तो क्या होगा?"

"वही होगा जो मंजूरेखुदा होगा।"

"मैं...मैं अपना बयान बदल सकती हूं।"

"जी!"

"पुलिस को दिये बयान की कोई बड़ी अहमियत नहीं होती। कोर्ट में बयान करने के लिये मैं नयी, ज्यादा विश्वसनीय, कहानी गढ़ सकती हूं।"

"क्यों नहीं! जरूर! झूठ बोलने का तो आपको, भगवान भली करें, खासा तजुर्बा है।"

"कौन बोला ऐसा?"

"सोचिये।"

"उदिता!"

"बहुत समझदार हैं आप। अब वंस फार आल बताइये। आप कातिल हैं या नहीं?"

"नहीं।"

"ये जवाब सच है या आपकी ईजाद सच के मुलम्मे वाला झूठ?"

"सच। अनवार्निश्ड ट्रुथ।"

"आपने कहा कि आप और उदिता फ्लैट से निकलीं, नीचे लॉबी में गयीं, वहां से आपने फोन पर सिक्का से कांटैक्ट करने की कोशिश की जो न हो सका तो आपने उदिता को वहां मुझे फोन करता छोड़ा और 'ऊपर कोई चीज रह गयी' कहती आप वापिस चौथी मंजिल पर पहुंचीं। ठीक?"

उसने सहमति में सिर हिलाया।

"जब आपको अपनी लॉजिक के मुताबिक यकीन था कि मरने वाला सिक्का था तो सिक्का को फोन लगाने का क्या मतलब?"

"मैंने लाश नहीं देखी थी। सिक्का फोन पर जवाब देता तो क्लियर हो जाता कि मरने वाला सिक्का नहीं था।"

"जवाब न मिलने का मतलब ये तो जरूरी नहीं था कि मरने वाला सिक्का था! जवाब न मिलने की दर्जनों वजह हो सकती थीं!"

"वो तो है!"

"बहरहाल आपके फ्लैट से निकल कर नीचे लॉबी में पहुंचने और वहां कुछ क्षण रुक कर वापिस फ्लैट में पहुंचने के बीच के मुख्तसर से वक्फे में बिना आपकी निगाह में आये फ्लैट में सिक्का भी पहुंच गया और उसका कातिल भी पहुंच गया, आपके कैबिनेट टॉप पर पड़े खंजर से कत्ल भी हो गया और खंजर वापिस कैबिनेट टॉप पर भी पहुंच गया, कातिल ने सिक्का का बटुवा कब्जा कर बैडरूम से बाहर फर्श पर गिरा दिया और खुद भीतर बैडरूम में जा छुपा।"

"हां।"

"इतने सारी काम चुटकियों मे हो गये!"

"अब हुए तो हो ही गये!"

"कातिल ने आपकी सहूलियत के लिये ढ़ाई लाख रुपयों की रकम से भरा बटुवा फर्श पर गिराया ताकि आप उसे कब्जा लेतीं और उसके साथ वहां से निकल लेतीं?"

"मैंने यही किया था, यही कहा था। तुम्हें शक है मेरे कहे पर?"

"है तो सही!"

"मैं झूठ बोल रही हूं?"

"हो सकता है।"

"तुम्हें मेरी बात पर ऐतबार नहीं?"

"मुकम्मल तौर पर नहीं।"

उसने असहाय भाव से गर्दन हिलाई।

"बहुत विसंगतियां हैं, बहुत झोल हैं आपकी उचरी बातों में। मसलन, गिरा पड़ा बटुवा सिक्का के कत्ल की तरफ इशारा था फिर भी आपने उसे 'सिक्का को लौटाने के लिये' उठा लिया था। कत्ल की खबर लग जाने के बाद भी आप उसे अपने पास रखे रहीं ताकि पुलिस उसे आपके हैण्डबैग से बरामद करती और उन्हें आपके खिलाफ केस तैयार करने में सहूलियत होती। मौकायवारदात से निकलीं तो अपने अगले पड़ाव के तौर पर करीब ही मौजूद होटल श्रीलेखा को चुना जबकि आम कोशिश मौकायवारदात से ज्यादा से ज्यादा दूर निकल जाने की होती है। खंजर से पीछा छुड़ाना सूझा लेकिन ऐसा करने से पहले उसे खूब अच्छी तरह से झाड़ पोंछ देने की मामूली एहतियात न सूझी।"

"मैं घबराई हुई थी, बौखलाई थी, दहशत में थी इसलिये कनफ्यूज्ड थी।"

सुनील ने नकली जमहाई ली।

"तुम मानो या न मानो"—अचला के स्वर में झुंझलाहट का पुट आया—"लेकिन जो जैसा मैंने कहा है, वो ऐन वैसा ही हुआ था।"

"कैसा हुआ था? कैसे सिक्का आपकी निगाह में आये बिना फ्लैट में पहुंच गया?"

"मुझे नहीं पता कैसे पहुंच गया! लेकिन पहुंच तो बराबर गया। उसकी वहां से बरामद हुई लाश, इस बात का सबूत है।"

"है तो सही!"

"अब वहां कत्ल हुआ तो कातिल भी यकीनन वहां था। रिमोर्ट कंट्रोल से तो कत्ल होता नहीं!"

"सिक्का के दिये जिस फोन पर आप उससे बात करती थीं, उसको सुजाता सक्सेना के लिये आयी फोन काल की खबर करती थीं, मालूम किया वो फोन कहां स्थापित था?"

"नहीं।"

"मैंने बोला था कि मालूम किया जा सकता था!"

"हां, लेकिन बस नौबत ही नहीं आयी थी, मौका ही नहीं लगा था।"

"लॉबी में अपनी मौजूदगी के दौरान आपने उसे वहां कदम रखते नहीं देखा था?"

"नहीं देखा था।"

"और कौन सा रास्ता था ऊपर फ्लैट तक पहुंचने का! बाजरिया हैलीकाप्टर आसमान से तो उतरा नहीं होगा!"

"नहीं। कैसे होगा!"

"आप फ्लैट में थीं, वो वहां नहीं था; आप वहां से रुखसत हुईं, नीचे लॉबी में पहुंचीं, कुछ क्षण बाद वापिस लौटीं तो वो वहां था। लाश की सूरत में। इसका एक ही मतलब मुमकिन है।"

"क्या?"

"उसका मुकाम वहीं, उस इमारत में, संतोषी हाउसिंग कम्पलैक्स में ही कहीं था। उसने कहीं बाहर से नहीं आना था, वो आजू बाजू, ऊपर नीचे के ही किसी फ्लैट में स्थापित था और वहीं वो फोन स्थापित था जिस पर कि आप उसे फोन करती थीं।"

वो भौंचक्की सी सुनील का मुंह देखने लगी।

"इससे तो मेरा बयान"—फिर बोली—"स्थापित होता है, प्रमाणित होता है! इट सबसैंशियेट्स माई स्टोरी।"

"पता नहीं क्या होता है!"—सुनील उठ खड़ा हुआ—"अभी तो सब कुछ उत्तर उत्तर दक्षिण दक्षिण जैसा ही जान पड़ता है। चलता हूं।"

हैडक्वार्टर की पार्किंग में पहुंच कर सुनील ने रमाकांत को फोन किया।

रमाकांत अमूमन, आदतन दोपहरबाद सो के उठता था लेकिन जैसे फौरन उसने काल रिसीव की, उससे लगता था उस रोज जल्दी उठ गया था।

"की होया सवेरे सवेरे?"—उसने भुनभुनाते हुए पूछा।

"सवेरा सवेरा तो नहीं है, ग्यारह बज रहे हैं, लेकिन तुम बताओ क्या हुआ? जल्दी कैसे जाग गये?"

"भूख लगी। भूख ने जगा दिया। खाली पेट कहीं कुछ होता है! अभी ब्रेकफास्ट करके फिर सो जाऊंगा।"

"ब्रेकफास्ट कर रहे हो?"

"अभी नहीं। अभी तैयार हो रहा है। सर्व होने का इंतजार कर रहा हूं।"

"तब तक मेरी एक बात सुनो।"

"सुनाओ।"

"एक नम्बर नोट करो।"

"कराओ।"

सुनील ने उसे सिक्का का फोन नम्बर लिखवाया और फिर बोला—"ये वो नम्बर है जिस पर सुजाता सक्सेना के फ्लैट में स्थापित औरतें मकतूल अमृत सिक्का को रिपोर्ट करती थीं। मुझे लगता है कि ये नम्बर संतोषी अपार्टमेंट्स में ही कहीं काम करता मिलेगा।"

"कैसे लगता है?"

"एक हिंट मिला है जो कहता है कि सिक्का खुद भी संतोषी अपार्टमेंट्स के ही किसी फ्लैट में रहता था।"

"गलत हिंट मिला है।"

"क्या!"

"गलत हिंट मिला है। आवाज साफ नहीं आ रही तेरे को?"

"आ रही है।"

"फिर क्या-क्या क्या करता है?"

"कैसे मालूम है कि वो संतोषी अपार्टमेंट्स के किसी अपार्टमेंट्स में नहीं रहता?"

"क्योंकि पुलिस मालूम कर चुकी है कि वो कहां रहता है! और बाजरिया पुलिस के पीआरओ ये बात आम भी हो चुकी है। जौहरी कहता है कि तेरे जवान अर्जुन को ये बात मालूम है। और बाजरिया जौहरी मुझे मालूम है।"

"कमाल है! सबको मालूम है, मुझे ही नहीं मालूम!"

"तू है कहां?"

"पुलिस हैडक्वार्टर पर।"

"इंस्पेक्टर प्रभूदयाल के घोड़े के पास है?"

"था। काफी देर।"

"सिक्का का जिक्र न आया?"

"आया। उसके आवास का जिक्र न आया।"

"इसे कहते हैं मल्लाह का हुक्का सूखा। जानकारी के दरिया किनारे बैठा है, फिर भी प्यासा है।"

"कहां रहता था?"

"पलाश होटल। रामपुर रोड पर है। इकानमी क्लास।"

"होटल में रहता था?"

"होस्टल जैसे होटल में रहता था। माहाना किराये पर कब्जा ले कर। पांच साल से वहीं रह रहा था। उस जैसे और भी छड़े छटांक हैं जो वहां माहाना किराये पर रहते हैं।"

"फैमिली नहीं थी?"

"ओये, मैं छड़ा छटांक बोला कि नहीं बोला? तू किसी बात का मतलब नहीं समझता। वैसे वड्डा आलम फाजिल बनता है..."

"बस करो, बस करो।"

"ठीक है। तू कहता है तो।"

"और क्या कहती है पुलिस सिक्का के बारे में?"

"तेरे महकमे का काम है जो तू मेरे से पूछ रहा है। सट्टेबाज था लेकिन ज्यादा दिलेर नहीं। लो प्रोफाइल में काम करता था। फिर भी दो बार पुलिस के फेर में पड़ चुका था लेकिन लैक आफ ईवीडेंस की बिना पर छूट गया था।"

"पकड़ा कैसे गया था?"

"फैलो सट्टेबाजों से कम्पीटीशन की वजह से। उनसे अनबन की वजह से। प्रोफेशनल राईवलरी की वजह से। किसी ने मुखबिरी की तो पकड़ा गया। उसके खिलाफ केस टिक न सका इसलिये छूट गया।"

"पुलिस का कहना है कि उसका कत्ल भी प्रोफेशनल राईवलरी की वजह से ही हुआ है।"

"हो सकता है।"

"तुमने गोदावरी अपार्टमेंट्स में समीर सक्सेना के पड़ोस की पड़ताल करवानी थी!"

"करवाई है।"

"गुड। पता चला कुछ?"

"इत्तफाक से पता चला। इत्तफाक से ही जल्दी पता चला।"

"क्या?"

"आटोमैटिक मशूक माईंयवी नैक्स्ट डोर ही रहती है।"

"नैक्स्ट डोर?"

"फ्लैट नम्बर 902 में। नाम लहर दत्तानी है। खुद को फैशन डिजाइनर

बताती है। छः साल से—समीर सक्सेना से भी पहले से—गोदावरी अपार्टमेंट्स के उस फ्लैट में रह रही है। क्या समझा?"

"क्या समझूं?"

"जैसे कि तू कहता था, समीर सक्सेना ने उसको अपने पड़ोस में नहीं बसाया, उसने समीर सक्सेना को अपने पड़ोस में बसाया है।"

"देखने में कैसी है?"

"मैंने तो देखी नहीं लेकिन दिनकर कहता है कि फुल पटाखा है। बढ़िया बनी हुई है। उम्र में छब्बीसेक साल की है। खूब माडर्न और खूब फैशनेबल है। फिल्म स्टार लगती है।"

"फैशन डिजाइनर है न! फैशन माडल्स का असर होगा!"

"हो सकता है।"

"अपने प्रोफेशन में अच्छी कमाई कर लेती है?"

"मां का सिर कर लेती है! नाम की फैशन डिजाइनर है, माईंयवी। कोई तो शगल बताना ही होता है, इसलिये फैशन डिजाइनर है। जैसे मर्द कोई तरीके का, सलीके का काम न करते हों तो कहते हैं इंश्योरेंस एजेंट हैं, प्रापर्टी डीलर हैं।"

"गोदावरी अपार्टमेंट्स सरीखा एक्सपैंसिव रहन सहन कैसे अफोर्ड करती है?"

"विरसे से। कोई करीबी रिश्तेदार मरने से पहले काफी माल पानी, रोकड़ा नगदऊ उसके नाम कर गया था।"

"आई सी।"

"ऊपर से बड़ी हैसियत, भारी थैली वाला यार मिल गया। इसे कहते हैं चुपड़ी और दो दो।"

"उसकी समीर सक्सेना से यारी—या आशनाई—कनफर्म्ड है?"

"हां।"

"फिर तो बाजरिया इस लहर दत्तानी भी समीर सक्सेना की बाबत काफी कुछ जाना जा सकता है।"

"मैं इशारा समझ रहा हूं मतलबी यार का। मेरा ब्रेकफास्ट आ गया है इसलिये पिच्छा छोड़।"

"ठीक है, मैं फिर फोन करूंगा।"

"फिर के बाद जब अगला फिर आये तब करना। क्योंकि अभी मैंने नींद भी पूरी करनी है!"

सम्बंध विच्छेद हो गया।

उसने पार्किंग से मोटरसाइकल निकाली और उसे स्टार्ट करके उस पर सवार हुआ।

तभी मोबाइल की घंटी बजी।

उसने फोन निकाल कर स्क्रीन पर निगाह डाली तो पाया कि उस पर एक

अपरिचित नम्बर फ्लैश हो रहा था। उसने इंजन बंद किया और काल रिसीव की।

लाइन पर उदिता चोपड़ा थी।

"मैं उदिता...।"—उसने कहना चाहा।

"मालूम।"—सुनील जल्दी से बोला—"आगे ये न बताना कि तुम कहां हो!"

"लेकिन रात को तो तुमने..."

"जहां हो, वहां पहुंचते ही फौरन बताने को बोला था, अगले दिन नहीं।"

"इतनी रात हो गयी थी, मैंने सोचा सुबह फोन करूंगी।"

"तुम्हारी सुबह दोपहर को होती है?"

"दोपहर कहां हुई है अभी?"

"कसर भी क्या रह गयी है?"

"आई एम सॉरी। दरअसल रात को मुझे बहुत देर से नींद आयी थी इसलिये सुबह मैं बहुत लेट जागी थी। फिर टायलेट वगैरह में..."

"आई अंडरस्टैण्ड।"

"तुमने ये क्यों कहा कि मैं न बताऊं कि मैं कहां हूं?"

"क्योंकि मैंने पुलिस को गॉड की कसम खा के बोला है कि मुझे नहीं मालूम कि तुम कहां हो। अब तुम्हारा मौजूदा मुकाम जान कर मैं अपनी बात कच्ची नहीं करना चाहता।"

"पुलिस तुम्हारे पास पहुंची थी?"

"मैं पुलिस के पास पहुंचा था।"

"ओह!"

"वैसे भी जहां तुम हो, वहां बनी नहीं रहने वाली हो।"

"ऐसा क्यों?"

"बोलूंगा।"

"खुद पुलिस के पास क्यों पहुंच गये?"

"उनकी मालूमात सूंघने। उनकी मौजूदा केस में लाइन आफ एक्शन समझने। मैं अखबार वाला हूं, पुलिस की क्राइम बीट की खबरें फौरन जानने के लिये अखबार वाले पुलिस के मोहताज होते हैं।"

"ओह! क्या जाना?"

"खास बात तो यही जानी कि पुलिस के पास तुम्हारी अचला आंटी के खिलाफ ओपन एण्ड शट केस है।"

"कैसा केस?"

"गुड! तुम्हें नहीं मालूम?"

"क-कत्ल का?"

"और चोरी का।"

"चोरी का भी?"

"हां।"

"क्या चुराया?"

"मकतूल सिक्का का नोटों से ठुंसा बटुवा। फारेन करंसी में ढ़ाई लाख की रकम थी उस बटुवे में जिसे कि तुम्हारी आंटी ने मौकायवारदात से पार कर दिया।"

"म–मालूम…मालूम कैसे पड़ा?"

"जब उसे गिरफ्तार किया गया था तो वो बटुवा तब भी अचला के हैण्डबैग में मौजूद था।"

"लेकिन चोरी…"

"और क्या उड़ के पहुंच गया वो अचला के हैण्डबैग में? या मकतूल विल कर गया कि उसकी मौत के बाद अचला उसका नोटों से भरा बटुवा अपने कब्जे में ले ले?"

"कमाल है!"

"कोई कमाल नहीं। उसने खुद अपनी जुबानी कुबूल किया है कि वो बटुवा उसने उठाकर अपने कब्जे में कर लिया था।"

"किसके सामने कबूल किया था? पुलिस के सामने?"

"मेरे सामने। पुलिस के सामने भी कबूल किया ही होगा!"

"तुम…अचला आंटी से मिले थे?"

"हां। पुलिस हैडक्वार्टर में मिला था जहां कि वो हिरासत में है।"

"कब?"

"अभी थोड़ी देर पहले।"

"क्या बोली?"

"यही कि वो तुम्हें नीचे छोड़ कर वापिस ऊपर गयी थी तो बटुवा उसे फ्लैट में फर्श पर पड़ा मिला था जहां से उठा कर उसने उसे अपने कब्जे में कर लिया था, हैण्डबैग में रख लिया था। कब? कब उसने ऐसा किया था? जबकि, बकौल खुद उसके, सिक्का भीतर बैडरूम में मरा पड़ा था। यानी कि उसे बटुवा उठाने से रोकने के लिये उठके खड़ा नहीं हो सकता था।"

"अचला आंटी ने चोरी की! यकीन नहीं आता।"

"बड़ी रकम की चोरी की। बड़ी रकम के लालच के हवाले होकर चोरी की। छोटी मोटी रकम की बात होती तो शायद जब्त कर लेती, गम खा जाती।"

"कत्ल भी आंटी ने किया?"

"अपने खंजर से। जिसे कि बाद में उसने होटल श्रीलेखा में कचरे के ड्रम के हवाले कर दिया। खंजर उसका था, ये बात उसने पुलिस के सामने अपनी जुबानी कुबूल की है।"

"ओह नो!"

"खामखाह ओह नो! स्वीटहार्ट, अगर वो कातिल है तो तुम अकम्पलिस हो।"

"क्या!"

"कत्ल में उसकी जोड़ीदार हो। जब कहती हो कि तुम हर घड़ी आंटी के साथ थीं तो एक तरह से कबूल करती हो कि जब वो मकतूल की छाती में खंजर उतार रही थी, तब तुम उसके बाजू में खड़ी थीं।"

"ये बात हमारे में पहले हो तो चुकी है कि मेरे से गलतबयानी हुई थी कि मैं हर वक्त आंटी के साथ थी!"

"मैं तुम्हें पुलिस का वर्शन सुना रहा हूं। तुम्हें ये बता रहा हूं कि पुलिस इस बाबत क्या सोचती है। तुम कहोगी तुम हर वक्त आंटी के साथ थीं तो वो तुम्हें कत्ल में शरीक करार देंगे। कहोगी कि हर वक्त साथ नहीं थीं तो तुम्हारे लिखत में दिये बयान की रू में तुम्हें परजुरी का, इरादतन झूठ बोलने का, अपराधी करार दिया जायेगा।"

"हे भगवान! ये मैं किस जंजाल में फंस गयी!"

"एक बात का जवाब दो। ध्यान से, गौर से, जिम्मेदारी से जवाब दो।"

"किस बात का?"

"जब तुम्हें फ्लैट में पड़ी सिक्का की लाश की खबर लगी थी और तुमने मुझे फोन किया था—जब मैंने तुम्हें पुलिस को खबर करने की राय दी थी—तब अचला कहां थी?"

"वहीं थी।"

"वहां कहां?"

"ड्राइंगरूम में। जहां कि फोन है।"

"जब तुम फोन करने में बिजी थीं, तब अचला क्या कर रही थी?"

"आंटी क्या कर रही थी!...हां, याद आया। वो बैडरूम में चली गयी थी।"

"जहां कि लाश थी?"

"हां।"

"क्यों?"

"कनफर्म करना चाहती थी कि वो वाकई मरा पड़ा था। अपने नर्सिंग के ज्ञान को इस्तेमाल में लाना चाहती थी। पहले बोला था मैंने।"

"लिहाजा उस वक्त वो बड़ी सहूलियत से, बिना तुम्हारी निगाह में आये लाश की जेब में से बटुवा खिसका कर अपने कब्जे में ले सकती थी, चुपचाप अपने हैण्डबैग में ट्रांसफर कर सकती थी।"

"उसने ऐसा किया नहीं हो सकता।"

"तो नहीं किया होगा! लेकिन ऐसा करने का मौका उसे बराबर हासिल था।"

"वो ऐसा नहीं कर सकती थी।"

"आई रिपीट जानेजमां, ऐसा करने का मौका उसे बराबर हासिल था। से यस आर नो?"

"यस। लेकिन मैं भी दोहरा के कहती हूं, जो वो कर सकती थी, वो उसने किया नहीं हो सकता था। वो...वो खुद क्या कहती है?"

"कहती है कि बटुवा उसने बैडरूम के बंद दरवाजे के बाहर फर्श पर से उठाया था जहां कि वो लुढ़का पड़ा था। तब उठाया था जबकि दोपहरबाद तुम्हें नीचे लॉबी में छोड़ कर वापिस आयी थी?"

"क्यों?"

"मालिक को लौटा देने के लिये। कौन से मालिक को लौटा देने के लिये! जो बैडरूम में मरा पड़ा था।"

"ओह!"

"वो कहती है कि जब उसने बटुवा देखा था, तब लाश नहीं देखी थी इसलिये उसे नहीं मालूम था कि बटुवे का मालिक इस दुनिया में नहीं था। लेकिन जब बाद में उसे सिक्का के कत्ल की खबर लग गयी थी, तब भी बटुवे पर काबिज बने रहने का क्या मतलब हुआ? तब तो बटुवे को किसी को—पुलिस को—सौंपती! बटुवे की बाबत तब भी चुप्पी बनाये रखने का क्या मतलब हुआ! सिवाय इसके कि मोटी रकम का लालच छोड़े नहीं बनता था।"

उदिता खामोश रही।

"पुलिस का केस है कि वो बटुवा चोरी करते रंगे हाथों पकड़ी गयी थी और इसी वजह से नौबत खून खराबे तक पहुंची थी।"

"ओह!"

"तुम्हारे तहरीरी बयान की वजह से पुलिस क्राइम में तुम्हारी बराबर की शिरकत मान रही है..."

"ये जुल्म है!"

"पुलिस के इनवैस्टिगेटिंग आफिसर इंस्पेक्टर प्रभूदयाल ने घोषणा की है कि अगर शाम तक तुम पुलिस के पास पेश न हुईं, या वो लोग खुद तुम्हारा सुराग न पा सके तो तुम्हें भगोड़ा अपराधी घोषित किया जायेगा और तुम्हारा नानबेलेबल वारंट जारी होगा।"

"हे भगवान!"

"अब तुम्हारी गति शाम से पहले पुलिस के सामने पेश हो जाने में ही है।"

"मैं क-क्या करूं?"

"जहां भी हो वहां एक रेडियो कैब तलब करो और उसमें सवार होकर सीधे पुलिस हैडक्वार्टर इंस्पेक्टर प्रभूदयाल के पास पहुंच जाओ।"

"वो पूछेंगे मैं कहां थी!"

"मत बताना। ऐसा भ्रम पैदा करना कि तुम अपने किसी ब्वायफ्रेंड के साथ ओवरनाइट के मौजमेले के अभियान पर थीं। अपने ब्वायफ्रेंड के नाम और रेपुटेशन को प्रोटेक्ट करने के लिये नहीं बता सकती थीं कि तुम कहां थीं।"

"मुझे पता कैसे लगा कि पुलिस मेरी तलाश में थी?"

"तुमने आंटी को फोन किया था तो जवाब नहीं मिला था। इस उम्मीद में मुझे फोन किया था कि शायद आंटी ने मेरे से सम्पर्क किया हो तो तब मैंने तुम्हें बताया था कि आंटी गिरफ्तार थी और पुलिस को बड़ी शिद्दत से तुम्हारी भी तलाश थी।"

"ओह!"

"समझ गयीं?"

"हां।"

"कोई सवाल?"

"नहीं।"

"ठीक है। बंद करता हूं।"

उसके काल डिसकनैक्ट करते ही मोबाइल फिर बजा।

उसने काल रिसीव की।

"कितना फोन बिजी रखता है!"—रमाकांत की आवाज आई—"माशूक से बात कर रहा था?"

"ओबामा से।"—सुनील बोला—"कभी भी फोन खड़का देता है सलाह मांगने के लिये। अभी पूछ रहा था पाकिस्तान को एड रोके रखूं या रिलीज कर दूं।"

"तूने क्या सलाह दी?"

"वही जो मुनासिब थी।"

"क्या?"

"यही कि बंदर के हाथ उस्तुरा देना गलत था।"

"माईंयवा मसखरा।"

"कैसे फोन किया?"

"तेरे लिये खास खबर है।"

"क्या?"

"वो फोन नम्बर जिस पर वो जनानी—अचला तलवार—सुजाता सक्सेना के लिये आई हर काल मकतूल अमृत सिक्का को रिपोर्ट करती थी, संतोषी अपार्टमेंट्स में ही चल रहा है।"

"कहां?"

"पांचवीं मंजिल पर फ्लैट नम्बर 503 में।"

"कमाल है! यानी कि अचला जब फोन पर सिक्का से बात करती थी तो वो संतोषी अपार्टमेंट्स में उनसे एक ही मंजिल ऊपर मौजूद होता था!"

"हां।"

"वो फ्लैट है किसका?"

"कोमल कपूर नाम की एक औरत का जो कि वहां टेनेंट है।"

"कौन है? क्या करती है?"

"नौजवान है। हसीन है। माडलिंग करती है। पार्टियों में विचरती है इसलिये सुबह खूब लेट उठती है, कहीं जाना हो तो दोपहरबाद ही जा पाती है। अपने और फ्लैट के बढ़िया रखरखाव के साथ अकेली वहां रहती है।"

"इतनी बातें उसकी बाबत जान भी लीं!"

"जौहरी ने। उसकी सूंघ बहुत करारी है।"

"इस वक्त वो कहां है?"

"संतोषी अपार्टमेंट्स के करीब ही कहीं मंडरा रहा होगा।"

"मुझे उसकी जरूरत है।"

"उसकी?"

"असल में तुम्हारी। लेकिन तुमने तो ब्रेकफास्ट करके फिर सो जाना है इसलिये उसकी।"

"मैं एक बार उठ जाने के बाद दोबारा नहीं सोता।"

"लेकिन अभी तो कहा था कि ब्रेकफास्ट करके फिर सो जाओगे!"

"तेरे से पीछा छुड़ाने को बोला था…"

"हे भगवान! मेरी इतनी नाकद्री!"

"लेकिन छूटता कहां है! फिर पक्की यारी ऐबियों, शराबियों, कबाबियों में ही होती है जो कि हम दोनों हैं।"

"ब्रेकफास्ट कर लिया?"

"हां।"

"और भी जो नींद से उठके करना होता है, कर लिया?"

"हां।"

"तो फिर संतोषी अपार्टमेंट्स पहुंचो।"

"जौहरी की छुट्टी?"

"वो भी साथ चलेगा।"

"क्यों, भई? कोमल कपूर से मिलना है या उस पर हमला करना है?"

"उसको डिमॉरेलाइज करना है। रौब गांठना है। छा जाना है। ऐसा माहौल बनाना है कि घिघियाने, मिमियाने लगे। ऐसा कोई एक जना नहीं कर सकता।"

"मैं समझ गया। ठीक है, मैं आता हूं।"

"अर्जुन भी यहां पुलिस हैडक्वार्टर में ही कहीं होगा, मैं उसे भी ढूंढ़ता हूं।"

"ठीक है।"

सुनील और अर्जुन फर्स्ट क्रास रोड और आगे संतोषी अपार्टमेंट्स पहुंचे।

जौहरी को उन्हें तलाश न करना पड़ा, उन्हें पहुंचा देखकर वो खुद ही कहीं से प्रकट हुआ और उनके पास पहुंच गया।

"रमाकांत भी आ रहा है।"—सुनील ने उसे बताया—"उसके आने तक हम यहीं रुकेंगे।"

जौहरी ने सहमति में सिर हिलाया।

"पुलिस का फेरा लगा?"

"नहीं।"—जौहरी बोला।

"यानी कि यहां जो हमारी मंजिल है, वो अभी पुलिस की तवज्जो में नहीं है?"

"मेरे खयाल से तो अभी जानकारी में ही नहीं है।"

"गुड! ये मेरे फायदे की बात है कि इस केस में कम से कम एक मामले में मैं पुलिस से आगे हूं।"

तभी रमाकांत वहां पहुंचा।

सुनील ने संक्षेप में सबको समझाया कि वो कोमल कपूर के फ्लैट में क्या माहौल बनाना चाहता था। फिर वे लॉबी में दाखिल हुए और लिफ्ट द्वारा पांचवीं मंजिल पर पहुंचे।

जौहरी ने फ्लैट नम्बर 503 की कालबैल बजाई।

सत्ताइस अट्ठाइस साल की एक सुंदर महिला ने दरवाजा खोला।

इतने लोगों को दरवाजे पर मौजूद देख कर वो सकपकायी। उसने पाया कि सबके जबड़े भिंचे हुए थे, आंखें सर्द थीं, माथे पर त्योरी थी और सूरत से ऐसा जान पड़ता था जैसे उसे रौंदते हुए फ्लैट में घुस जाने वाले हों।

"क्या है?"—वो सशंक भाव से बोली।

सुनील ने जानबूझ कर तत्काल उत्तर न दिया। उसने उसके पीछे कमरे में निगाह दौड़ाई तो वो दरवाजे के करीब एक बाजू पड़े—खड़े—दो सूटकेसों पर पड़ी। लगता था कि वो सूटकेस पैक करके तभी दरवाजे के पास रखे गये थे ताकि पैक करने वाले को रवानगी के वक्त उन्हें वहां से उठा ले चलने में सहूलियत होती।

"कोमल कपूर!"—सुनील कर्कश स्वर में बोला।

कर्कश स्वर का उस पर फौरन असर उजागर हुआ। वो हड़बड़ाई और तनिक बेचैन दिखाई देने लगी।

"हां।"—फिर फंसे कण्ठ से बोली—"क्या बात है?"

"कहीं निकल लेने की तैयारी है?"

"क-क्या?"

"बाजू हटिये।"

तत्काल वो एक तरफ हटी।

चारों भीतर दाखिल हुए।

अर्जुन ने दरवाजा बंद किया और बड़े सख्त अंदाज से उसके साथ पीठ लगा के खड़ा हो गया।

सावधानी की प्रतिमूर्ति बना जौहरी दायीं ओर की एक खिड़की के पास जा खड़ा हुआ और पर्दा सरका कर यूं बाहर झांकने लगा जैसे चौकसी कर रहा हो।

रमाकांत ने जेब से अपना चारमीनार का पैकेट निकाल कर यूं एक सिग्रेट सुलगाया जैसे अपनी धृष्टता को मोहरबंद कर रहा हो।

सुनील ने विचारपूर्ण ढंग से मुंह बिसूरा और फिर संजीदा लहजे से बोला—"बंध गया!"

"क-क्या?"—युवती के मुंह से निकला।

"पुलंदा।"

"क्या?"

"जो बंध जाता है तो मुश्किल से ही खुलता है।"

"क-क्या...क्या कह रहे हैं आप?"

"अमृत सिक्का मरहूम को याद कर रहा था। खुद जहां छोड़ गया और सारे जंजालों से आजाद हो गया, पीछे तुम्हारा पटड़ा कर गया।"

"पुलंदा! पटड़ा! मैं कुछ समझ नहीं पा रही हूं।"

"अमृत सिक्का तुम्हारा शूगर डैडी था!"

"फ्रे-फ्रेंड था।"

"खास फ्रेंड था!"

"खा-खास भी था।"

"खासुलखास था। दिल के करीब वाली किस्म का। नहीं?"

उसने जवाब न दिया।

"वो तुम्हें इस फैंसी फ्लैट में रखे था। इसका किराया भरता था..."

"नहीं।"

"वो नहीं इसलिये फ्लैट नहीं। इसलिये तुम यहां से मूव करने की तैयारी कर रही हो।"

"नहीं।"

"तो क्या वर्ल्ड क्रूस पर निकलने लगी हो?"

वो फिर खामोश हो गयी।

"सिक्का यहां टेलीफोन पर कुछ खास टेलीफोन काल्स रिसीव करता था। तुम्हें उन काल्स की खबर थी, हमें भी खबर है, इसलिये झूठ बोलने की जरूरत नहीं। बोलो, वैसी कोई काल रिसीव कर चुकने के बाद वो क्या करता था?"

"म-मैं...मैं उसके निजी मामलात में दखल नहीं देती थी।"

"वो खास काल्स रिसीव करना उसका निजी मामला था?"

"हां।"

"जिससे तुम्हारा कोई वास्ता नहीं था?"

"हां।"

"इतना तो फिर भी मालूम होगा कि उसके लिये जब भी वैसी कोई काल आती थी तो फौरन बाद वो कहीं काल करता था?"

"हां।"

"किसी खास नम्बर पर?"

"हां।"

"किसको? अब ये न कहना तुम्हें मालूम नहीं।"

"त-तब नहीं मालूम था।"

"अब मालूम है?"

"हां।"

"किसको?"

"सुजाता सक्सेना को।"

"काल करके वो उसको एक नम्बर बताता था और उसे उस नम्बर पर फोन करने को बोलता था?"

"हां।"

"कल क्या हुआ था?"

"क-क्या हुआ था!"

"एक मंजिल नीचे हुए कत्ल की बाबत क्या जानती हो?"

"तु-तुम...आप हो कौन?"

"लोग मुझे सुनील के नाम से जानते हैं।"

"और थर थर कांपते हैं।"—रमाकांत ने तरह दी।

उसने अवाक् रमाकांत की तरफ देखा, फिर परे देखने लगी।

"तुम्हारे शूगर डैडी का कत्ल हो गया"—सुनील फिर कर्कश स्वर में बोला—"ये नहीं हो सकता कि तुम्हें उसकी बाबत कुछ मालूम न हो।"

"आ-आप गलत समझ रहे हैं।"—वो तनिक रुंआसे स्वर में बोली—"वो मेरा क्लोज फ्रेंड था..."

"ब्वायफ्रेंड!"

"हम एक दूसरे के बहुत करीब आ चुके थे। हम शादी करने वाले थे लेकिन..."

वो खामोश हो गयी।

"क्या लेकिन?"—सुनील जिदभरे स्वर में बोला।

"उसके...उसके किसी और से ताल्लुकात थे।"

"किससे?"

"सुजाता सक्सेना से।"

"तुम्हें पुड़िया देता था और सुजाता सक्सेना से प्यार की पींघें बढ़ाता था, ये कहना चाहती हो?"

"मु-मुझे ऐसा ही जान पड़ता था।"

"साईयां किसे पासे"—रमाकांत धीरे से बोला—"वधाईयां किसे पासे।"

"तुम्हें सुजाता सक्सेना से उसके ताल्लुकात की खबर कैसे लगी?"

"एक तो उसके व्यवहार में निरंतर आती तब्दीली से, दूसरे...दूसरे मुझे ही कुछ भनक लग गयी।"

"क्या? क्या भनक लग गयी?"

"उसके पास यहां के एक दूसरे फ्लैट की भी चाबी थी।"

"नम्बर मालूम?"

"मालूम। 402। चाबी पर मार्कर से लिखा हुआ था।"

"आकूपैंट की बाबत मालूम?"

"वो मालूम कर लेना क्या मुश्किल काम था! मैं भी तो इसी कम्पलैक्स में रहती हूं। केयरटेकर से 402 के आकूपैंट की बाबत पूछा, मालूम हो गया।"

"क्या मालूम हुआ?"

"आकूपैंट का नाम मालूम हुआ। सुजाता सक्सेना नाम मालूम हुआ।"

"वही औरत जिसे वो यहां खास काल आने के बाद काल लगाता था?"

"मेरे खयाल से तो हां। एक नाम की दो औरतें हों तो बात जुदा है।"

"कभी वो खास टेलीफोन काल आने पर काल रिसीव करने के लिये इत्तफाक से सिक्का यहां नहीं होता था तो क्या होता था? फोन बजता रहता था?"

"नहीं। मैं सुनती थी।"

"और फिर जैसा कि सिक्का करता था, आगे सुजाता सक्सेना को फोन लगाती थीं?"

"उसे नहीं, सिक्का को। अमृत यूं जब भी कभी बाहर जाता था तो जरूरत पड़ने पर मोबाइल पर फोन लगाने को मुझे बोल के जाता था। बीच बीच में खुद भी यहां फोन करके खास काल की बाबत पूछता रहता था।"

"लेकिन ये तुम्हें मालूम नहीं था कि वो सिलसिला क्या था? क्यों था?"

"हां।

"दूसरे फ्लैट की चाबी की बाबत कब पता लगा?"

"परसों।"

"तब तुमने क्या किया?"

"मालूम किया कि उस फ्लैट का आकूपैंट कौन था!"

"वो तो किया और क्या किया?"

"और तो कुछ न किया।"

"सिक्का से उस बाबत बात न की?"

"नहीं।"

"क्यों?"

"क्या फायदा होता! वो अपनी जुबानी कबूल करता कि वो वो काम कर रहा था जो अभी इन्होंने"—उसने रमाकांत की तरफ देखा—"पंजाबी मुहावरे में कहा!"

"कुछ तो जवाब देता! और नहीं तो चाबी के बारे में ही कुछ बोलता!"

वो खामोश रही।

"इतनी बड़ी जानकारी हाथ लगने के बाद तुम खामोश तो नहीं बैठी रही हो सकती! ये तो जनाना फितरत के खिलाफ है! कुछ तो जरूर किया होगा!"

वो फिर भी खामोश रही।

"ओ, फुट्ट हुन मूंहों कुछ!"—रमाकांत ने घुड़का।

"कल दोपहरबाद जब वो यहां से निकला"—वो दबे स्वर में बोली—"तो मैं उसकी ताक में लग गयी। गलियारे में जा कर उसने लिफ्ट का रुख किया, सीढ़ियों का रुख किया तो मैं तभी समझ गयी कि वो कहां पहुंचने वाला था!"

"एक मंजिल नीचे, 402 में?"

"हां।"

"जो चाबी उसके पास थी, उससे मेन डोर का ताला खोला और भीतर दाखिल हो गया?"

"नहीं। जा के दरवाजे पर दस्तक दी।"

"किसी ने भीतर से दरवाजा खोला?"

"नहीं। उसने कुछ देर दरवाजा खुलने का इंतजार किया फिर अपनी चाबी निकाल कर ताले में फिराई और भीतर दाखिल हुआ।"

"फिर!"

"फिर!"

"हां, फिर?"

एकाएक उसके चेहरे पर असहिष्णुता के भाव आये। उसकी संदिग्ध निगाह पैन होती बारी बारी चारों पर फिरी।

"जवाब दो?"—सुनील बोला।

"आप लोग क्यों इतने सवाल पूछ रहे हैं?"

"बड़ी देर में पूछना सूझा!"—सुनील के स्वर में व्यंग्य का पुट आया।

"हमें सख्ती पर मजबूर कर रही है।"—रमाकांत बोला।

"नहीं, नहीं।"—तत्काल वो बोली—"मैं तो कह रही थी...मैं तो पूछ रही थी..."

"अभी हमारे पूछने की बारी है।"—सुनील बोला—"जवाब दो। सवाल याद है या भूल गया?"

"वो...वो भीतर चला गया, उसके पीछे दरवाजा बंद हो गया, तो मैंने जाकर दरवाजे पर दस्तक दी। लेकिन...कोई जवाब न मिला। मैंने एक दो बार और दरवाजा खटखटाया लेकिन भीतर से दरवाजे पर कोई न पहुंचा। न दरवाजा खुला, न किसी ने 'कौन है' पूछा।"

"जबकि वो भीतर था। तुम्हारी आंखों के सामने भीतर गया था!"

"हां।"

"तो उस खामोशी का तुमने क्या मतलब निकाला?"

"इसके सिवाय और क्या मतलब निकालती कि वो भीतर उस औरत के साथ था।"

"हूं। फिर तुमने क्या किया?"

"यहां वापिस लौट आयी...लेकिन अब मुझे इस बात का अफसोस है।"

"किस बात का?"

"कि खामोश वापिस लौट आयी। मैं वहां से न टलती, दरवाजा खटखटाती रहती तो वो मजबूर हो जाता निकल कर बाहर आने को...तो शायद उसकी जान बच जाती।"

"वक्त का कोई अंदाजा है कि वो कब उस फ्लैट में गया था?"

"ढ़ाई बजने को थे। या शायद बज चुके थे।"

"फिर क्या किया?"

"मैंने बोला न, वापिस लौट आयी।"

"लौट आने के बाद क्या किया?"

"कितनी ही देर गुमसुम पड़ी सोचती रही कि आगे मुझे क्या करना चाहिये था।"

"कुछ सूझा था?"

"हां। इकबालपुर में मेरा एक फ्रेंड है जो मुझे बहुत चाहता है, कई बार मुझे बुला चुका है, मैरिज तक प्रोपोज कर चुका था।"

"तुम भी उसे चाहती थीं?"

"हां, लेकिन अमृत को ज्यादा चाहती थी।"

"अमृत मेल ट्रेन था"—रमाकांत बोला—"वो जमूरा पैसेंजर ट्रेन था।"

कोमल के चेहरे पर अप्रसन्नता के भाव आये।

"उससे बात की थी?"—सुनील ने पूछा।

"किससे?"—वो बोली।

"इकबालपुर वाले फ्रेंड से?"

"उससे! हां की थी।"

"बोला था कि तुम उसके पास आना चाहती थी?

"हां।"

"अभी इकबालपुर के ही सफर की तैयारी थी?"

"हां।"

"कब बात की थी?"

"रात को।"

"इसी फोन से?"

"हां।"

"इसमें एसटीडी है या काल बुक कराई थी?"

"एसटीडी है।"

"नाम क्या है उसका?"

"आपको उसके नाम से क्या लेना देना है!"

"बताने में कोई हर्ज है?"

"बताने की कोई जरूरत है?"

"उसको कत्ल के बारे में बताया था?"

"जब मैंने बात की थी, तब मुझे कत्ल की खबर नहीं थी।"

"कत्ल की खबर कब लगी?"

"कल काफी रात गये। कुछ लोगों को गलियारे में बातें करते सुना, तब लगी।"

"टीवी में तो बहुत पहले थी!"

"टीवी खराब पड़ा है।"

"अखबार?"

"अखबार क्या?"

"कौन सा आता है?"

"कोई भी नहीं। मुझे अखबार पढ़ने का शौक नहीं।"

"फिर भी कभी जरूरत पड़ जाती है!"

"तो जा कर लाना पड़ता है।"

"आज गयीं लेने?"

"नहीं।"

"ये जानने की कोई उत्सुकता न हुई कि अखबार में कत्ल के बारे में क्या छपा था?"

वो खामोश रही।

"कल से घर से निकली ही नहीं हो?"

"हां।"

"एक मंजिल नीचे मौकायवारदात का चक्कर लगाने का भी खयाल न आया? ये जानने की ख्वाहिश ने भी जोर न मारा कि कत्ल किसने किया था?"

"वो मुझे किसी के बताये बिना भी मालूम था।"

"अच्छा! कौन था कातिल?"

"सुजाता सक्सेना।"

"कभी देखा सुजाता सक्सेना को?"

"हां।"

"कब?"

"एक बार लिफ्ट में मिली थीं वो दोनों जनी। सुजाता सक्सेना और उसके साथ रहती उम्रदराज औरत जिसे वो आंटी कहकर बुलाती थी।"

"तब तक तुम्हें मालूम पड़ चुका था कि सिक्का का टांका तुम्हारे से ज्यादा सुजाता सक्सेना से फिट था?"

"हां।"

"सुजाता सक्सेना से मिलीं तो इस बाबत उससे कोई बात करने का, कोई तकरार करने का, जी न चाहा?"

"न! क्या फायदा होता! जिसे अपना समझा, जब उसी ने लिहाज न किया तो गैर से क्या बात करना!"

"उसे प्रतिद्वंद्वी जान कर जांचा परखा तो बढ़िया होगा?"

"हां।"

"कैसा पाया था अपने मुकाबले में?"

"ये नाजायज सवाल है।"

"क्योंकि"—रमाकांत बोला—"अपनी दही को खट्टी कोई नहीं कहता।"

"गुलेगुलजार"—सुनील बोला—"मैं जो बात अब कहने जा रहा हूं, उससे हो सकता है तुम्हारे चोट खाये दिल को कोई राहत पहुंचे।"

उसने सकपका कर सुनील की तरफ देखा।

"अमृत सिक्का का सुजाता सक्सेना से कोई अफेयर नहीं था, सिर्फ कारोबारी ताल्लुकात थे।"

"क्या बात करते हो!"—वो तमक कर बोली—"जिस औरत के फ्लैट की उसके पास चाबी थी..."

"कारोबारी ताल्लुकात की वजह से ही थी। जो लड़की सुजाता सक्सेना के फ्लैट में रह रही थी, जिसे तुमने लिफ्ट में देखा था, वो सुजाता सक्सेना नहीं थी।"

"सुजाता सक्सेना नहीं थी!"—वो अचकचाई।

"हां।"

"तो कौन थी?"

"शक्ल सूरत, कद काठ में सुजाता सक्सेना से मिलती जुलती उदिता चोपड़ा नाम की कोई दूसरी लड़की थी, नीचे के फ्लैट में सुजाता सक्सेना की जगह लेने के लिये जिसका इंतजाम सुजाता सक्सेना के साथ एक बिजनेस अरेंजमेंट के तहत सिक्का ने किया था। उदिता चोपड़ा, यूं समझो कि, सुजाता सक्सेना को इमपर्सनेट करने की, उसकी जगह उसके फ्लैट में रहने की नौकरी कर रही थी।"

"सच कह रहे हो!"

"मैं इस बाबत तुमसे झूठ क्यों बोलूंगा?"

"मैंने नाहक अमृत पर शक किया!"

वो रोने लगी।

"कंट्रोल कर, बीबी!"—रमाकांत कर्कश स्वर में बोला।

"और"—सुनील बोला—"नाहक खून से हाथ रंगे!"

उसने तमक कर सिर उठाया।

"हसद ने तुम्हें दीवाना कर दिया। इस हद तक तुम्हारा दिमाग हिला दिया कि अपने चाहने वाले की बेवफाई का बदला तुमने उसे मौत के घाट उतार कर लिया।"

"ये मुझ पर बेजा इलजाम है।"—उसने तीव्र प्रतिरोध किया।

"अब बोलो, असल में क्या हुआ था?"

"मेरे किये कुछ नहीं हुआ था। बाकी जो बोलने लायक था, मैं बोल चुकी हूं।"

"नहीं बोल चुकी हो। तुमने खुद कुबूल किया कि तुम नीचे वाले फ्लैट पर गयी थीं और तुमने जा कर उसका दरवाजा खटखटाया था। भीतर से दरवाजा नहीं खोला गया था। लेकिन तुम्हें यकीनी तौर पर मालूम था कि वो...तुम्हारा..."—सुनील ने ठिठक कर रमाकांत की तरफ देखा।

"ठोकू!"—रमाकांत बोला।

"...भीतर था। तुमने फिर दरवाजा खटखटाया था तो आखिर उसने दरवाजा खोला था। गुस्से से थरथराती तुम बगूले की तरह भीतर दाखिल हुईं, वो बैडरूम में चला गया जहां कि दरवाजा खोलने आने से पहले वो था, तुमने वाल कैबिनेट के टॉप पर एक खंजर पड़ा देखा जिसे कि तुमने कब्जा लिया और बैडरूम में जा कर उसकी छाती में घोंप दिया..."

"ये क्या हो रहा है?"—वो भड़की—"क्या हो रहा है ये? तुम लोग मुझे कत्ल के इलजाम में फंसाने की कोशिश कर रहे हो!"

"सच से वाकिफ कराने की कोशिश कर रहे हैं।"—सुनील शांति से बोला।

"ये सच नहीं है।"

"तो तुम बताओ क्या सच है?"

"क्यों बताऊं? क्या जिम्मेदारी है मेरे ऊपर कुछ बताने की? और तुम्हें क्या हक है मेरे सिर पर आ सवार होने का और दुनिया जहान के सवालों की बौछार करने का? हो कौन तुम लोग? मैंने तुम्हें पुलिस समझ कर मुंह लगाया लेकिन अब मुझे शक हो रहा है तुम्हारे पुलिस होने पर। साबित करो तुम लोग पुलिस हो..."

"ओ, ठंड रख, मां सदके।"—रमाकांत पुचकारता सा बोला।

"ये कोई मानने की बात है"—सुनील बोला—"कि तुम्हें मालूम था कि वो भीतर था, अपनी नयी माशूक के साथ भीतर था और तुमने कुछ न किया!"

"फिर शुरू हो गये! अब कोई भी सवाल करने से पहले बताओ तुम पुलिस हो?"

"इनवैस्टिगेटर हैं। इनवैस्टिगेट करना हमारा काम है, हम अपना काम कर रहे हैं। हम चाहते हैं कातिल को उसके किये की सजा मिले। क्या तुम ऐसा नहीं चाहती हो?"

"तुम अपने सवाल करने लगते हो और मेरी मेरे सवाल से तवज्जो हटा देते हो। पहले मेरे सवाल का जवाब दो। तुम पुलिस के इनवैस्टिगेटर हो?"

"मीडिया के।"

"मीडिया के! हे भगवान! तुम्हें क्या हक है मेरे से इतने सवाल पूछने का?"

"हम सवाल अपने लिये नहीं पूछते, पब्लिक के लिये पूछते हैं। पब्लिक को जानने का हक होता है। अखबार जानने में उसकी मदद करता है। कत्ल एक जघन्य अपराध है। उससे ताल्लुक रखता कोई शख्स किन्हीं सवालों का जवाब नहीं देना चाहता तो इसका मतलब है कि वो कुछ छुपाना चाहता है। तुम कुछ छुपाना चाहती हो?"

"फिर सवाल! मेरी बात हवा में उड़ा दी और फिर सवाल! तुम्हें मेरे से कुछ पूछने का, मेरे गले पड़ने का कोई हक नहीं। अब तक जो कुछ मैंने कहा ये सोच के कहा कि तुम लोग पुलिस हो। यहां पहुंचते ही तुम लोग मेरे साथ ऐसे पेश आये, यूं मेरे पर हावी हो गये कि मैं तुम्हारा रौब खा गयी और सहज ही समझ बैठी कि तुम पुलिस हो। मुझे शुरू में मालूम होता तुम पुलिस नहीं हो तो मैं तुम्हें फ्लैट में कदम न रखने देती।"

"ओ,कमलिये!"—रमाकांत बोला—"तूने हमें पुलिस समझा तो ये हमारी गलती है? हममें से किसी एक ने भी अपनी जुबानी कहा कि हम पुलिस हैं!"

"तुमने जो कहा, डर कर कहा।"—सुनील बोला—"इस अंदेशे के तहत कहा कि हम पुलिस थे। इससे साफ जाहिर होता है कि तुम्हारे पास छुपाने लायक कुछ है, तुम्हारे मन से कोई चोर छुपा है..."

"सुलताना डाकू छुपा है..."

"बल्ले, भई!"—रमाकांत बोला—"एकदम दिलेरी आ गयी!"

"...अब तुम लोग यहां से जाते हो या मैं पुलिस को फोन करूं?"

"जब हाथी जितना बता दिया..."

"मुगालते में मुंह फाड़ा।"

"...तो दुम जितना क्यों छुपा रही हो? वो भी कह डालो।"

"अब मैं और कुछ नहीं कहने वाली। एण्ड दैट इज फाइनल।"

"सैमी फाइनल, माई हनीचाइल्ड। एक आखिरी सवाल का जवाब दो, फिर फकीर अपनी राह लेते हैं।"

"फकीर!"

"कल दोपहरबाद जब तुम नीचे वाले फ्लैट में दाखिल हुई थीं तो सबसे पहले तुम्हारी निगाह किस चीज पर पड़ी थी?"

"मैं फ्लैट में दाखिल हुई ही नहीं थी। मैं अमृत के पीछे लगी नीचे पहुंची थी, अमृत ने फ्लैट में दाखिल होकर पीछे दरवाजा बंद कर लिया था तो...हे भगवान! अब मैं शुरू हो गयी!"

"चलो, तुम भीतर नहीं गयी थीं लेकिन ये तुम्हें मालूम था कि भीतर ड्राईंग रूम में वाल कैबिनेट के टॉप पर एक खंजर पड़ा था..."

"जब मैं भीतर नहीं गयी थी तो कैसे मालूम था?"

"तुम बताओ।"

"फिर बताओ! तुम मीडिया पर्सन हो कि मंगते हो! मांगते ही जाते हो, मांगते ही जाते हो! कुछ मिले न मिले।"

"वेखीं माईंयवी नूं!"—रमाकांत भुनभुनाया—"तुझे मंगता कह रही है!"

"मुझ अकेले को नहीं"—सुनील बोला—"हम सबको।"

"मुझे भी!"

"हां।"

"रमाकांत अम्बरसरिये नू वी?"

"हां।"

"ठहर जा, काकोयानीदिये!"

"कोई फायदा नहीं। पार्टी उखड़ गयी है। अब कुछ नहीं रखा यहां। अब चलो।"

"ठीक है, तू कहता है तो...वर्ना मैं तो यहां रणभूमि बनाने लगा था।"

"थैंक्यू फार नथिंग, माई डियर।"—सुनील कोमल से बोला।

कोमल खामोश रही।

सब वहां से रुखसत हुए।

लिफ्ट द्वारा वो नीचे और आगे सड़क पर पहुंचे।

"तेरा ड्रामा तो चला, काकाबल्ली"—रमाकांत बोला—"लेकिन अफसोस है कि आखिर तक न चला।"

"फिर भी"—अर्जुन बोला—"काफी देर तक चला, काफी दूर तक चला।"

"क्लाइमैक्स तक न पहुंचा।"—जौहरी बोला।

"जरा ही कसर रह गयी।"—सुनील बोला।

"अब उस लड़की के बारे में कहता क्या है?"—रमाकांत बोला—"कत्ल उसने किया होगा?"

"सम्भावना तो पूरी पूरी दिखाई देती है।"

"कैसे दिखाई देती है? चानन पा।"

"देखो, खास टेलीफोन काल की खबर करने के लिये सिक्का ने अचला तलवार को जो फोन नम्बर दिया हुआ था वो इसी इमारत में एक मंजिल ऊपर कोमल कपूर के फ्लैट में चलता पाया गया। तमाम इंतजाम के पीछे मंशा ये थी कि सुजाता सक्सेना अपने फ्लैट में न हो फिर भी लगे कि वो फ्लैट में थी। कोई उसे फोन करे तो अचला तलवार काल रिसीव करे और बोले कि सुजाता काल बैक करेगी क्योंकि वो टायलेट में थी, सोई पड़ी थी, बाहर गयी थी, किसी गैस्ट के साथ बिजी थी, वगैरह। फिर अचला सिक्का को फोन करके उस खास काल की खबर करे, सिक्का आगे सुजाता को फोन करके—जहां कहीं भी वो रह रही हो—उस खास काल की, फोन नम्बर की, किसी ने नाम भी बताया हो तो नाम की खबर करे, सुजाता अपने वाकिफकार को, फ्रैंड को, फ्रेंडनी को, जो कोई भी वो हो, अपने मोबाइल से हासिल हुए नम्बर पर काल बैक करे तो काल रिसीव करने वाले को क्योंकर पता लगेगा कि सुजाता अपने फ्लैट से नहीं, कहीं और से काल बैक कर रही थी? कोई कहीं काल करे, पांच सात, दस मिनट में काल वापिस आ जाये तो काल रिसीव करने वाले को तो खयाल तक नहीं जायेगा कि काल बैक किसी और जगह से किया जा रहा था जो कि मूल जगह से दस, बीस, पचास मील के फासले पर हो सकती थी। नहीं?"

रमाकांत का—बाकी दोनों का भी—सिर सहमति में हिला।

"अब देखो, कल दोपहरबाद क्या हुआ होगा! मेरी सलाह पर अमल करती अचला और उदिता कल दोपहरबाद सुजाता सक्सेना के फ्लैट से निकलीं, लिफ्ट पर सवार हो कर नीचे लॉबी में पहुंचीं तो अचला को खयाल आया कि उन्हें सिक्का को खबर देनी चाहिये थी कि वो फ्लैट छोड़ कर जा रही थीं। वो कहती है कि पहले उसने चार पांच बार मेरा नम्बर ट्राई किया था लेकिन हर बार वो उसे बिजी मिला था, फिर उसने सिक्का का नम्बर ट्राई किया था तो वहां से भी जवाब नहीं मिला था। क्यों नहीं मिला था? ऐसा तो नहीं होना चाहिये था! अभी ऊपर हमने कोमल कपूर की जुबानी सुना कि काल रिसीव करने के लिये अगर सिक्का वहां उपलब्ध नहीं होता था तो काल कोमल रिसीव करती थी और अरेंजमेंट ऐसा था कि काल रिसीव करने के लिये उन दोनों में से—सिक्का और कोमल में से—एक वहां जरूर होता था। फिर ऐसा क्योंकर हुआ कि अचला की काल का उसे कोई जवाब नहीं मिला?"

"उस वक्त जवाब देने के लिये वहां कोई नहीं था।"

"ऐग्जैक्टली। तब पांच सात मिनट का एक वक्फा ऐसा था जबकि कोमल के फ्लैट में कोई नहीं था। क्यों नहीं था? क्योंकि ये वो वक्फा था जब सिक्का फ्लैट से निकल कर गया था और कोमल उसकी परछाईं बनी उसकी निगाहबीनी पर उसके पीछे गयी थी। वो कहती है सिक्का अपनी चाबी से ताला खोलकर नीचे वाले फ्लैट में गया था तो उसकी बात को किसी सबूत की जरूरत नहीं क्योंकि सिक्का की भीतर पड़ी लाश अपने आप में सबूत है। लेकिन जब कत्ल हुआ है तो कोई कातिल भी होना चाहिये। कातिल के रोल में फिट बैठने वाला तब कौन शख्स था जो मकतूल के करीब उपलब्ध था?"

"कोमल कपूर दी घोड़ी।"

"जो कहती है कि वो दरवाजा खटखटा कर ही लौट आयी थी क्योंकि भीतर से दरवाजा खोला नहीं गया था। लेकिन अगर वो कातिल है तो उससे और क्या कहे जाने की उम्मीद की जा सकती है!"

"असल में सिक्का ने उसे दरवाजा खोला था, वो भीतर गयी थी, भीतर फौरन ही ऐसे हालात पैदा हुए थे कि कत्ल की नौबत आ गयी थी, उसने वहां उपलबद खंजर उठा कर कंजर की छाती में घोंप दिया था!"

"हां। या ये या फिर उसके पास भी फ्लैट की चाबी थी जिसे उसने उस घड़ी सिक्का के पीछे भीतर दाखिल होने के लिये इस्तेमाल किया।"

"लेकिन मालको, ये एक थ्योरी है—अच्छी थ्योरी है लेकिन थ्योरी है—थ्योरी सुबूत नहीं होती।"

"पुलिस के पास जो कुछ अचला तलवार के खिलाफ है, वो भी एक थ्योरी है।"

"लेकिन सबूत..."

"वो काम पुलिस करेगी न! अगर उन्होंने अचला तलवार के कातिल होने

की जिद पर अड़े रहना है तो उन्हीं को साबित करके दिखाना होगा कि कोमल कपूर कातिल नहीं हो सकती। जो थ्योरी हमने गढ़ी है, उसकी रू में देखते हैं वो कैसे साबित करके दिखाते हैं! मेरी थ्योरी अगर कोमल कपूर के खिलाफ केस नहीं खड़ा करेगी तो अचला तलवार के खिलाफ केस की बुनियाद हिलाने के तो काम आयेगी!"

"बुनियाद हिलाने का"—अर्जुन उत्साह से बोला—"गुरुजी का ये तरीका बढ़िया है कि बतौर कातिल कोई आल्टरनेट कैंडीडेट खड़ा कर दो।"

सुनील ने घूरकर उसे देखा।

अर्जुन ने हड़बड़ा कर होंठ भींचे और परे देखने लगा।

"अब आगे?"—रमाकांत बोला।

"अब आगे हमें सुजाता सक्सेना को तलाश करना होगा। वैसे तो पुलिस अचला तलवार के खिलाफ अपने केस को बहुत मजबूत मानती है लेकिन ड्रामे के एक किरदार के तौर पर सुजाता सक्सेना की तलाश उन्हें फिर भी होगी। वड्डे भापा जी, इस सिलसिले में पुलिस की कोशिशों पर निगाह रखकर भी हमारा मतलब हल हो सकता है।"

"बल्ले, भई। जैसे पुलिस की कोशिशों पर निगाह रख पाना कोई हंसी खेल है!"

"वड्डे भापा जी के लिये हंसी खेल है।"

"क्यों नहीं! क्यों नहीं! वो संस्कृत में तूने क्या शेर कहा था जिसमें दर्जी का, काज का जिक्र था?"

"काज का। दर्जी का नहीं। संस्कृत नहीं, हिन्दी। शेर नहीं, उक्ति।"

"ओये, मेरे एक फिकरे में इतने नुक्स?"

"हां।"

"खैर, था क्या वो शेर, दोहा, उकती?"

"कवन सो काज कठिन जग माहीं।"

"ये तेरी उकती..."

"उक्ति।"

"वही। मुकम्मल नहीं है। मुकम्मल उकती तुझे तेरे वड्डे भापा जी सुनाते हैं?"

"वैरी गुड।"

"खुद न करना पड़े तो कवन सो काज कठन जग माहीं।"

"लेकिन..."

"चुप कर, चुप कर। मुझे पता है तू क्या कहने वाला है। माईंयवा, फसादी बात कहने के लिये हर वक्त तैयार रहता है। ठीक है, ठण्ड रख। देखेंगे तेरी सुजाता की घोड़ी सक्सेना को।"

जौहरी ने खंखार कर गला साफ किया।

"गाना सुनाने की तैयारी कर रहा है"—रमाकांत बोला—"या कुछ कहना चाहता है।"

"कुछ कहना चाहता हूं।"—जौहरी बोला।

"क्या?"

"पीछे फ्लैट में खिड़की के पास जहां मैं खड़ा था, वहां सामने ही वो टेबल थी जिस पर टेलीफोन पड़ा था। टेलीफोन के बाजू में एक स्क्रैच पैड पड़ा था जो कि छोटे मोटे मैसेज लिखने या टेलीफोन नम्बर नोट करने के काम आता है। उस पर मैसेज तो कोई दर्ज नहीं था लेकिन कुछ टेलीफोन नम्बर दर्ज थे। मैंने चुपचाप उस पैड का ऊपरला वरका फाड़ लिया था। ये देखिये।"

सबने उस वरके का मुआयना किया।

"इस पर"—फिर सुनील बोला—"नौ फोन नम्बर दर्ज हैं जिनमें से एक उस जगह का हो सकता है जहां कि सुजाता सक्सेना का मौजूदा मुकाम है और जिस पर कि सिक्का उसे रिपोर्ट करता था। मैं समझता हूं इन नम्बरों को ट्रेस करना बहुत मुश्किल काम नहीं होगा।"—सुनील ठिठका, उसने रमाकांत की तरफ देखा—"या होगा?"

"हला हला।"—रमाकांत झुंझलाया—"इशारेबाजी के उस्ताद, हला।"

"थैंक्यू।"—सुनील जौहरी की तरफ घूमा—"एक बात मैं भी तुमसे पूछना चाहता हूं।"

"क्या बात?"—जौहरी बोला।

"बात नागरथ डिटेक्टिव एजेंसी के लैगमैन परमेश राणा की है जिसकी बाबत तुमने कल रिपोर्ट दी थी कि तुम उसे पहले से जानते थे। बोला था कि वो पहले डेल्टा सिक्योरिटीज में था लेकिन वहां से डिसमिस कर दिया गया था!"

"हां।"

"डिसमिसल की वजह क्या थी?"

"जेल काट चुका था। सजायाफ्ता मुजरिम था। ये बात उसने डेल्टा से छुपाकर रखी थी। जब उन्हें खबर लगी तो निकाल बाहर किया।"

"जुर्म क्या था?"

"परजुरी। कत्ल के केस में कातिल के खिलाफ गवाह था, ऐन मौके पर मुकर गया। रिश्वत खा के मुकरा था, ये बात निर्विवाद रूप से साबित नहीं हो सकी थी, इसलिये कम सजा पा कर—छः महीने की कैद—सस्ता छूटा था।"

"कब की बात है? आई मीन बाहर कब आया?"

"तीन साल पहले।"

"तब से डेल्टा में?"

"मेरे खयाल से नहीं। मुझे उम्मीद नहीं कि उसकी असलियत खुलने में इतना टाइम लगा होगा—वो भी डिटेक्टिव्स की फर्म में।"

"बहरहाल जेली हैं!"

"हां।"

"अब—रमाकांत उतावले स्वर में बोला—"मीटिंग डिसपर्स करें तो कैसा रहे!"

"ओके, बॉस।"—सुनील एक उंगली का सैल्यूट मारता तत्पर स्वर में बोला।

सुनील और अर्जुन होटल श्रीलेखा पहुंचे।

होटल की लॉबी से, शापिंग आर्केड के सामने के कारीडोर से और पिछवाड़े की किचन के बाजू से गुजर कर वो कचरे के ड्रम तक पहुंचे।

"ये है वो ड्रम!"—सुनील गम्भीरता से बोला।

"वैसा ड्रम, गुरुजी"—अर्जुन बोला—"वो ड्रम तो पुलिस ले गयी!"

"ठीक! ये ऐन वैसा ड्रम है?"

"हां।"

"तुझे कैसे मालूम?"

"मैंने ओरीजिनल ड्रम देखा न आंखों से! पुलिस हैडक्वार्टर में! ढ़क्कन समेत।"

"हूं। अब तू समझ कि मैं अचला तलवार हूं..."

"हीं हीं हीं।"

"शट अप।"

"मेरा मतलब था कि वो तो साइज में आपसे डबल है।"

"डेढ़। साइज के फर्क की गुंजायश रख के समझ कि यहां ड्रम के पास अचला तलवार खड़ी है। खुद मेरे से दस गज पीछे जा और कहीं ओट में खड़ा हो कर इधर झांक।"

"क्या झांकूं?"

"तेरी तरफ मेरी पीठ होगी, मेरा अचला तलवार के कल के एक्शन को कापी करता एक्शन होगा, देखना, नोट करना, क्या दिखाई दिया! जा।"

अर्जुन वांछित पोजीशन पर पहुंच गया तो सुनील ड्रम की तरफ घूमा, उसने बायें हाथ से ड्रम का ढ़क्कन उठाया और गर्दन झुका कर भीतर झांका, फिर दायें हाथ में मौजूद बाल पैन को भीतर डाला, ढक्कन को यथास्थान वापिस रखा और सीधा हुआ।

उसने घूम कर अर्जुन को इशारे से करीब बुलाया।

"क्या देखा?"—वो बोला।

"आपको बायें हाथ से ड्रम का ढ़क्कन उठाते देखा।"—अर्जुन बोला।

"हाथ देखा?"

"हाथ नहीं देखा, ढ़क्कन का रिम उठता देखा। हाथ से ढ़क्कन उठाया होगा तभी तो आपकी बॉडी की ओट से मुझे उसका गोल कोना अपनी जगह छोड़कर उठता दिखाई दिया होगा!"

"ठीक! दायीं साइड में क्या देखा?"

“कंधा हिलता देखा, कोहनी हिलती देखी, दोनों अंग हौले से स्विंग में जरा अंदर जाते देखे।”

“हाथ! दायां हाथ दिखाई दिया?”

“नहीं, तब नहीं।”

“उसमें कोई चीज दिखाई दी?”

“हीं हीं हीं। गुरु जी, जब हाथ ही नहीं दिखाई दिया तो...”

“ठीक! ठीक! मैंने दायें हाथ से ड्रम में कुछ डाला, दिखाई दिया?”

“नहीं।”

“मैंने ड्रम में बाल पैन डाला था जो कि मैटल का था। सूरज सिर पर है, शायद उसकी किरणें मैटल पर से रिफ्लैक्ट होने का अहसास हुआ हो!”

“न!”

सुनील ने कुछ क्षण उस बात पर विचार किया।

“ये सामने”—फिर बोला— “किचन के पिछवाड़े का दरवाजा है। ये ड्रम ऐन इस के बाजू में है ताकि दरवाजा खोलकर बाहर कदम रखते ही इस तक पहुंच बनाई जा सकती हो। इससे तो लगता है कि किचन से ड्रम तक फेरा लगता ही रहता होगा। इस बाबत किसी से कोई बात हो सके तो शायद हमारी जानकारी में कोई इजाफा हो! कोई ऐसी बात मालूम पड़ जाये जो कि काम की हो!”

“पता कर देखते हैं!”

“एक बजा है। जिस रेस्टोरेंट की ये किचन है, वहां लंच आवर का रश होगा। वैसा ही मसरूफ किचन का स्टाफ होगा। इस वक्त कौन सुनेगा हमारी!”

“तो क्या करें?”

“करें नहीं, कर।”

“क्या?”

“यहीं टिक...”

“इस गली में!”

“अरे, होटल में। उस रेस्टोरेंट में, जिसकी कि ये किचन है। तब तक टिक जब तक कि किचन का कोई जमूरा काबू में न आ जाये जो कि पूछताछ में तेरी कोई मदद कर सके।”

“और आप?”

“मैं आफिस जाता हूं।”

“गुरु जी, यहां जो खर्चा होगा, वो रीएमबर्स तो हो जायेगा न!”

“खर्चा! खर्चा कैसा?”

“लो! पूछते हैं खर्चा कैसा! यहां जिस किसी जमूरे को भी मैं सांठूंगा, वो मुट्ठी गर्म कराये बिना मुंह खोलेगा? लंच के बिजी आवर्स में कोई बिना आर्डर किये मुझे बैठने देगा?”

“काफी चालाक हो गया है!”

"अव्वल तो ऐसी कोई बात है नहीं, है तो सोहबत से ही हुआ हूं, गुरु जी। थैंक्यू।"

"ठीक है, तेरा यहां का लंच 'ब्लास्ट' की तरफ से। और भी यहां जो खर्चा होगा, वो 'ब्लास्ट' की तरफ से।"

अर्जुन बाग बाग हो गया।

"थैंक्यू वैरी मच, गुरु जी!"— वो जोश से बोला।

सुनील 'ब्लास्ट' के अपने केबिन में अपने काम में मसरूफ था जब कि रमाकांत का फोन आया।

उसने घड़ी पर निगाह डाली।

तीन बजने को थे।

"काकाबल्ली"—उसे रमाकांत की आवाज सुनायी दी—"वो जग की माई का जो कठन काम था न, वो जल्दी हो गया है।"

"अच्छा!"—सुनील सम्भल कर बोला।

"हां। जौहरी की होशियारी खबरदारी को सैल्यूट कर।"

"क्या हुआ?"

"वो एक वरका—नौ फोन नम्बरों वाला— जो उसने कोमल कपूर के फ्लैट में स्क्रैच पैड पर से फाड़ा था, उस पर दर्ज नौ नम्बरों में से अभी पांच ही चैक हुए हैं कि एक नम्बर सुजाता सक्सेना की घोड़ी के खुफिया ठिकाने का निकला है।"

"दैट्स वैरी गुड! कहां का निकला?"

"होटल पैनोरमा का!"

"जो सैन्ट्रल पार्क के करीब है!"

"वही।"

"वहां कहां है वो?"

"रूम नम्बर 612 में। सुरेखा माथुर के फर्जी नाम से रजिस्टर्ड है।"

"ये भी मालूम कर लिया!"

"भई, वहां जब तेरा बताया उसका हुलिया बयान किया गया तो वो वहां रूम नम्बर 612 में रजिस्टर्ड गैस्ट सुरेखा माथुर का पाया गया। बहाने से सुरेखा माथुर की शक्ल देखी तो वो ऐन वही पायी गयी जो तूने बयान की थी। बाकी खुद जा के कनफर्म करना क्योंकि रूबरू तो उसे तूने ही देखा था!"

"ठीक!"

"अब क्या करेगा?"

"जा के उससे मिलूंगा।"

"कब?"

"फौरन।"

"ओह! हफ्ते दस में जाता तो मैं भी चलता तेरे साथ।"

"मजाक मत करो और शुक्रिया कबूल करो।"

"किया।"

सम्बंधविच्छेद हो गया।

सुनील ने रिसीवर वापिस क्रेडल पर रखा ही था कि अर्जुन ने केबिन में कदम रखा।

"आ भई, गाण्डीवधारी।"—सुनील बोला—"बैठ।"

"थैंक्यू, गुरु जी।"

"महक रहा है?"

"हीं हीं हीं। उस वजह से नहीं, गुरु जी, जो आप समझ रहे हैं। वो चायनीज रेस्टोरेंट था, सिरके की महक है।"

"सच बोल रहा है?"

"हां।"

सुनील ने उसे घूर कर देखा।

"नहीं।"—अर्जुन जल्दी से बोला—"ज्यादा खर्चा नहीं किया, गुरु जी सिर्फ एक बीयर। वेटर खुद ही ले आया। मैंने समझा आन दि हाउस थी, फिर चार्ज कर ली।"

"छोड़ वो किस्सा। तेरी सूरत से लगता है कि औना पौना कुछ जान के आया है।"

"औना पौना ही समझिये, गुरु जी, क्योंकि जो मैंने जाना है उसकी कोई अहमियत मेरे पल्ले तो पड़ी नहीं!"

"क्या जाना है?"

"उस रेस्टोरेंट का संचालन होटल के अंडर नहीं है। कोई चेन आफ चायनीज रेस्टोरेंट्स है जो कि बिग चिल नाम के उस रेस्टोरेंट को श्रीलेखा में चलाती है। आजकल उस रेस्टोरेंट का किचन स्टाफ अपनी किन्हीं मांगों को ले कर असहयोग आंदोलन पर है जिसकी वजह से स्टाफ आजकल मिनीमम, टु दि रूल, काम करता है। किन्हीं रूल्स का नतीजा है कि आम हालात में साढ़े तीन बजे बंद होने वाला वो रेस्टोरेंट आजकल सवा दो बजे बंद हो जाता है और फिर शाम को सात बजे खुलता है। किचन का लास्ट आर्डर दो बजे होता है नतीजतन लंच आवर्स का किचन का कचरा ड्रम में आखिरी बार ढ़ाई बजे डाला जाता है और फिर किचन बंद हो जाती है।"

"फिर शाम को सात बजे खुलती है?"

"साढ़े छः बजे। रेस्टोरेंट में सर्विस शुरू होने के टाइम से आधा घंटा पहले, ताकि वहां शाम के बिजनेस को हैंडल करने की तैयारी हो सके। शाम को उस ड्रम में कचरा पहली बार साढ़े सात बजे के आसपास डाला जाता है।"

सुनील ने उस बात पर विचार किया।

"ठीक है।"—फिर एकाएक बोला—"शाबाश!"

"आपके पल्ले कुछ पड़ा, गुरु जी!"

"कुछ पड़ा।"

"मेरे तो कुछ न पड़ा!"

"बीयर न पीता तो पड़ जाता।"

"गुरुजी, मैंने बोला न…"

"मैंने सुना न! अब एक काम कर।"

"बोलिये।"

"वो काम कर जो सिर्फ तू कर सकता है।"

"वाह! फिर तो जरूर ही बोलिये।"

"दरवाजा बंद कर।"

"बस! अभी लीजिये।"

"बाहर से।"

अर्जुन सकपकाया, फिर उठा और बुड़ बुड़ करता वहां से रुखसत हुआ।


सुनील होटल पैनोरमा पहुंचा।

उसने रूम नम्बर ६१२ का दरवाजा खटखटाया।

"कौन?"—भीतर से जनाना आवाज आयी।

"सुनील।"

"कौन सुनील?"

"सुनील चक्रवर्ती।"

"किससे मिलना है?"

"सुजाता सक्सेना से।"

"लगता है गलत जगह आ गये हो!"

"आपको गलत लगता है। मैं ऐन सही जगह पहुंचा हूं।"

"अभी नाम क्या बोला था अपना?"

"सुनील चक्रवर्ती। चीफ रिपोर्टर, 'ब्लास्ट'। पिछली मुलाकात के बाद से कम सुनायी देने लगा है?"

"मेरी समझ में नहीं आ रहा तुम क्या कह रहे हो!"

"आयेगा न बराबर! आने दोगी तो आयेगा न!"

"लेकिन…"

"तमाम गुफ्तगू बंद दरवाजे के आर पार से ही होगी!"

"प्लीज, गो अवे।"

"ऐसे तो मैं नहीं चला जाने वाला।"

"मैं सिक्योरिटी को फोन करती हूं…"

"जरूर। लेकिन पहले एक बात और सुन लो। उसके बाद जो मर्जी करना।"

"बोलो।"

"जब तुम्हारे हसबैंड समीर सक्सेना"—सुनील उच्च स्वर में बोला—"रेजीडेंट आफ फ्लैट 901, गोदावरी अपार्टमेंट्स मंडेला मार्ग ने तुम्हारे पीछे प्राइवेट डिटेक्टिव लगाये थे और तुमने फैसला किया था कि..."

तत्काल दरवाजा खुला।

चौखट पर जो महिला प्रकट हुई, वो सुजाता सक्सेना ही थी।

"धीरे बोलो।"—वो फुंफकारती सी बोली।

"सोचा"—सुनील मुस्कराता हुआ बोला—"बंद दरवाजे के पार शायद तुम्हें कुछ ठीक से सुनाई न दे रहा हो..."

"अजीब चिपकू आदमी हो! हर किसी के ऐसे ही गले पड़ते हो?"

"मैं"—सुनील ने फिर आवाज ऊंची की—"शादीशुदा औरतों के गले पड़ने का शौक नहीं रखता। टू-टाइमिंग शादीशुदा औरतों के गले तो बिल्कुल ही नहीं पड़ता..."

"अरे, क्या पब्लिक अनाउन्समेंट कर रहे हो! शट युअर माउथ!"

"मुंह बंद करूं या धीरे बोलूं?"

"बाल की खाल मत निकालो। यहां कैसे पहुंच गये?"

"बोलूंगा।"

"क्या चाहते हो?"

"बोलूंगा। रास्ते से हटो।"

"यहां क्या प्राब्लम है?"

"मुझे तो कोई प्राब्लम नहीं"—सुनील ने फिर आवाज ऊंची की—"लेकिन शायद सुजाता सक्सेना को हो जो कि यहां सुरेखा माथुर के नाम से..."

वो तुरंत एक तरफ हटी।

"थैंक्यू!"

सुनील भीतर दाखिल हुआ।

सुजाता ने उसके पीछे दरवाजा बंद किया।

सुनील लापरवाही से एक कुर्सी पर ढ़ेर हुआ और एक सिग्रेट सुलगाने में मशगूल हो गया।

चेहरे पर अप्रसन्नता और असमंजस के भाव लिये सुजाता उसे देखती रही।

"बैठो!"—सुनील धुंआ उगलता बोला।

"बैठूं?"—उसकी भवें उठीं।

"हां, भई। बैठो।"

"ये कमरा किसका है? मेरा या तुम्हारा?"

"तेरा मेरा जो कहे वो है छोटे दिल का।"

"मैं पूछती हूं यहां कैसे पहुंच गये?"

"परवानों को सब पता है चराग कहां रौशन हैं।"

"जवाब दो।"

"बैठ के पूछो। वैसे खड़ा रहना भी कोई योगा की एक्सरसाइज हो तो बेशक खड़ी रहो।"

वो धम्म से उसके सामने एक कुर्सी पर बैठी।

"आज कल लेडीज बहुत फिगर कांशस हो गयी हैं, इसलिये योगा का, ऐरोबिक्स का कोई मौका नहीं छोड़तीं। बस के इंतजार में बस स्टैण्ड पर भी खड़ी हों तो एक खास अंदाज से—बल्कि रेजिमन से—हिलती डुलती रहती हैं।"

"मतलब की बात करो।"

"तुम 'बटन बटन हू हैज गॉट दि बटन' खेलना बंद करो तो मतलब की बात करूं न!"

"पिछली बार तो बड़े अदब से पेश आ रहे थे, मुझे 'आप' कह कर बुला रहे थे, अब वो अदब कहां गया!"

"उस वक्त नयी मुलाकात थी, अब तो वाकफियत पुरानी हो गयी है न!"

"एक ही मुलाकात में!"

"रफ्तार का जमाना है!"

"यहां कैसे पहुंच गये? मेरा ये पता कैसे जाना?"

"एक उड़ती चिड़िया ने बताया।"

"तुम वक्त जाया कर रहे हो! जो कहना है, कहो और..."

"और क्या?"

"अब खाका खींच के समझाऊं ?"

"हां। उसमें रंग भर के समझाओ। फाइनल रिजल्ट को फ्रेम करके समझाओ। टाइम है मेरे पास।"

"मेरे पास नहीं है। जो कहना है कहो, और चलते बनो।"

"यहां पहुंचने में मेरी बहुत मेहनत लगी है, इतनी आसानी से तो नहीं चलता बनने वाला!"

"ओफ्फोह!"

"और टाइम क्यों नहीं है तुम्हारे पास! क्या कर रही थीं मेरे यहां पहुंचने से पहले! चर्खा कात रही थीं! रिवाज तो है आज कल रुई कातने  का। आसिफ लोहार! नो?"

उसने कोई सख्त बात कहने के लिये मुंह खोला...

"मिजाज दिखाओगी तो मैं रात तक नहीं टलने वाला।"—सुनील का लहजा एकाएक सख्त हुआ—"मिजाज ठिकाने लगाओ, अपनी फूं फां छोड़ो और मुझे अदब सिखाने की जगह खुद मेरे साथ अदब से पेश आओ, तहजीब से पेश आओ वर्ना ऐसा पुलंदा बंधेगा कि दस हिमायती साथ लगेंगे तो भी खोले नहीं खुलेगा।"

खामोशी छा गयी।

"क्या चाहते हो?"—फिर वो नम्र स्वर में बोली।

"यस, दैट्स मोर लाइक इट। अब बोलो, क्या कहती हो?"

"क्या कहती हूं? जो कहना था, कह नहीं चुकी मैं तुम्हारे आफिस में आकर!"

"तब से हालात में बहुत तब्दीलियां आ गयी हैं और उन तब्दीलियों से तुम वाकिफ हो, बावजूद इसके कि यहां छुप के रह रही हो।"

"छुप के रह रही हूं!"

"नाम तब्दील करके किसी होटल में जा कर रहना छुप के रहना ही कहलाता है।"

"मेरी यहां मौजूदगी की खबर कैसे लगी?"

"पहले ही बोला, एक उड़ती चिड़िया ने बताया।"

"तुमने मेरे हसबैंड का जिक्र किया था!"

"हां।"

"मिले हो उससे?"

"हां।"

"कैसा लगा?"

"वैसा ही लगा जैसे हसबैंड्स होते हैं।"

"नहीं, वो वैसा नहीं है।"

"तो कैसा है?"

"खुंदकी! अहंकार का मारा! जला भुना! हर घड़ी भड़कने को तैयार! न खुद चैन लेता है न किसी को चैन लेने देता है। बिजनेस में कामयाबी उसके सिर पर सवार हो गयी है। नाक इतनी ऊंची हो गयी है कि आसमान छूने लगी है। समझता है उस जैसा कोई नहीं।"

"इतनी खूबियां हैं उसमें!"

"इतनी खामियां हैं उसमें। अब बोलो, कैसे कोई औरत उसकी बीवी बन के उसके साथ रह सकती है? एक बार ये गलती कर चुके तो कैसे गले में पड़ा शादी का जुआ उतार के आजाद हो सकती है?"

सुनील खामोश रहा, विचारपूर्ण मुद्रा बनाये उसने सिग्रेट का कश लगाया।

"वो आदमी ऐसी बद्मजा मिठाई की तरह है जिस पर सोने का वर्क लगा है। मैं वर्क से धोखा खा गयी। मैंने वर्क को सराहा, मिठाई की जात औकात समझने की कोशिश न की। मुझे बड़ा अभिमान था कि मैं किसी भी आदमी को बहुत अच्छी तरह से परख सकती थी..."

"समीर सक्सेना को न परख सकीं!"

"हां। ऐसा जादू किया उसने मेरे पर कि परख कुंद हो गयी। फिर वो आदमी तो था ही नहीं, वो तो फर्स्ट क्लास वर्क लगी थर्ड क्लास मिठाई था।"

"ये बात शादी के बाद पता चली?"

"हां।"

"पता चली तो मुहब्बत हवा हो गयी?"

"मुहब्बत तो मुझे उससे कभी हुई ही नहीं थी। उसमें एक ही गुण था जिसने मुझे आकर्षित किया था। ये कि वो मोस्ट एलिजिबल बैचलर था। उसमें वो तमाम गुण दिखाई देते थे जो कोई लड़की अपने पति में देखना चाहती है। सबसे बड़ा गुण ये था कि जिंदगी में कामयाब था, दौलतमंद था। फिर मेरे पर टोटल फिदा था। मुझे देखते ही बच्चे की तरह मचल बैठा कि लूंगा तो यही खिलौना लूंगा। मेरे पर भी उसका शुरुआती रौब यूं गालिब हुआ जैसे पहाड़ टूटा और मेरे पर ढ़ेर हो गया। मुझे वो बेफिक्री और ऐश की जिंदगी की गारंटी लगा।"

"तुमने उससे शादी कर ली!"

"हां। लेकिन जब मिठाई खाने का मौका आया तो वर्क हट गया और मिठाई की औकात सामने आ गयी। नतीजा ये निकला कि शादी ने अभी पांव भी नहीं पसारे थे कि विरक्ति सिर पर सवार हो गयी।"

"आगे कैसे कटी?"

"एक साल जैसे तैसे कटी फिर एक इंकलाबी तब्दीली पेश आयी।"

"क्या?"

"मेरी मिस्टर राइट से मुलाकात हो गयी।"

"कोई और मिल गया जिससे तुम्हें 'लव एट फर्स्ट साइट' वाला धड़का लग गया!"

"ऐन यही हुआ। लेकिन उसके बाद जो हुआ वो मेरी जिंदगी की सबसे बड़ी भूल थी।"

"क्या?"

"नयी आशिकी में अंधी हुई मैंने समीर के सामने तमाम हकीकत बयान कर दी। साफ बोल दिया कि मुझे किसी और से प्यार था, मैं उसके बिना नहीं रह सकती थी, मैं उसे अपना बनाना चाहती थी, तहेदिल से उसका बनना चाहती थी इसलिये मैं समीर को तलाक देना चाहती थी लेकिन चाहती थी कि सब कुछ दोस्ताना माहौल में हो, म्यूचुअल कंसेंट से हो।"

"ये वो भूल की जिसे तुमने अपनी जिंदगी की सबसे बड़ी करार दिया?"

"हां।"

"ये भूल क्योंकर साबित हुई?"

"मुझे उसको तलाक पाने के पीछे जो असल मकसद था वो नहीं बताना चाहिये था, ये नहीं बताना चाहिये था कि कोई मर्द मेरी जिंदगी में आ गया था। इस मामले में मुझे टैक्ट से काम लेना चाहिये था, बोलना चाहिये था कि मेरे लिये शादी एक एक्सपैरिमेंट था जिसका नतीजा शादी के बाद ही हासिल हो सकता था। और शादी के बाद जो नतीजा हासिल हुआ था वो ये था कि हम कमपैटिबल कपल नहीं थे, वुई वर नॉट मेड फार ईच अदर, हमारी नहीं निभ सकती थी इसलिये मैं आजाद होना चाहती थी। मैं ऐसा कहती तो शायद उसे मेरे जज्बात से, मेरी सोच से इत्तफाक होता। मेरे ये कहने ने, कि मैं उसे

छोड़ कर किसी और का दामन थामना चाहती थी और वो कोई और मैंने चुन भी लिया हुआ था, उसे आग बगूला कर दिया। गुरूर का मारा वो शख्स कैसे कुबूल कर लेता कि इस फानी दुनिया में कोई मर्द उससे बेहतर भी हो सकता था, उससे ज्यादा एलिजिबल भी हो सकता था! मेरी साफगोई ने खड़े पैर उसे मेरा दुश्मन बना दिया।"

"आई सी।"

"भावनाओं के आवेग में मैं ये तक बोल गयी कि वो भी कोई निष्ठावान पति नहीं था, उसका भी कोई पैरेलल आउटसाइड इंटरेस्ट होना स्वाभाविक था। इससे समीर को ये, गलत, सिग्नल पहुंचा कि मैंने उसके साथ जैसे को तैसा वाला व्यवहार किया था, उस पर चैलेंज उछाला कि शादी के बंधन के बावजूद अगर उसकी प्रेमिका हो सकती थी तो मेरा भी प्रेमी हो सकता था। खुद को आसमान से उतरा समझने वाला वो शख्स कैसे हज्म कर पाता कि उसकी औरत उसकी बराबरी करती! शादी करके मैं उसकी बीवी थोड़े ही बनी थी, मैं तो उसकी एक्सक्लूसिव प्रापर्टी बनी थी। वो मेरा पति थोड़े ही बना था, मेरा मालिक बना था जो जैसे चाहता मुझे इस्तेमाल कर सकता था—जैसे बीवी ब्याह कर न लाया हो, मण्डी से मवेशी खरीद कर लाया हो। उससे मुहब्बत करना मेरी ड्यूटी थी, उसके नीचे बिछना मेरा काम था, उसे कैसे हज्म होता कि ये सब मैं किसी और के लिये करने लग गयी थी या करने लग जाने वाली थी? मेरे को तो कोई अख्तियार ही नहीं था उसकी पोजेसिव छत्रछाया से बाहर झांकने का!"

"बात का लुब्बोलुआब ये हुआ कि तुम्हारी स्पष्टवादिता ही तुम्हारे गले की फांस बन गयी!"

"ऐन यही हुआ। पहले वो पति होने का फरेब तो करता था, मेरे यूं मुंह खोलने पर तो वो हंटरवाला हाकिम बन गया। एकदम ऐसा मेरे खिलाफ हुआ कि मेरा, मेरे फ्रेंड का वजूद मिटा देने का तमन्नाई दिखाई देने लगा।"

"उसे मालूम था कि फ्रेंड कौन था?"

"नहीं। बस यही एक अक्ल का काम अनजाने में मेरे से हो गया था कि मैंने उसे अपने फ्रेंड का कोई परिचय नहीं दिया था। उसे नहीं मालूम मेरा फ्रेंड कौन है—आज भी नहीं मालूम और मालूम होगा भी नहीं।"

"मालूम होता तो क्या करता?"

"वो ताकतवर आदमी है, ताकत के मद में अंधा आदमी कुछ भी कर सकता है!"

"हस्ती मिटा देता? जैसे कि तुमने अभी कहा था! कत्ल करवा देता?"

"इतना बड़ा कदम उठाने का हौसला शायद वो न कर पाता लेकिन मेरे फ्रेंड के सिर पर मुतवातर मंडराता खतरा तो वो बन ही जाता। कोई हर घड़ी अपने अंजाम से सहमा रहे, दहला रहे, ये तो मौत से भी बड़ी सजा है!"

"फ्रेंड कमजोर है? मुकाबला नहीं कर सकता?"

"कमजोर नहीं है लेकिन खली बली बन के तो नहीं दिखा सकता है न!"

"सम्पन्न है?"

"ठीक है। सम्पन्नता में समीर का मुकाबला नहीं कर सकता लेकिन... ठीक है।"

"तुम्हारी बातों से नहीं लगता कि ठीक है। उसकी माली हालत कमजोर है।"

"समीर के मुकाबले में।"

"कमजोर है?"

वो परे देखने लगी, उसने बेचैनी से पहलू बदला।

"जवाब दो!"

"यही बात है।"—वो दबे स्वर में बोली—"इसीलिये समीर समझता है कि बहुत जल्द एक दिन ऐसा आयेगा कि मैं घुटनों के बल रेंगती उसके पास वापिस लौटूंगी।"

"आयेगा?"

"नहीं।"—उसके स्वर में दृढ़ता का पुट आया—"भूखी मर जाऊंगी, उसके पास लौट के नहीं जाऊंगी।"

"भूखी मरने की नौबत तो मैं नहीं समझता कि"—सुनील ने ठिठक कर उस पर, उसके इर्द गिर्द निगाह डाली—"कभी आयेगी।"

"फिलहाल खैरियत है लेकिन कुछ डाले बिना कुछ निकालते रहने से तो कुबेर का खजाना खाली हो जाता है!"

"तो? क्या किया? कोई जुगत की?"

"हां।"

"क्या? कहीं सट्टा तो नहीं लगाना शुरू कर दिया?"

"यही किया।"

"बाजरिया अमृत सिक्का मरहूम?"

"हां।"

"क्या नतीजा निकला?"

"दांव लगे। रिजर्व से कुछ निकालने की जगह कुछ डालने की पोजीशन बनी।"

"बिगिनर्स लक!"

"कुछ भी। मैंने जो किया, अपने प्यार की खातिर किया। भला बुरा विचारे बिना किया।"

"जिसके लिये किया, उसे दिल से चाहती हो या ये भी एक तजुर्बा ही है—जैसा कि पहले समीर के साथ था?"

"दिल से चाहती हूं। दिलोजान से चाहती हूं। जिंदगी में पहली बार मेरे मन में सच्चे प्यार की अनुभूति जागी है।"

"वो समीर से डरता है?"

"कौन कहता है?"

"कोई नहीं कहता। तुम्हारी बातों से मुझे लगता है।"

वो कई क्षण खामोश रही।

"देखो"—फिर बोली—"आदमी आदमी में फर्क होता है। समीर की सोच, उसका लाइफ स्टाइल, उसकी पर्सनैलिटी ऐसी है कि उस पर गुंडई की छाप है। वो हर किसी से ऐसे पेश आने का आदी है जैसे खा जायेगा, रौंदता हुआ गुजर जायेगा। ऐसे लोग फूंक भी मारते हैं तो आग उगलते जान पड़ते हैं। मेरा फ्रेंड भावुक, कविहृदय युवक है, वो आदतन हर किसी में अच्छाई तलाशता है। नाइंसाफी को जुल्म मानता है। क्या बराबरी हुई? क्या मुकाबला हुआ?"

"ठीक!"

"जो उसमें कमियां हैं, उनको मैं कवर कर सकती हूं। मैं मजबूत औरत हूं इसलिये यूं समझो कि वुई आर मेड फार ईच अदर।"

"दोनों तरफ है आग बराबर लगी हुई!"

"यही समझ लो।"

"लेकिन तुम्हारा हसबैंड नहीं जानता तुम्हारा ब्वायफ्रेंड कौन है!"

"ब्वायफ्रेंड है इस बात से बाखूबी वाकिफ है लेकिन उसकी आइडेन्टिटी से वाकिफ नहीं। अलबत्ता कोशिशें भरपूर कर चुका है वाकिफ होने की।"

"कामयाब नहीं हुआ?"

"अभी तक तो नहीं हुआ!"

"आई सी।"

"लेकिन अब शायद हो जाये!"

"अच्छा!"

"हां। अब मेरे पीछे डिटेक्टिव लगाये हैं उसने।"

"तुम्हें इस बात की खबर है?"

"है ही।"

"आई सी। तो ये भी अंदेशा है कि डिटेक्टिव आखिर कामयाब होंगे?"

"हां। इसीलिये मैंने वो कदम उठाया जो...जो...जिसकी वजह से तुम यहां हो?"

"अपने से मिलती जुलती लड़की का इंतजाम किया जो कि संतोषी अपार्टमेंट्स में तुम्हारी जगह ले पाती!"

"हां।"

"उदिता चोपड़ा तुम्हारा सबस्टीच्यूट है, डबल है; डुप्लीकेट नहीं है, हमशक्ल जुड़वा नहीं है। समीर सक्सेना कभी खुद संतोषी अपार्टमेंट्स पहुंच जाता तो?"

"वो ऐसा नहीं कर सकता था।"

"क्यों?"

"क्योंकि अहम का मारा है। समझता है उसके चल कर मेरे पास आने से

उसकी हेठी होगी। जो आदमी उम्मीद कर रहा हो, इंतजार कर रहा हो कि मैं रेंगती हुई उसके पास पहुंचूंगी, वो ऐसा कदम नहीं उठा सकता, मुझे गारंटी है। वो अपने जासूसों की रिपोर्ट पर ही निर्भर करेगा और जासूस तो शुरू से ही मेरे सबस्टीच्यूट को मैं समझे बैठे हैं।"

"हसबैंड के तुम्हारे पीछे प्राइवेट डिटेक्टिव लगाने के फैसले की तुम्हें खबर कैसे लगी?"

"इत्तफाक से लगी। वो एक जुए की फड़ में था जबकि उसने फड़ में शरीक अपने एक फ्रेंड से किसी अच्छी लोकल डिटेक्टिव एजेंसी के बारे में पूछा था। दोस्त ने नागरथ डिटेक्टिव एजेंसी को रिकमैंड किया था। तब उनके करीब एक ऐसा शख्स मौजूद था जो मेरा करीबी था और उसने वो डायलाग सुना था। उसने आगे वो बात मुझे बतायी थी।"

"करीबी कौन? सिक्का?"

"सिक्का मेरा करीबी नहीं था, उससे मेरे बिजनेस रिलेशंस थे। वो मेरा बुकी था। बस।"

"तो करीबी कौन?"

"उसका बॉस। जिसके सब-एजेंट के तौर पर वो काम करता था।"

"नाम?"

"नाम की कोई अहमियत नहीं।"

"फिर भी!"

"अजीब आदमी हो! जब एक शख्स को तुम जानते नहीं तो उसका नाम जान लेने से तुम्हारे पल्ले क्या पड़ेगा?"

"मेरा कभी सट्टा खेलने का मन बन सकता है।"

"ठीक है। निरंजन ठाकुर नाम है उसका।"

"बड़ा बुकी है?"

"हां।"

"बाजरिया सब-एजेंट काम करने वाला?"

"बाजरिया सब-एजेंट्स—बहुवचन—काम करने वाला।"

"यानी सिक्का उसका इकलौता सब-एजेंट नहीं था?"

"हां।"

"तो इस, तुम्हारे करीबी, निरंजन ठाकुर ने तुम्हें बताया था कि तुम्हारा हसबैंड किसी डिटेक्टिव एजेंसी की बाबत दरयाफ्त कर रहा था?"

"हां।"

"नतीजतन तुम पहले से खबरदार थीं!"

"हां। इसीलिये उस डिटेक्टिव एजेंसी के जासूसों के मेरे पीछे लगते ही मुझे उनकी खबर लग गयी थी।"

"तुम्हारे नहीं, तुम्हारी डबल के।"

"जासूसों की निगाह में तो मेरे ही न! उन्हें तो नहीं मालूम था न कि वो असल में मेरे नहीं, किसी और के पीछे लगे थे! समीर को जो रिपोर्ट मिलती थीं, उन्हें वो तो मेरी ही बाबत समझता था न!"

"लिहाजा डबल पैदा करने का जो असल मकसद था, वो कामयाब हो रहा था!"

"बिल्कुल!"

"अब अमृत सिक्का की बाबत बोलो। तुम उसकी मार्फत सट्टा खेलती थीं। किस्म क्या थी तुम्हारे खेल की?"

"भई, सैकड़ों तरह का सट्टा बारह महीने चलता है। घोड़ों की रेस के दांव हैं जो इंडिया में ही नहीं, इंटरनैट ने दुनिया इतनी छोटी कर दी है कि कहीं भी लगाये जा सकते हैं। इलैक्शन के दांव हैं। अमेरिकन प्रेसीडेंट अगली टर्म जीतेगा या नहीं, इटैलियन प्राइम मिनिस्टर इस्तीफा देगा या नहीं, पाकिस्तान में फिर मिलिट्री रूल होगा या नहीं, इजराइल ईरान पर हमला करेगा या नहीं, सब सट्टे के सब्जैक्ट हैं। यूपी में मायावती की सरकार आयेगी या नहीं, राहुल गांधी प्रधानमंत्री बनेगा या नहीं, सचिन की सौवीं सैन्चुरी होगी या नहीं, शाहरुख की अगली फिल्म सिल्वर जुबली करेगी, सौ दिन चलेगी या प्रीमियर पर ही ढ़ेर हो जायेगी, सब सट्टे के सब्जेक्ट हैं।"

"सिक्का से वाकफियत कैसे हुई थी?"

"भई, जब मूलधन से वाकफियत थी तो ब्याज से वाकिफ हो जाना क्या बड़ी बात थी!"

"मूलधन निरंजन ठाकुर! ब्याज सिक्का!"

"हां।"

"मूलधन-ब्याज की जगह मदारी-बंदर की जोड़ी बोलतीं तो बयान ज्यादा मौजूं होता।"

वो हंसी, तत्काल संजीदा हुई।

"कैसा आदमी था?"—सुनील ने पूछा।

"कौन! कौन कैसा आदमी था?"

"सिक्का।"

"ढ़ंका छुपा कॉनमैन था जो कि ईजी मनी के लिये कुछ भी कर सकता था। काफी चलता पुर्जा था, अपने कारोबार में काफी कामयाब था।"

"इसीलिये बाखूबी तुम्हारे काम आया!"

"हां। देख लो, किस खूबी से उसने मेरी जगह लेने के लिये ऐन फिट लड़की का इंतजाम किया।"

"संतोषी अपार्टमेंट्स में ही तो नहीं रहता था वो?"

"नहीं, वहां नहीं रहता था लेकिन वहां उसका रेगुलर आना जाना होता था।"

"क्यों?"

"उसकी एक गर्लफ्रेंड है जो वहां संतोषी अपार्टमेंट्स में ही रहती है।"

"तुम्हारे वाकिफकारों की वहां फोन काल आती थीं, कभी कोई खुद चला आता तो?"

"मैंने सबको बोला हुआ था कि कोई फोन किये बिना वहां न आये।"

"फिर भी कोई आ जाता तो?"

"तो मेरे डबल की कम्पैनियन से उसको जवाब मिलता कि मैं घर पर नहीं थी।"

"फोन पर जवाब मिलता था कि अभी काल रिसीव नहीं कर सकती थीं, काल बैक करेंगी!"

"हां। बाजरिया सिक्का, फौरन मुझे उस काल की खबर लग जाती थी, मैं काल बैक कर देती थी।"

"किसी को शक नहीं होता था कि असल में तुम फ्लैट से नहीं, कहीं और से बोल रही थीं?"

"नहीं, नहीं होता था।"

"ये सिलसिला कब तक चलता?"

"जब तक मेरा हसबैंड आश्वस्त न हो जाता कि मैं एक आदर्श नारी थी, मेरा चरित्र बेदाग था और उससे अलहदा होकर मैं एक उम्रदराज कम्पैनियन के साथ सात्विक जीवन गुजार रही थी, मैं कभी सिक्का के साथ कहीं बाहर जाती भी थी तो मेरी कम्पैनियन हमेशा मेरे साथ होती थी।"

"तुम्हें अपनी स्कीम की कामयाबी की उम्मीद थी?"

"पूरी।"

"हसबैंड उल्लू बन जाता?"

"बन ही रहा था।"

"आखिर क्या होता?"

"आखिर जब वो मेरे तनहा लेकिन शुद्ध पवित्र, सती नारी जैसे लाइफस्टाइल से पूरी तरह से मुतमईन हो जाता तो एक दिन मातमी, शहीदी शक्ल बनाये मैं उसके पास पहुंचती और बोलती कि मैं अपनी तनहा जिंदगी से तंग आ गयी थी इसलिये उसके कदमों में लौटना चाहती थी। जब ऐसा होता तो मैं दावे के साथ कहती हूं कि वो फौरन, फौरन से पेश्तर तलाक के लिये कोर्ट में अर्जी दाखिल कर देता।"

"आई सी। सिक्का के बारे में क्या कहती हो?"

"क्या कहूं?"

"उसका किरदार मुझे एक मौकापरस्त शख्स जैसा लगा था।"

"तो?"

"कोई भी मौका देख कर अपनी रोटियां सेंकने लग जाना उसके लिये कोई बड़ी बात नहीं थी!"

"आजकल हर कोई ऐसा ही है।"

"इस वक्त हर किसी की नहीं, उसकी बात हो रही है।"

"क्या कहना चाहते हो?"

"क्या पता वो सिर्फ जाहिर कर रहा हो कि वो बड़ी निष्ठा से, निस्वार्थ तुम्हारा काम कर रहा था लेकिन असल में वो चुपचाप अपनी पड़ताल में लगा हुआ था कि क्यों तुम्हें अपनी जगह लेने के लिये एक डबल की जरूरत थी!"

उसके चेहरे पर गहन चिंता के भाव आये।

"ये मैं ये सोच के कह रहा हूं कि तुमने उसे अपनी स्कीम में डबल की जरूरत की बाबत ही बताया था, स्कीम की बाबत कुछ नहीं बताया था। या"—सुनील ने अपलक उसकी तरफ देखा—"बताया था?"

उसने पूर्ववत् चिंतित भाव से इंकार में सिर हिलाया।

"सिक्का जो कुछ मेरे लिये कर रहा था, फोकट में नहीं कर रहा था।"—फिर बोली—"जैसे डबल की और कम्पैनियन की फीस मुकरर्र थी, वैसे उसकी भी फीस मुकरर्र थी।"

"खोखली तसल्ली है, मैडम, जिससे तुम खुद आश्वस्त नहीं जान पड़ रही हो।"

"ऐसा नहीं है।"

"शक्ल पर तो ऐसा ही लिखा जान पड़ता है!"

"ऐसी बात नहीं है। सिक्का को ऐंगेज करने से पहले ये सम्भावना मेरे जेहन में आयी थी, तब मेरी अक्ल ने यही जवाब दिया था कि भले ही वो कितना भी चलता पुर्जा था, मेरे साथ कोई डबल गेम नहीं खेल सकता था। बहुत अदब करता था वो मेरा। मेरे किसी काम आना अपने लिये इज्जत समझता था।"

"गोद में बैठ के दाढ़ी मूंडना आसान होता है। कॉनमैन का काम ही होता है पहले कंफीडेंस में लेना फिर कंडीफेंस का गला घोंटना। ब्लैकमेल का कारोबार ऐसे ही चलता है।"

"ब्लैकमेल!"

"हां।"

"ब्लैकमेल का जिक्र किसलिये?"

"जब हर बात का जिक्र है तो ब्लैकमेल का भी क्यों नहीं?"

"लेकिन ये आउट आफ कांटैक्स्ट बात है।"

"शायद कोई कांटैक्स्ट हो!"

"क्या?"

"मौत से पहले उसकी जेब में फॉरेन करंसी में ढ़ाई लाख रुपये थे। कोई आम आदमी आम हालात में एक वक्त में इतना पैसा अपनी जेब में नहीं रखता। वो भी डालर में!"

"वो आम आदमी नहीं था, सट्टेबाज था। अपने कारोबार के मद्देनजर

सट्टेबाज के लिये हालात आम कभी नहीं होते। इस धंधे के लोगों को इससे दस गुणा, बीस गुणा, पचास गुणा बड़ी रकमें एक टाइम में अपने पास रखनी पड़ती हैं। ढ़ाई लाख रुपये की सिक्का के लिये अहमियत पॉकेट मनी जैसी थी।"

"फ्लैट पर जब तुम्हारे किये काल आती थी तो उसकी खबर तुम्हें बाजरिया सिक्का फोन पर हासिल होती थी?"

"हां।"

"उसे तुम्हारा फोन नम्बर ही मालूम था या तुम्हारे इस मौजूदा मुकाम की भी खबर थी?"

"सिर्फ फोन नम्बर मालूम था।"

"फर्ज करो उसने तुम्हारे इस खुफिया मुकाम की भी खबर निकाल ली हुई थी..."

"कैसे?"

"कैसे भी। अभी महज फर्ज करो कि ऐसा था।"

"ओके।"

"जैसी जंग तुम्हारे और तुम्हारे पति के बीच में आजकल छिड़ी हुई थी, उसकी रू में ये एक कीमती जानकारी थी जिसका कोई बेजा इस्तेमाल उसके जेहन में आ सकता था।"

"क्या बेजा इस्तेमाल?"

"वो इसका सौदा जा कर तुम्हारे पति से कर सकता था, वो आ कर तुम्हें धमका सकता था कि अगर जानकारी की कोई करारी उजरत उसे तुमसे हासिल न हुई तो वो उसे तुम्हारे पति के हवाले कर देगा। कहने का मतलब ये कि या तुम उसकी खामोशी की कीमत अदा करो या वो जाकर तुम्हारे पति से कोई कीमत हासिल करने की जुगत करता था।"

"वो मुझे ब्लैकमेल करता?"

"हां। इसीलिये मैंने ब्लैकमेल का हवाला दिया।"

"मैं उसे काला पैसा न देती।"

"काले पैसे से तो उसका कुछ बनता भी नहीं..."

"वो मुझे ब्लैकमेल करने की कोशिश करता तो...तो..."

"क्या तो?"

"मैं...मैं...उसे..."

"जान से मार देतीं!"

"तुम...तुम मेरे पर ये तोहमत जड़ने की कोशिश कर रहे हो कि सिक्का का कत्ल मैंने किया है!"

"मैं हर सम्भावना पर विचार करने की कोशिश कर रहा हूं।"

"मुझ पर कत्ल का इलजाम लगा कर! बड़ा अच्छा सिला दे रहे हो मेरी साफगोई का!"

"साफगो क्योंकर बन गयी थीं? तुम तो दरवाजा खोलने को राजी नहीं थीं!"

"आखिर तो खोला था!"

"राजी से नहीं। मजबूर होकर! जब मैंने सारी कथा सारे होटल को कह सुनाने की धमकी दी थी।"

"मैंने तो तुम्हें बहुत भला आदमी समझा था!"

"क्या गलत समझा था! भला न होता तो यहां आता! तो जो कुछ अभी मैंने कहा, वो तुम्हें बाजरिया 'ब्लास्ट' पढ़ने को मिलता। या पुलिस की जुबानी सुनने को मिलता।"

वो खामोश रही। उसने बेचैनी से पहलू बदला।

"तो सिक्का से फोन पर तुम्हारी रेगुलर बातचीत होती थी?"

"हां।"

"रूबरू कब से नहीं मिलीं?"

"काफी अरसा हो गया है।"

"एक दिन पहले की मुलाकात को 'काफी अरसा हो गया है' तो नहीं कहा जा सकता!"

"क्या मतलब?"

"कल, कत्ल के रोज, तो तुम्हारी उससे मुलाकात हुई थी न!"

"कब? उसकी मौत से पहले या मौत के बाद?"

"मजाक कर रही हो!"

वो खामोश रही।

"या दौरान?"

"अब तुम मजाक कर रहे हो। ये वाहियात टॉपिक बंद करो।"

"ओके, मैम। युअर विश इज माई कमांड।"

"थैंक्यू।"

"कल जब तुम 'ब्लास्ट' के आफिस में आयीं थीं तो तुम्हारे हैण्डबैग में खंजर था।"

"नहीं।"—वो तत्काल बोली।

"मुझे उसकी झलक मिली थी।"

"नहीं हो सकता!"

"ट्यूब लाइट की रोशनी किसी पीली, चमकीली चीज से प्रतिबिम्बित होती मुझे साफ़ दिखाई दी थी।"

"वो चीज हेयर स्प्रे का कैन था।"

"देखो, मैं तुम्हारे खिलाफ नहीं हूं, इसलिये मेरे से झूठ बोलना बेकार है..."

"तुम मुझे कातिल ठहराते हो और फिर कहते हो कि मेरे खिलाफ नहीं हो!"

"कातिल नहीं ठहराता, तुम्हें एक सम्भावना से वाकिफ कराता हूं। तुम

कहो अपनी जुबानी कि जो कुछ मैंने कहा उसकी रू में सम्भावना की भी कोई गुंजायश नहीं!"

उसने जवाब न दिया।

"या कबूल करो अपनी जुबानी कि सम्भावना तो है! माना तुम बेगुनाह हो, फिर भी इतनी सी बात कुबूल करने में क्या प्राब्लम है! इतनी सी बात क्या तुम्हारा इकबालिया बयान बन जायेगी जो बीच में बिना कोई पड़ाव डाले सीधे तुम्हें फांसी के फंदे पर पहुंचा देगी?"

"ऐ-ऐसा तो नहीं हो सकता।"

"तो फिर?"

"स-सम्भावना तो है!"

"तुम्हारे हैण्डबैग में खंजर था?"

"ह-हां।"

"क्यों था? तुम्हारे पास खंजर क्यों था?"

"एक नावल्टी आइटम के तौर पर था, एंटीक के तौर पर था। उसकी मूठ और फल दोनों नक्काशीदार थे, मुझे नक्काशी बहुत पसंद आयी थी इसलिये मैंने खरीद लिया था।"

"कहां से?"

"सैंट्रल पार्क के नार्थ गेट के बाहर खानाबदोश बैठते हैं जो पटड़ी पर सजाकर ऐसी आइटम्स बेचते हैं।"

"आई सी।"

"चाहो तो जा कर पता कर लो। अभी वैसे और भी खंजर होंगे वहां।"

"जरूरत नहीं। मुझे तुम्हारी बात पर विश्वास है।"

"थैंक्यू।"

"तुम्हारे हसबैंड का भी यही ट्रेड है?"

"क्या!"

"सुना है एंटीक डीलर है! नावल्टी आइटम्स, फैंसी आइटम्स में डील करता है!"

"ठीक सुना है। रौनक बाजार में बड़ा शोरूम है।"

"वो भी ऐसी आइटम्स अपने शोरूम में रखता होगा?"

"हां।"

"दर्जनों में?"

"सैकड़ों में। एक्सपोर्ट भी करता है, इसलिये।"

"तुमने खंजर उसके शोरूम से हासिल किया!"

"नानसेंस! मैंने तीन महीने से उसकी शक्ल नहीं देखी, खंजर मैंने पटड़ी से अभी पिछले हफ्ते खरीदा था।"

"दिखाओ।"

"क्या?"

"वो खंजर, भई। तुम्हारी पटड़ी की खरीद।"

"वो...वो तो अब मेरे पास नहीं है।"

"कहां गया?"

"फेंक दिया।"

"फेंक दिया!"

"हां।"

"क्यों?"

"ये भी कोई पूछने की बात है! मेरे अपने फ्लैट में एक शख्स का कत्ल हुआ था—एक ऐसे शख्स का खंजर से कत्ल हुआ था जो मेरे से वाकिफ था—पूछताछ के लिये पुलिस किसी भी घड़ी मेरे सिर पर आन खड़ी हो सकती थी।"

"कैसे जानती तुम कहां थीं!"

"इसका जवाब खुद सोचो। पुलिस पुलिस होती है किसी होल-इन-दि-वाल डिटेक्टिव एजेंसी के ढ़ाई जासूसों की टीम नहीं होती! फिर क्या मेरा अज्ञातवास अभी आगे भी चल पाता! सिक्का जंजीर की एक कड़ी था, वो कड़ी टूट गयी तो समझो जंजीर टूट गयी।"

"ठीक। कहां छोड़ा खंजर?"

"नहीं बता सकती। लेकिन जहां छोड़ा, वहां से बरामद नहीं होने वाला।"

"सिक्का की लाश में!"

"मैंने कहा बरामद नहीं होने वाला। वहां से तो बरामद हो भी चुका है।"

"कत्ल तुमने नहीं किया?"

"कोई कसम उठवा लो, नहीं किया।"

"ठीक है।"—सुनील उठ खड़ा हुआ—"ऐंजलफेस, इतनी देर तुमने मुझे बर्दाश्त किया, मेरे से इतनी बातें कीं, इस नवाजिश की एवज में मैं तुम्हें कुछ बताना चाहता हूं जो कि हो सकता है तुम्हारी अपने हसबैंड के साथ छिड़ी जंग में तुम्हारे किसी काम आये।"

"ऐसा?"

"हां।"

"क्या बताना चाहते हो?"

"अलहदगी के बाद से कभी वापिस अपने हसबैंड के फ्लैट में गयी हो!"

"नहीं।"

"जाओगी तो हैरान हो जाओगी।"

"ऐसा क्या हुआ वहां?"

"साफ जान पड़ता था कि हाल ही में बहुत खर्चा करके सारा डेकोर एक सिरे से दूसरे सिरे तक चेंज किया गया था। गुलाबी रंग के नये पर्दे। सोफा सैट के सीट कवर्स नये, गुलाबी रंग के। पर्दों से मैच करते लाल रंग का कार्पेट नया।

एक बैडरूम में भी निगाह पड़ी थी—वहां भी बैड शीट्स, पिलो कवर, पर्दे, सब नये और गुलाबी रंग के। हर चीज नयी थी वहां और साफ किसी जनाना चायस और टेस्ट की चुगली करती थी…"

"किसी औरत ने फ्लैट को रीडेकोरेट किया?"

"या करवाया। मेरी वहां मौजूदगी में तुम्हारा हसबैंड एक बार उठकर बाल्कनी की ओर की फ्रेंच विंडो पर गया था और उसने डोरी खींच कर उस पर का एक पर्दा एक तरफ सरका दिया था।"

"बाहर झांकने के लिये।"

"किसी को भीतर झांकने देने के लिये।"

"क्या मतलब?"

"उस खिड़की का रुख, तुम्हें मालूम ही है, बाहर यार्ड की तरफ हैं जिसमें और फ्लैटों की भी वैसी ही खिड़कियों और बाल्कनियों का रुख है। वो पर्दा हटाये जाने पर कोई किसी आजू बाजू के दूसरे फ्लैट की खिड़की से तुम्हारे हसबैंड के ड्राईंगरूम में झांक सकता था और जान सकता था कि तुम्हारा पति किसे रिसीव कर रहा था, किसके साथ बिजी था। उसका सबूत ये है कि उसके खिड़की पर से हटते ही फोन बज उठा था और इंक्वायरी होने लगी थी कि कौन आया हुआ था।"

"ओह!"

"तुम्हें इस बात की खबर थी कि तुम्हारे पीठ फेरते ही तुम्हारे हसबैंड ने माशूक पाल भी ली हुई थी? या माशूक पहले से ही पाली हुई थी?"

"नहीं। मैंने ऐसी कोई खबर निकालने की बहुत कोशिश की थी लेकिन कामयाब नहीं हो सकी थी।"

"नाकामी का क्या मतलब निकाला था? माशूक थी ही नहीं?"

"मैंने तो यही सोचा था!"

"गलत सोचा था। माशूक पर चिराग तले अंधेरा वाली मसल चरितार्थ तो रही थी। चिराग तले थी, इसलिये निगाह में न आयी।"

"हे भगवान! पड़ोस में बसी?"

"अभी आयी बात समझ में।"

"मेरा हसबैंड मेरे अफेयर की जानकारी हासिल करने के लिये मरा जा रहा है लेकिन खुद के अफेयर से उसे कोई गुरेज नहीं! मेरी उससे नहीं निभी तो अलहदगी की जिंदगी के उसके रूल जुदा हैं, मेरे रूल जुदा हैं! पाबंदियां और पहरेदारियां सिर्फ औरत पर लागू हैं मर्द पर नहीं! औरत सामाजिक मर्यादाओं से बाहर कदम निकाले तो कुल्टा, कलंकिनी, व्याभिचारिणी; वही काम मर्द करे तो नटखट भंवरा, रासबिहारी, माही मुंडा।"

सुनील ने यूं संजीदगी से सहमति में सिर हिलाया जैसे उसके विचारों का अनुमोदन कर रहा हो।

फिर वो उठ खड़ा हुआ।

सुजाता की भवें उठीं।
"बहुत टाइम लिया मैंने तुम्हारा।"—वो बोला—"चलता हूं। जहमत का शुक्रिया।"
"नैवर माइंड।"—वो एक क्षण ठिठकी, फिर बोला—"मैं तुम्हें समझ न पायी।"
"अच्छा!"—सुनील बोला।
"जब पहुंचे थे तो मुखालिफ लग रहे थे, अब जा रहे हो तो खैरख्वाह लग रहे हो!"
"नेक ने नेक, बद् ने बद् जाना मुझे; अपने अपने तौर पर सबने पहचाना मुझे।"
"बातें कमाल की करते हो!"
"और मुझे आता क्या है। नमस्ते!"

सुनील पुलिस हैडक्वार्टर पहुंचा।
इंस्पेक्टर प्रभूदयाल अपने आफिस में नहीं था।
उसी कारीडोर में आगे जा कर सब इंस्पेक्टर बंसल का आफिस था, वो अपने आफिस में मौजूद था।
सुनील उसके सामने एक कुर्सी पर ढ़ेर हुआ।
"बहुत फुर्सत में हो!"—बंसल बोला।
"आते ही बिना इनवीटेशन के बैठ गया"—सुनील बोला—"इसलिये फुर्सत में लग रहा हूं तो वजह ये नहीं है, वजह है कि बहुत थका हुआ हूं।"
"ओह! चाय पिलाऊं?"
"तुम्हारा साहब तो काफी पिलाता है!"
"डीसीपी रामसिंह भी तुम्हारे दोस्त हैं, ऊपर चले जाओ, शायद विस्की पिलायें।"
"आफिस में?"
"शायद भी तो बोला मैंने!"
"हां, बोला तो सही। चाय जाने दो, सिग्रेट पीने की इजाजत दो।"
बंसल का सिर सहमति में हिला, फिर वो बोला—"कैसे आये?"
"तुम्हारे साहब से—कड़क इंस्पेक्टर साहब से—मिलने आया था, आफिस में नहीं हैं। कहीं हैडक्वार्टर में ही हैं या बाहर गये हैं?"
"बाहर गये हैं। बहुत जरूरी काम से। देर से लौटेंगे।"
"ओह!"
"क्यों मिलना था इंस्पेक्टर साहब से?"
"उदिता चोपड़ा नाम की एक लड़की आत्मसमर्पण के लिये यहां पहुंचने वाली थी, जानना चाहता था कि पहुंची या नहीं! तुम्हें कुछ मालूम हो उसकी बाबत!"
"मालूम है।"
"मुझे यही उम्मीद थी।"

"खुद न पहुंची। गिरफ्तार कर के लायी गयी।"

"क्या! क्या कह रहे हो?"

"ठीक कह रहा हूं। इंस्पेक्टर साहब से तुम्हारी मुलाकात हुई होती तो वो भी यही कहते।"

"मुझे यकीनी तौर पर मालूम है कि वो एक रेडियो टैक्सी में सवार हुई थी और सीधी यहां पुलिस हैडक्वार्टर पहुंची थी।"

"बिल्कुल! लेकिन टैक्सी पर नहीं, पुलिस की जीप पर।"

"क्या माजरा है?"

"तुम्हें यकीनी तौर पर, या आम तौर पर, कैसे मालूम है कि वो टैक्सी में सवार होकर—वो भी रेडियो टैक्सी में सवार होकर—यहां पहुंची थी?"

"अब तुम भी प्रभूदयाल बनके मत दिखाओ, यार। कुछ लिहाज करो मेरा। आखिर दोस्त हो।"

"पुलिस वालों की दोस्ती अच्छी नहीं होती। न दोस्ती, न दुश्मनी।"

"माई फर्स्ट बार्न, उपदेश देने के लिहाज से अभी तुम्हारी बाली उमरिया है। ये काम तुम प्रभूदयाल पर ही छोड़ दो।"

बंसल हंसा, फिर बोला—"कहां से आना था उसने टैक्सी पर सवार होकर?"

"ये मुझे नहीं मालूम।"

"बाज आओ, यार।"

"आनेस्ट, मुझे नहीं मालूम।"

"तो ये कैसे मालूम है उसने रेडियो टैक्सी पर यहां पहुंचना था?...अब खबरदार जो कहा कि उड़ती चिड़िया ने बताया। मैं उठ के चला जाऊंगा।"

"तुम...उठ के चले जाओगे?"

"तुम्हारा लिहाज जो ठहरा! तुम्हें तो 'फूटो' नहीं बोल सकता न!"

"लिहाज का शुक्रिया। अब परसों शाम तक नहीं तो दस पांच मिनट जरूर ये जज्बा बरकरार रखना।"

"आगे बढ़ो।"

"उसने मुझे फोन किया था लेकिन ये नहीं बताया था कि वो कहां से बोल रही थी। सच पूछो तो मैंने ही उसे राय दी थी कि पुलिस उसकी तलाश में थी इसलिये इससे पहले कि बात बढ़ती उसे खुद पुलिस के पास पेश हो जाना चाहिये था। तब उसी ने कहा था कि अभी वो एक रेडियो टैक्सी बुलाती थी और उस पर सवार हो कर पुलिस हैडक्वार्टर पहुंचती थी। तुम्हें तो मालूम होगा वो कहां थी!"

"हां।"

"कहां थी?"

"मेरे से सच बोल रहे हो न! कोई फरेब तो नहीं कर रहे हो? कोई सुनीलियन पुड़िया तो नहीं दे रहे हो?"

"कसम उठवा लो, ऐसी कोई बात नहीं।"

"हाईवे नम्बर फॉर्टी वन पर ग्रीनव्यू मोटल है, वहां थी।"

"वहां क्या कर रही थी?"

"कहती है रैस्ट कर रही थी, रिलैक्स कर रही थी।"

"पुलिस ने कैसे थाम लिया?"

"ग्रीनव्यू मोटल से वो रेडियो टैक्सी में ही रवाना हुई थी लेकिन पहले फ्रेजर रोड गयी थी जहां कि वो रहती है। उसे नहीं मालूम था कि उसके फ्लैट की निगरानी हो रही थी। वो पांच मिनट वहां रुकी थी और फिर रवाना हो गयी थी।"

"क्यों रुकी थी?"

"जब वो अपने फ्लैट वाली इमारत में दाखिल हुई थी तो उसके पास एक एयरबैग जैसा बैग था। फौरन बाद जब निकली थी तो वो बैग उसके पास नहीं था।"

"वो सामान छोड़ने आयी थी जो कि मोटल की रिहायश में उसे दरकार था!"

"ऐसा ही जान पड़ता था।"

"आई सी। तो फ्रेजर रोड से फ्लैट की निगरानी करते पुलिसिये उसके पीछे लग लिये?"

"हां।"

"वहीं हिरासत में क्यों न ले लिया?"

"जब दिख गयी थी तो समझो हिरासत में ही थी। एक आम लड़की ही तो थी, डॉन तो नहीं थी न जिसको चौदह देशों की पुलिस नहीं पकड़ पायी थी।"

"ग्यारह की।"

"एक ही बात है।"

"आगे?"

"वो ये भांपने के लिये उसके पीछे लगे कि आगे वो क्या करती थी, कहां जाती थी! आखिर वो कोई ऐसी हरकत कर सकती थी जिससे कि हालिया कत्ल का कोई क्लू हासिल हो पाता।"

"फिर?"

"फ्रेजर रोड से उसने पुलिस हैडक्वार्टर का रुख न किया, बल्कि उलटा ही रास्ता पकड़ा जो कि रेलवे स्टेशन को जाता था।"

"क्यों?"

"ये भी कोई पूछने की बात है!"

"फरार होना चाहती थी?"

"और क्या?"

"खाली हाथ! सफर में और आगे मंजिल पर पहुंचने पर काम आने लायक जो छोटा मोटा सामान उसके पास था, उसे घर छोड़के?"

"उसकी मंजिल ऐसी होगी जहां उसे किसी सामान की जरूरत नहीं होगी।"

"उसने कुबूल किया कि वो फरार होने की कोशिश कर रही थी?"

"ऐसे कोई कुबूल करता है! लेकिन टैक्सी ड्राइवर ने तसदीक की कि उसे पैसेंजर ने रेलवे स्टेशन चलने को ही बोला था।"

"लड़की इस बाबत क्या बोली?"

"बोली, फ्रेजर रोड से निकलते ही उसे शक हुआ था कि कोई उसके पीछे था, इसलिये उसने टैक्सी ड्राइवर को बोल दिया था कि वो रेलवे स्टेशन का रास्ता पकड़े। जब उसे एतबार आ जाता कि कोई उसके पीछे नहीं था तो वो उसे मुगलबाग, पुलिस हैडक्वार्टर चलने को बोल सकती थी।"

"फिर?"

"वो नौबत न आयी। हमारे आदमियों ने जब उसे रेलवे स्टेशन का रुख करते देखा तो उन्होंने टैक्सी को ओवरटेक किया और उसे थाम लिया। फिर वो पुलिस जीप में बिठा कर उसे यहां लाये।"

"क्यों ये फुर्ती दिखाई? बेहतर ये न होता कि उसे रेलवे स्टेशन पहुंचने देते और फिर थामते!"

"जो होता दिखाई दे रहा था, उसके हो चुकने का इंतजार करने का कोई मतलब नहीं था।"

"ये पुलिस के बेजा उतावलेपन की, टिपीकल बंगलिंग की मिसाल है..."

"मुस्तैदी की मिसाल है, कार्यकुशलता की मिसाल है।"

"वो लड़की मेरी राय पर अमल न कर रही होती तो तुम्हें सात जन्म उसकी खबर न लगती।"

"लूट मची है! क्या समझते हो तुम पुलिस को!"

"जो मैं पुलिस को समझता हूं, वो मैं तुम्हें बताऊंगा तो यारी दिखाते होने के बावजूद मुझे भी गिरफ्तार कर लोगे।"

बंसल हंसा।

"तो लड़की—उदिता चोपड़ा—हाईवे फॉर्टी वन पर स्थित ग्रीनव्यू मोटल में थी!"

"नहीं थी।"

"क्या मतलब?"

"मोटल के रजिस्ट्रेशन के रिकार्ड में उसका नाम दर्ज नहीं था। मैनेजर का कहना है कि उस नाम की कोई लड़की हाल में उसके मोटल में नहीं ठहरी थी।"

"तो नाम बदल कर!"

"उस शक्ल सूरत की भी नहीं। मैनेजर नौजवान है, उदिता नौजवान ही नहीं, हसीन भी है। क्या पता उसने क्या जादू किया मैनेजर पर जो कि बिना रजिस्ट्रेशन के उसे वहां ठहराने को तैयार हो गया! 'ग्रीनव्यू' के मैनेजर और मालिक दोनों की अच्छी खबर ली जायेगी।"

"रेडियो टैक्सी का ड्राइवर काल पर वहां पहुंचा था। वो क्या कहता है?"

"वो कहता है कि उसे किसी कॉटेज का नम्बर नहीं बताया गया था जहां कि वो पैसेंजर को पिक करने के लिये पहुंचता। पैसेंजर उसे मोटल के गेट पर मिला था। मैनेजर इस बात को भी अपने हक में दलील बना रहा है। कहता है कोई भी मोटल के सामने आ खड़ा हो कर वहां रेडियो टैक्सी तलब कर सकता है। वो ड्राइवर पर ये जाहिर कर सकता है कि वो मोटल में ठहरा हुआ था लेकिन जरूरी नहीं कि असल में ऐसा हो।"

"ठीक कहता है। लड़की क्या कहती है?"

"वो वहां किसी की मेहमान थी।"

"किसकी?"

"साफ हिंट ड्रॉप करती है कि ब्वायफ्रेंड की—यानी रैस्ट नहीं कर रही थी, रिलैक्स नहीं कर रही थी, ऐश कर रही थी, सैक्स कर रही थी—लेकिन ब्वायफ्रेंड का नाम नहीं बताती। कहती है बड़े घर का लड़का था, उसकी इज्जत का सवाल था।"

"हूं। अब पुलिस का केस क्या है?"

"पुलिस का केस तो साफ है। वो दोनों औरतें कत्ल में शरीक हैं। अचला तलवार कातिल है, उदिता चोपड़ा अकम्पलिस है। उदिता ने लिखत में बयान दिया है कि वो हर घड़ी अचला तलवार के साथ थी, लिहाजा कत्ल उसके सामने, उसकी मौजूदगी में हुआ था। फिर भी उसका खामोश रहना उसको कातिल का जोड़ीदार ठहराता है। नहीं?"

"आगे?"

"आलायकत्ल एक खंजर है जिसकी बाबत अचला तलवार ने खुद अपनी जुबानी कुबूल किया है कि उसकी मिल्कियत है।"

"आलायकत्ल उसकी मिल्कियत होने से साबित हो गया कि कातिल भी वो ही है?"

"उसकी अगली हरकत से साबित हुआ न! उसने खंजर से पीछा छुड़ाने के लिये उस पर से खून को अच्छी तरह से पोंछ कर उसे होटल श्रीलेखा में एक कचरे के ड्रम में डाल दिया। उसने समझा था उसके पोंछने से खंजर पर से खून पुंछ गया था लेकिन ऐसा नहीं हुआ था। साधारण तौर पर देखने से लगता था कि खून पुंछ गया था लेकिन पुलिस की फॉरेंसिक लैब में जब उसका माइक्रोस्कोपिक एग्जामिनेशन किया गया था तो उस पर खून के अवशेष पाये गये थे और वो अवशेष हत्प्राण के ब्लडग्रुप के ही निकले थे।"

"फिंगरप्रिंट्स?"

"फिंगरप्रिंट्स उस पर नहीं थे।"

"क्यों नहीं थे?"

"भई, कातिल को जब फल पर से खून पोंछना सूझा था तो दस्ते पर से फिंगरप्रिंट्स पोंछना न सूझा होता?"

"फिंगरप्रिंट्स उसने पोंछ दिये?"

"हां। अपनी निगाह में उसने ऐन 'क्लीन' खंजर कचरे में फेंका था। जाहिर है कि फॉरेंसिक टैस्ट्स के, माइक्रोस्कोपिक एग्जामिनेशंस के बारे में कुछ नहीं जानती थी।"

"वो खंजर आलायकत्ल था?"

"यकीनन!"

"अचला तलवार की मिल्कियत था और कत्ल के बाद भी उसी के पोजेशन में था?"

"बिल्कुल!"

"क्यों था?"

"क्योंकि वो उसे ठिकाने लगाना चाहती थी।"

"चश्मदीद गवाह कोई नहीं!"

"कैसे कोई नहीं! नागरथ डिटेक्टिव एजेंसी का परमेश राणा नाम का एक डिटेक्टिव था न चश्मदीद गवाह जिसने कि उस औरत को खंजर कचरे के ड्रम में डालते देखा था!"

"मेरी जानकारी ये नहीं कहती।"

"तुम्हारी जानकारी क्या कहती है?"

"उसने अचला तलवार को सिर्फ कचरे के ड्रम का ढ़क्कन उठाते और उसे वापिस उसकी जगह पर रखते देखा था।"

"खंजर उसी कचरे के ड्रम के बरामद हुआ था।"

"डिटेक्टिव ने अचला तलवार के हाथ में खंजर नहीं देखा था।"

"तो क्या हुआ? सीक्वेंस आफ इवेंट्स से साफ जाहिर होता है कि खंजर से पीछा छुड़ाने के लिये ही उसने वो सब किया था वर्ना क्यों वो होटल की किचन के पिछवाड़े में गयी! क्यों उसने वहां कचरे के एक ड्रम का ढ़क्कन उठाया! एरोमा एनजाय करने के लिये? या छींक मारने के लिये ताकि जरासीम आजू बाजू न फैलें!"

"कत्ल का चश्मदीद गवाह कोई नहीं।"

"क्यों कोई नहीं? बराबर है। उदिता चोपड़ा है न, जो दावा करती है कि हर घड़ी अचला तलवार के साथ थी!"

"उसके दावे में झोल है। कोई हर घड़ी किसी के साथ नहीं हो सकता। परछाईं भी अंधेरे में साथ नहीं होती।"

"कहने दो उसे अदालत में ऐसा। फिर उसे झूठी गवाही देने का अपराधी भी करार दिया जायेगा।"

सुनील ने विचारपूर्ण भाव से सिग्रेट का कश लगाया।

"और अभी तुम मकतूल के बटुवे को भूल रहे हो जिसमें लाखों की रकम थी और जो अचला तलवार के पोजेशन में पाया गया था। वो बटुवा, उसमें

मौजूद रकम, वजह है कत्ल की। रंगे हाथों पकड़ी गयी इसलिये खंजर चला दिया।"

"खंजर चला दिये।"

"क्या!"

"कत्ल के लिये दो खंजर इस्तेमाल किये। मकतूल एक। छाती पर हुआ वार एक लेकिन खंजर दो।"

वो खामोश हुआ।

"जरूर जब उसका मकतूल से आमना सामना हुआ होगा, तब उसके दोनों हाथों में खंजर होगा! उसने मकतूल की छाती में एक खंजर घोंपा, महसूस किया कि अभी उसका फुल पुलंदा नहीं बंधा था, उसने वही खंजर दोबारा भौंकने की जगह दूसरे हाथ में थमा खंजर ऐन...ऐन उसी जगह भौंका जहां कि पहला खंजर भौंका था, फिर एक खंजर छाती में छोड़ा और दूसरा ले जा कर 'श्रीलेखा' में कचरे के ड्रम में फेंका। दोनों खंजर ड्रम में न फेंके। या दोनों खंजर मौकायवारदात पर न छोड़े। ऐसा क्यों, हाकिम की साइड किक साहब?"

उसने उत्तर न दिया, साफ लगा कि कनफ्यूज हो गया था।

"इस बाबत अचला तलवार खुद क्या कहती है? कबूल करती है कि उसके पास दो खंजर थे?"

"नहीं।"—बंसल बोला—"लेकिन करेगी, क्यों नहीं करेगी? आखिर मकतूल की छाती में पैबस्त खंजर पर उसके फिंगरप्रिंट्स पाये गये हैं।"

सुनील सम्भल कर बैठा।

"किसके फिंगरप्रिंट्स पाये गये हैं?"

"कातिल के। उस औरत के। किधर ध्यान है?"

"जो खंजर मकतूल अमृत सिक्का की छाती में मूठ तक घुंपा पाया गया था, उस पर अचला तलवार की उंगलियों के निशान पाये गये हैं?"

"और मैं क्या कह रहा हूं?"

"शिनाख्त हो गयी?"

"पक्की। मजबूत। न झुठलाई जा सकने वाली। निर्विवाद रूप से स्थापित हुआ है कि मकतूल की छाती में से निकाले गये खंजर की मूठ पर जो बिल्कुल साफ सुथरे फिंगरप्रिंट्स पाये गये हैं, वो अचला तलवार के दायें हाथ की उंगलियों के हैं।"

"शक की कोई गुंजायश नहीं?"

"कतई नहीं।"

"लेकिन जिस औरत को एक खंजर पर से फिंगरप्रिंट्स पोंछना सूझा, उसने दूसरे पर प्रिंट्स क्यों छोड़े?"

"इसका जवाब यही है कि औरत है। औरत का दिमाग कब कैसे काम करता है, पता चलता है!"

"बड़ी लो ओपीनियन है तुम्हारी औरतों के दिमाग के बारे में!"

"क्रिमिनल माइंडिड औरतों के दिमाग के बारे में। होमीसिडिल टेंडेंसीज वाली औरतों के दिमाग के बारे में।"

"अचला तलवार ऐसी है?"

"कोई शक!"

"तो अचला तलवार कातिल?"

"हां।"

"उदिता चोपड़ा कत्ल में शरीक?"

"हां।"

"दोनों बराबर सजा की मुश्तहक?"

"बिल्कुल!"

"उदिता चोपड़ा यहां है?"

"हां।"

"मैं उससे मिल सकता हूं?"

"नहीं।"

"सिर्फ पांच मिनट के लिये!"

"मुझे ऐसी मुलाकात कराने का अख्तियार नहीं है। इंस्पेक्टर साहब के लौटने का इंतजार करो, शायद वो मेहरबान हो जायें।"

"कब लौटेंगे?"

"देर से। पहले ही बोला।"

"कितनी देर से?"

"बहुत देर से। हो सकता है कल।"

"मैं कल तक इंतजार करूं?"

"मैंने कब कहा! तुम्हारी मर्जी है, जब तक जी चाहे, करो। जब तक कर सकते हो, करो।"

"पोस्टमार्टम हो गया?"

"हां।"

"रिपोर्ट क्या कहती है?"

"वही जो एफआईआर कहती है।"

"कोई नयी बात नहीं पोस्टमार्टम रिपोर्ट में?"

"नहीं।"

"मुझे रिपोर्ट दिखा सकते हो?"

"नहीं।"

"आई एम ए मीडिया पर्सन, रिमेम्बर?"

"यू आर। यू आर। बट यू आर नॉट दि ओनली मीडिया पर्सन। तुम्हारे जैसे शहर में दर्जनों हैं, बल्कि सैकड़ों हैं। मुझे किसी ने नहीं बताया कि बतौर

मीडिया पर्सन तुम्हारे—खास तुम्हारे, 'ब्लास्ट' के—कुछ अतिरिक्त अधिकार हैं।"

"पोस्टमार्टम रिपोर्ट एक आम डाकूमेंट है जो तुम्हारे पीआरओ की प्रैस रिलीज का हिस्सा होता है।"

"प्रैस रिलीज का इंतजार करो। पीआरओ की प्रैस कांफ्रेंस अटैंड करो।"

"अरे, मेरे लख्तेजिगर, ये काम होते होते होंगे। अभी तो रिपोर्ट न दिखाने की कोई वजह बोलो।"

"मेरे पास नहीं है। इंस्पेक्टर साहब के पास है। उनके लौटने का इंतजार करो, फिर एक पंथ दो काज करना—उदिता चोपड़ा से मुलाकात करना और पोस्टमार्टम रिपोर्ट देखना।"

"घिस रहे हो?"

वो हंसा।

"नहीं।"—फिर बोला।

"पोस्टमार्टम कहां हुआ?"

"वहीं जहां अमूमन होता है। इंदिरा गांधी जनरल हास्पिटल में।"

"किसने किया?"

"भई, इस काम के लिये डाक्टर्स की पैनल है, उसमें से किसी ने किया।"

"किसने?"

उसने जवाब न दिया।

"डाक्टर का नाम बताने से तुम्हारी सर्विस कंडीशंस की कोई धारा भंग होती है या तुम्हारा व्रत टूटता है?"

"डाक्टर हरीश वालिया।"

सुनील ने चैन की सांस ली।

कभी डाक्टर वालिया उसके खिलाफ होता था लेकिन हाल में ऐसे हालात पैदा हुए थे कि अब वो उसका लिहाज करता था।

"ओके।"—सुनील उठता हुआ बोला—"थैंक्यू फार नथिंग।"

"चल दिये? इंस्पेक्टर साहब का इंतजार नहीं करोगे?"

"रात भर?"

"कोई तकलीफ नहीं होगी। मैं यहां बैड का इंतजाम कर दूंगा।"

"यहां कहां?"

"लॉक अप में।"

"काफी समार्ट हो गये हो अपने साहब की सोहबत में!"

"सोहबत का असर होता ही है।"

"हां, प्यारेलाल"—सुनील ने गहरी सांस ली—"छाज के साथ छलनी भी बोलने लगती है।"

सुनील हैडक्वार्टर की तीसरी मंजिल पर पहुंचा जहां कि पुलिस का टैक्नीकल स्टाफ बैठता था।

उसने जा कर सैक्शन में निगाह डाली तो अपना कोई परिचित चेहरा उसे वहां न दिखाई दिया।

दरवाजे के करीब एक हवलदार बैठा था जो इत्तफाकन सुनील को पहचानता था।

"किसे ढूंढ़ते हो, सुनील बाबू?"—वो बोला।

"नारंग को।"

"आजकल नारंग दो हैं यहां। एक कम्प्यूटर आपरेटर है, एक फिंगरप्रिंट्स एक्सपर्ट है।"

"फिंगरप्रिंट्स एक्सपर्ट नारंग को।"

"वो तो छुट्टी पर है। एक हफ्ते से। अभी एक हफ्ता और नहीं आयेगा।"

"शकील अहमद?"

"बड़े मियां गगन सहगल के साथ सामने वाले काफी हाउस में गये हैं।"

"गगन सहगल!"

"लैब टैक्नीशियन है। वाकिफ नहीं हो?"

"नहीं।"

"झण्डेवालान से ट्रांसफर हो के आया।"

"ओह! थैंक्यू।"

लिफ्ट द्वारा वो ग्राउंड फ्लोर पर पहुंचा और सड़क पार करके उस साउथ इंडियन काफी हाउस में पहुंचा जिससे वो पहले से वाकिफ था। दरवाजे पर ठिठक कर उसने वहां के विशाल हाल में निगाह फिराई तो एक कोने की टेबल पर उसे शकील अहमद और उसका एक हमउम्र आदमी आमने सामने बैठे काफी पीते दिखाई दिये।

सुनील लम्बे डग भरता उनके करीब पहुंचा।

"आदाब बजा लाता हूं, बड़े मियां।"—सुनील मधुर स्वर में बोला, इशारे से उसने दूसरे शख्स का भी अभिवादन किया।

शकील अहमद ने सिर उठाया।

"अरे, सुनील बाबू"—वो हर्षित भाव से बोला—"आओ, आओ। बैठो।"

"थैंक्यू।"

"कैसे हो?"

"ठीक। आप कैसे हैं?"

"बस, फजल है अल्लाह का। काफी पियोगे?"

"आप पिलायेंगे तो क्यों नहीं पिऊंगा!"

"मैं पिलाऊंगा तो क्यों नहीं पियोगे। हा हा। अभी लो।"

उसने वेटर को काफी के लिये इशारा किया।

"इनसे मिलो।"—फिर बोला—"गगन सहगल। बहुत एक्सपीरियंस्ड लैब टैक्नीशियन हैं। हैडक्वार्टर में अभी ट्रांसफर हो कर आये हैं लेकिन मेरे पुराने वाकिफ हैं।"

"हल्लो!"—सुनील ने उससे हाथ मिलाया—"मैं सुनील। सुनील चक्रवर्ती।"

"'ब्लास्ट'!"—गगन सहगल बोला।

"जी हां। नाम से वाकिफ जान पड़ते हैं!"

"खूब! पुलिस की नौकरी में कौन होगा जो इतने बड़े जर्नलिस्ट के नाम से वाकिफ नहीं होगा!"

"मैं काहे का बड़ा जर्नलिस्ट, जनाब। बड़े जर्नलिस्ट्स का मुकाम तो कहीं और ही होता है!"

"लीडरान की बगल में।"—शकील अहमद बोला—"इंडस्ट्रियलिस्ट्स के द्वारे। फिल्म स्टार्स की सोहबत में। हा हा हा। नहीं, सुनील बाबू?"

"हां।"

"जिनके बारे में अकबर इलाहाबादी साहब ने फरमाया है और क्या खूब फरमाया है—हुए इस कदर मुअज्जिज कभी घर का मुंह न देखा, कटी उम्र होटलों में मरे हस्पताल जा कर।"

"बिल्कुल सही फरमाया, बड़े मियां, लेकिन ये बात मुझ पर लागू नहीं। मैं तो बहुत मामूली पत्रकार हूं जिसके बारे में ये समझो कि मुल्ला की दौड़ मस्जिद तक। सुनील की दौड़ पुलिस हैडक्वार्टर तक।"

वेटर सुनील को काफी सर्व कर गया।

"रोज ही दिखाई दे जाते हो, सुनील बाबू!"—शकील अहमद बोला।

"बड़े मियां, कई बार तो दिन में कई कई फेरे लगाने पड़ते हैं।"—सुनील बोला—"बस, एक हाजिरी रजिस्टर में नाम नहीं है यहां वर्ना यहां के मुलाजिमों से ज्यादा हाजिरी भरता हूं यहां की।"

"हा हा।"

"आज भी दूसरी बार आया हूं। सुबह इंस्पेक्टर प्रभूदयाल की हाजिरी भरी थी, अभी फिर उन्हीं से मिलने आया था तो पता चला कि बाहर हैं, पता नहीं कब लौटेंगे। सब-इंस्पेक्टर बंसल से मिला तो उसने कोई खास मदद न की।"

"कैसी मदद चाहिये थी?"

"कल इसी इलाके में एक मर्डर हुआ न फर्स्ट क्रॉस रोड पर! संतोषी अपार्टमेंट्स में।"

"अच्छा वो! भला सा नाम था मकतूल का। हां, अमृत सिक्का।"

"वही। टैक्नीकल फ्रंट तो आप ही ने सम्भाला होगा इस केस में भी?"

"मैंने और सहगल ने। नारंग तो लम्बी छुट्टी पर है।"

"मालूम पड़ा मेरे को। बड़े मियां, काफी पिलाई है तो कोई छोटी मोटी जानकारी की खैरात भी फकीर की झोली में डाल दो।"

"इसे कहते हैं—हिनहिनाया है तो अब लीद भी कर। हा हा हा।"

शकील अहमद खुशमिजाज आदमी था, हर बात पर हंसता था।

"तो फिर?"—सुनील आशापूर्ण स्वर में बोला।

"कल सुबह ग्यारह बजे एसीपी की प्रैस कांफ्रेंस है इसी केस के सिलसिले में। हाजिरी भरना।"

"गरीबपरवर, आपको तो मालूम है मैं बेसब्रा आदमी हूं, इंतजार नहीं कर सकता।"

"खुदा से सब्र की इल्तजा किया करो।"

"करता हूं। कहता हूं या खुदा सब्र दिला लेकिन अभी दिला।"

"हा हा हा। बातें बढ़िया करते हो, सुनील बाबू!"

"और मुझे आता क्या है!"

"क्या चाहते हो?"

"जो कत्ल हुआ है उसमें एक नयी ही तरह की घुंडी सरक आयी है कि अलायकत्ल एक नहीं, दो हैं। कत्ल की वजह छाती में खंजर घोंपा जाना है लेकिन एक नहीं, दो खंजरों की हाजिरी है। एक जो मकतूल की छाती में घुंपा पाया गया, वो तो अलायकत्ल है ही, एक खंजर और भी बरामद हुआ है, उसको भी अलायकत्ल का दर्जा दिया जा रहा है। एक कत्ल में दो हथियार इस्तेमाल हुए होना कोई बड़ी बात नहीं लेकिन तब बड़ी बात है जबकि लाश पर जख्म—स्टैबिंग वूंड—एक ही हो। आप इस पेचीदगी पर कोई रौशनी डाल सकते हैं?"

"सुनील बाबू, मैं फिंगरप्रिंट्स एक्सपर्ट हूं, फिंगरप्रिंट्स से ताल्लुक रखती किन्हीं पेचीदगियों पर ही रोशनी डाल सकता हूं। कत्ल की पेचीदगियों की घुंडियां खोलना क्राइम एक्सपर्ट्स का काम होता है, क्रिमिनॉलोजिस्ट्स का काम होता है।"

"आप अपने काम की बाबत ही कुछ बताइये, आपने क्या किया?"

"मेरे पास जो अदद लाये गये, फिंगरप्रिंट्स के लिये उनका मुआयना किया, जो कम्पैरिजन का काम हो सकता था, वो किया, रिपोर्ट बनायी, इंस्पेक्टर प्रभूदयाल को पेश की, मेरा काम खत्म।"

"अदद क्या थे?"

"एक कचरे के ड्रम का वो ढ़क्कन था जिसको उस औरत ने हैंडल किया था जो कि मर्डर सस्पैक्ट है..."

"अचला तलवार।"

"जो भी नाम है उसका...वैसे यही है मेरे खयाल से। बताया जाता है कि उसने अपने बायें हाथ से वो ढ़क्कन उठाया था इसलिये हैंडल पर उसके फिंगरप्रिंट्स हो सकते थे। दूसरा अदद उसी कचरे के ड्रम से बरामद हुआ एक खंजर था

और तीसरा अदद एक और खंजर था जो कि मकतूल की छाती में पैबस्त पाया गया था और जिसे एहतियात से वहां से निकालकर मेरे हवाले किया गया था।"

"दोनों खंजर एक जैसे थे?"

"हां। कोई फर्क था तो वो मेरे नोटिस में नहीं आया था।"

"मकतूल की छाती में से निकाले गये खंजर पर—अदद नम्बर तीन पर—फिंगरप्रिंट्स थे!"

"थे। मैंने उस पर से बिल्कुल क्लियर फिंगरप्रिंट्स उठाये थे जो कि मर्डर सस्पैक्ट अचला तलवार के दायें हाथ के फिंगरप्रिंट्स से ऐन मिलते पाये गये थे।"

"शक की कोई गुंजायश नहीं?"

"कतई कोई गुंजायश नहीं।"

"वो औरत उस बाबत क्या कहती है?"

"वही कहती है जो उसका कहना बनता है, जो हर कातिल का दावा होता है—'मैंने कत्ल नहीं किया'। वो भी यही कहती है कि उसने कत्ल नहीं किया इसलिये नहीं जानती कि लाश में पैबस्त खंजर पर उसकी उंगलियों के निशान कैसे आ गये! पुलिस को पुरजोर आवाज में झूठा तक करार देती है।"

"पुलिस को झूठा करार देती है?"

"हां। कहती है चोर बहकाने के लिये झूठ बोलने जैसा टुच्चा काम कर रहे हैं कि अलायकत्ल पर उसकी उंगलियों के निशान हैं।"

"आलायकत्ल की मिल्कियत कबूल करती है?"

"नहीं।"

"ये कबूल करती है कि उसके पास दो खंजर थे?"

"नहीं। एक खंजर की मिल्कियत कबूल करती है जिसकी बाबत बहुत दबाव के बाद उसने कबूल किया था कि उसने उसे कचरे के ड्रम में डाला था। अपने इसी एक्शन को सबूत के तौर पर पेश करती है कि लाश में पैबस्त पाया गया खंजर उसका नहीं था।"

"कचरे के ड्रम से बरामद हुए खंजर की फिंगरप्रिंट्स के मामले में क्या पोजीशन थी?"

"उस पर फिंगरप्रिंट्स नहीं थे।"

"बिल्कुल ही नहीं थे?"

"हां।"

"किसी ने बहुत एहतियात से पोंछ डाले!"

"हां। लेकिन हमारे सहगल साहब"—उसने गगन सहगल की तरफ इशारा किया—"कहते हैं कि उस खंजर पर निशान न पाये जाने की एक और वजह भी मुमकिन है।"

"वो क्या?"

"बताओ, भई।"

"वो खंजर"—सहगल बोला—"एक पोलीथीन बैग में डाल कर लैब में लाया गया था। क्योंकि वो गीले कचरे के नीचे दबा रहा था इसलिये गंदगी से बुरी तरह से लिथड़ा हुआ था। जब पूरी एहतियात से उसे गंदगी से आजाद करके उसका फिंगरप्रिंट्स के लिये मुआयना किया गया था तो वो उस पर नहीं पाये गये थे। मेरी राय में उस खंजर की बरामदी के वक्त तक गीले कचरे में पड़े रहने की वजह से उस पर अगर कोई फिंगरप्रिंट्स थे तो वो पहले ही कचरे के गीलेपन से पुंछ गये थे।"

"मुमकिन तो है ऐसा होना!"

"इसीलिये मैंने ये सम्भावना जाहिर की थी कि उस खंजर की मूठ पर से फिंगरप्रिंट्स पोंछे नहीं गये थे, वो खंजर के कई घंटे कचरे में दबा रहने की वजह से पुंछ गये थे।"

"अगर ऐसे फिंगरप्रिंट्स पुंछ गये थे तो खून के अवशेष क्यों न पुंछे?"

"क्या बोला?"

"पुलिस के इनवैस्टिगेटिंग आफिसर का कहना है कि खंजर के फल पर से खून को पोंछ दिया गया था। अब ये बात तो मुमकिन नहीं लगती कि जिसने फल पर से खून पोंछा, उसने हैंडल पर से फिंगरप्रिंट्स न पोंछे! या कोई हो सकता है ऐसा नादान जिसे फल पर से खून पोंछना सूझे, हैंडल पर से फिंगरप्रिंट्स पोंछना न सूझे?"

दोनों के सिर इंकार में हिले।

"अब सवाल ये है कि खून भी गीले, लिथड़ने वाले कचरे ने धो दिया या..."

"ऐसा नहीं हुआ था।"—सहगल बोला।

"अच्छा!"

"हां। अगर खंजर पर से खून यूं धुला होता तो हवा में न उड़ गया होता, वो आसपास के कचरे को लगा हुआ मिलता। लेकिन फिंगरप्रिंट्स यूं धुल जायें तो समझो कि हवा में ही उड़ गये।"

"लिहाजा किसी ने खंजर के फल पर से खून पोंछ कर खंजर को कचरे में फेंका!"

"हां। लेकिन वो शख्स उसे यूं न पोंछ पाया कि वो क्लीनिकली क्लीन हो जाता, खून के अवशेष फिर भी खंजर पर रहे जो कि माइक्रोस्कोपिक एग्जामिनेशन से पकड़ में आ गये, आगे पड़ताल हुई तो वो मकतूल अमृत सिक्का के ब्लड ग्रुप से मिलते पाये गये।"

"जनाब, अगर उस खंजर पर से खून पोंछा गया था तो यकीन जानिये फिंगरप्रिंट्स भी पोंछे गये थे, वो किसी मुमकिन या नामुमकिन तरीके से उस पर से धुल नहीं गये थे।"

"अरे, सुनील बाबू"—शकील अहमद बोला—"तुमने तो हमारे सहगल साहब की एक्सक्लूसिव थ्योरी को ही धो दिया! हा हा हा।"

"मेरी ऐसी कोई मंशा नहीं, बड़े मियां, लेकिन मेरी कामनसैंस ये कहती है कि जैसे किसी सतह पर से खून पोंछा जाये तो उसके अवशेष फिर भी कहीं न कहीं रह जाते हैं; वैसे ही फिंगरप्रिंट्स के भी अवशेष कहीं न कहीं रह जाते हैं लेकिन वो आइडेंटिफिकेशन के काबिल नहीं हो सकते। कहीं खून लगा है, ये बात माइक्रोस्कोप बड़ी बारीकी से स्थापित कर सकता है, कहीं से फिंगरप्रिंट्स पोंछे गये हों तो मैं नहीं समझता कि उनको किसी भी उपकरण से पढ़ा जा सकता है, क्लासीफाई किया जा सकता है।"

"क्या कहना चाहते हो?"—सहगल शुष्क स्वर में बोला।

"ये कि किसी को खंजर पर के फिंगरप्रिंट्स की जितनी परवाह थी, उतनी उस पर लगे खून की परवाह नहीं थी। कातिला की ऐसी सोच रही हो, ये बात तर्क की कसौटी पर खरी नहीं उतरती।"

"उसने कबूल किया है खंजर उसका है।"

"ऐसा इकबाल कोई बेगुनाह ही कर सकता है। वो अपनी जुबानी खंजर को अपना करार न दे तो पुलिस सात जन्म साबित नहीं कर सकती कि खंजर उसका है।"

"डिटेक्टिव एजेंसी के परमेश राणा नाम के एक फील्ड आपरेटर की सूरत में उसके खिलाफ एक चश्मदीद गवाह है।"

"किस बात का चश्मदीद गवाह है? इस बात का कि उसने अचला तलवार को पीठ पीछे से कचरे के ड्रम के करीब खड़े देखा था, ड्रम का ढ़क्कन उठा कर भीतर झांकते देखा था।"

"कोई चीज फेंकते देखा था जो कि खंजर थी।"

"खंजर फेंकते नहीं देखा था। कुछ भी फेंकते नहीं देखा था। खाली कोहनी और कंधे की जुम्बिश की एक तर्जुमानी की थी जो पुलिस को जंच गयी थी इसलिये उन्होंने अडाप्ट कर ली थी और खंजर की बरामदी के बाद जो कूद कर इस नतीजे पर पहुंच गये थे कि अचला तलवार ने कचरे के ड्रम में खंजर डाला था लेकिन उसको मर्डर वैपन करार देते—बावजूद इसके कि उस पर मकतूल के ब्लड ग्रुप का खून लगा पाया गया—उनका मुंह दुखता है क्योंकि मर्डर वैपन तो पहले से उपलब्ध है जो कि मकतूल की छाती में पैबस्त पाया गया था और जिसकी मूठ पर अचला तलवार के फिंगरप्रिंट्स पाये गये थे। दो मर्डर वैपंस को जस्टीफाई करने में पुलिस को दांतों पसीने आ जायेंगे, आप देखना।"

सहगल खामोश रहा।

"लाश में पैबस्त पाये गये खंजर को मर्डर वैपन करार देने के लिये पुलिस को कचरे के ड्रम वाले खंजर को नजरअंदाज करना पड़ेगा और मर्डर सस्पैक्ट ने कचरे के ड्रम वाले खंजर की अपनी प्रापर्टी के तौर पर शिनाख्त की है, लाश वाले खंजर की नहीं।"

"मैंने दोनों खंजर फिंगरप्रिंट्स के लिये हैंडल किये हैं"—शकील अहमद बोला—"दोनों देखने में एक जैसे हैं, मुलजिमा को मुगालता लगा हो सकता है।"

"क्या मुगालता? कि उसका खंजर ड्रम वाला नहीं, लाश वाला था?"

"हां।"

"लिहाजा कातिल वो?"

"क्यों नहीं?"

"तो फिर ड्रम वाले खंजर को अपना बताने का क्या मतलब?"

"कनफ्यूजन फैलाने के लिये।"

"लिहाजा इरादतन उसने गलत शिनाख्त की?"

"हां।"

"तो फिर मुगालता लगने का क्या मतलब?"

शकील अहमद गड़बड़ाया।

"लाहौल!"—फिर एकाएक बोला—"हम कैसी गैरजरूरी बहसबाजी में पड़े हुए हैं! हमारा इन बातों से क्या मतलब! अरे, सुनील बाबू, ये बातें करनी हैं तो जा कर केस के इनवैस्टिगेटिंग आफिसर से करो जो कि इंस्पेक्टर प्रभूदयाल है। हमें तो ये बताओ कि काफी एक प्याली और पियोगे?"

"अरे, नहीं, जनाब, एक से ही खुश हो गया मैं।"

"कोई दोसा! इडली! बड़ा..."

"छोटा।"

"क्या?"

"सवाल।"

"अभी भी!"

"नया कोई नहीं। एक अदद बाकी रह गया जिक्र में आने से, बस उसकी बाबत।"

"कौन सा अदद?"

"कचरे के ड्रम का ढ़क्कन। जो फिंगरप्रिंट्स की पड़ताल के लिये आपको सौंपा गया था!"

"अरे, हां, सुनील बाबू, ढ़क्कन—हा हा हा—तो रह गया!"

"आपने फिंगरप्रिंट्स के लिये उसकी पड़ताल की?"

"करनी ही थी! नौकरी जो ठहरी!"

"क्या पाया?"

"फिंगरप्रिंट्स पाये—कुछ क्लियर थे, पढ़े जाने के काबिल थे, कुछ बिगड़े हुए थे। पहली किस्म में से एक तो साफ साफ मुलजिमा अचला तलवार के बायें हाथ की बीच की उंगली का था।"

"बाकी?"

"अरे, सुनील बाबू, बोला न, बाकी बिगड़े हुए थे, पढ़े जा सकने के काबिल नहीं थे।"

"वो नहीं, बड़े मियां, वो नहीं। मैं उन बाकी फिंगरप्रिंट्स की बात कर रहा हूं जो क्लियर थे, स्पष्ट थे, आसानी से पढ़े जा सकने के काबिल थे! ढ़क्कन के हैंडल पर ऐसा प्रिंट एक ही तो नहीं होगा न, जो कि कम्पैरिजन पर अचला तलवार का पाया गया था!"

"नहीं, और भी थे।"

"मेरा सवाल उन्हीं के बाबत है।"

"उनकी पड़ताल गैरजरूरी थी।"

"क्यों भला?"

"क्योंकि पुलिस की तफ्तीश की जिस जरूरत के तहत पड़ताल के लिये वो ढ़क्कन मुझे सौंपा गया था, वो पूरी हो चुकी थी।"

"इसलिये आपने अपना काम बीच में ही छोड़ दिया!"

"बीच में नहीं छोड़ दिया। मुकम्मल किया। साबित करके दिखाया कि मकतूला ने उस ढ़क्कन को हैंडल किया था।"

"पुलिस के काम को मुकम्मल किया। पुलिस का काम था बाजरिया फिंगरप्रिंट्स अचला तलवार के खिलाफ उस संगीन जुर्म का पुख्ता सबूत खड़ा करना जिसको कि उसने अंजाम दिया। अपना काम तो आपने मुकम्मल न किया! उसे तो आपने तभी, वहीं अधूरा छोड़ दिया जब आपको एक मैच मिल गया जो कि पुलिस का मनभावना सबूत बना।"

"अरे, सुनील बाबू, कहीं मेरे पर तोहमत तो नहीं जड़ रहे हो!"

"नहीं, जनाब, मैं ऐसी गुस्ताखी नहीं कर सकता। मैं तो महज पुलिस की कार्यप्रणाली पर कमैंट पास कर रहा हूं जो एक अपना पसंदीदा मुलजिम छांट लेते हैं और फिर अपना सारा जोर जैसे तैसे उसी का पुलंदा बांधने पर लगा देते हैं। मुझे यकीन है कचरे के ड्रम का ढ़क्कन आपको सौंपते वक्त पुलिस ने आपको ये नहीं कहा होगा कि 'देखो, इस पर किस के फिंगरप्रिंट्स हैं', बल्कि कहा होगा 'देखो, इस पर अचला तलवार के फिंगरप्रिंट्स हैं या नहीं'! पुलिस की इस बायस्ड एटीच्यूड के जेरेसाया ज्यों ही आपको ढ़क्कन पर अचला तलवार के फिंगरप्रिंट्स का मैच मिला, आपने वहीं काम से हाथ खींच लिया और रिपोर्ट पेश कर दी। आप भी राजी पुलिस भी खुश।"

"मुझे जो हुक्म हुआ था"—वो अप्रसन्न भाव से बोला—"मैंने वो बजाया था।"

"यकीनन। और ज्यों ही हुक्म की तामील हुई, काम से हाथ खींच लिया, उसके सिरे तक पहुंचने की, उसको मुकम्मल करने की कोशिश ही न की।"

"तुम फिर मेरे पर तोहमत..."

"अगर आपको ऐसा लग रहा है तो मैं शर्मिंदा हूं लेकिन मैं अपनी इस बात

पर कायम हूं कि ढ़क्कन के हैंडल पर जो और स्पष्ट प्रिंट्स थे, उनको पढ़ने की, क्लासीफाई करने की कोशिश आपने न की।"

"ठीक किया।"—एकाएक सहगल बोला—"तुम क्या समझते हो फिंगरप्रिंटिंग की साईंस को!"

"मैं फिंगरप्रिंटिंग की साईंस को नहीं समझता, लेकिन पुलिस की मैंटेलिटी को, उसकी एटीच्यूड को, उसकी कार्यप्रणाली को बराबर समझता हूं—खासतौर से कत्ल के केस की इनवैस्टिगेशन की उनकी कार्यप्रणाली को बराबर समझता हूं। एक सस्पैक्ट छांट लो और फिर तफ्तीश में जो हाथ आये उस पर थोपते चलो।"

"तुम बात को जनरलाइज कर रहे हो जो कि गैरजरूरी है। उसी केस पर रहो जिसकी इस वक्त बात हो रही है।"

"हां, सुनील बाबू"—शह पा कर शकील अहमद भी पुरजोर लहजे में बोला—"ड्रम के ढ़क्कन पर पाये गये तमाम क्लियर प्रिंट्स की पड़ताल न जरूरी थी, न मुमकिन थी। किचन स्टाफ के दर्जनों लोग उस कचरे के ड्रम को इस्तेमाल में लाते थे। वो किचन से बाहर पिछवाड़े की गली में पड़ा था इसलिये कोई आता जाता भी उसे इस्तेमाल में ला सकता था—खुद मुलजिमा का दर्जा भी किसी आते जाते का ही था—क्या पता कल दोपहरबाद किस किसने उस ढ़क्कन को उठाया और वापिस रखा! फिंगरप्रिंट्स मैचिंग के मामले में इतने लोगों की तहकीकात कैसे हो सकती है! इतनी वसीह पड़ताल न जायज थी, न जरूरी थी।"

"इसलिये एक, पुलिस के मतलब का, मैच मिलते ही आपने उससे हाथ खींच लिया!"

"ऐन यही किया मैंने। और ठीक किया।"

"फिर भी आप बाकी स्पष्ट प्रिंट्स की भी पड़ताल करते तो..."

"क्यों करता? कोई वजह तो हो करने की!"

"आप खफा हो रहे हैं!"

वो सकपकाया, उसने एक क्षण अवाक् सुनील की तरफ देखा।

"मैं खफा हो रहा हूं!"—फिर बोला—"हा हा हा। अरे सुनील बाबू, पहले कभी मैं खफा हुआ तुम पर?"

"नहीं, कभी नहीं।"

"तो फिर?"

"सॉरी।"

"पुलिस का कारोबार ऐसे ही चलता है, बिरादर, और तुम इस बात से बाखूबी वाकिफ हो, अभी खुद अपनी जुबानी जाहिर करके हटे हो। मेरे को हुक्म हुआ ये ढ़क्कन काबू में करो और चैक करो कि क्या इसको कातिला ने हैंडल किया था! मैंने चैक किया तो पाया कि किया था। क्या खराबी है इसमें?"

"ऐसे तो कोई खराबी नहीं!"

"तो फिर?"

"आपने कहा कि ढ़क्कन को दर्जनों लोगों ने हैंडल किया हो सकता था..."

"एक मिसाल दी, भई।"

"आपको क्या मालूम!"

"बहुत बाल की खाल निकालते हो, सुनील बाबू।"

"एएसएम जो ठहरा!"

"असिस्टेंट स्टेशन मास्टर! अरे सुनील बाबू, तुम रेलवे के..."

"आदत से मजबूर।"

"आदत से मजबूर! हा हा हा।"

"आपको क्या मालूम ढ़क्कन को दर्जनों लोगों ने हैंडल किया था! उसकी हैंडलिंग को मानीटर करने के लिये आप तो वहां नहीं थे!"

"क्यों भई, सुनील बाबू, अमरीका का चंद्रयान जब चांद पर उतरा था और आदम का बच्चा चांद पर चला था तो तब मैं वहां था या तुम वहां थे?"

"दिस इज आबवियस।"—सहगल बोला—"इट स्टैण्ड्स टु रीजन।"

"और ये खयाली बात ही नहीं है। इस बात का सबूत है कि उस दौरान कचरे का ड्रम उस काम के लिये इस्तेमाल में लाया गया था जिसके लिये कि वो वहां मौजूद था।"

"सबूत है?"—सुनील की भवें उठीं।

"बिल्कुल! जो खंजर उस कातिल मोहतरमा ने ड्रम में डाला था, बाद में वो पुलिस को कचरे की सतह पर पड़ा नहीं मिला था, कचरे के नीचे दबा पड़ा मिला था। इसी वजह से उसकी बरामदी के लिये पुलिस वालों को ड्रम का सारा कचरा बाहर उलटना पड़ा था। अगर अचला तलवार के ढ़क्कन उठाने के बाद से वो नहीं उठाया गया था तो खंजर को दफन करने के लिये कचरा क्या जादू के डोर से ड्रम में आ गया?"

"ऐसा कैसे हो सकता है!"

"और कचरा ड्रम में वैसे ही डाला गया, जैसे कि डाला जाता है। और जब जब और कचरा डाला गया, तब तब ढ़क्कन उठाया गया, ये जानने के लिये वहां मौजूद होना जरूरी नहीं, कचरे की डिस्पोजल का चश्मदीद गवाह होना जरूरी नहीं। या है?"

"नहीं।"

"तो फिर?"

"जान की अमान पाऊं तो कुछ अर्ज करूं?"

"समझते हो अभी भी कुछ बाकी हैं कहने को?"

"है तो सही!"

"कहो।"

"पहले वादा कीजिये कि आप फिर खफा नहीं हो जायेंगे!"

"फिर खफा नहीं हो जाऊंगा! हा हा हा। अरे, सुनील बाबू, मैं पहले कब खफा हुआ!"

"तो सुनिये। ये एक स्थापित तथ्य है—जिसकी कि 'श्रीलेखा' से तसदीक की जा सकती है, जैसे कि मैंने की—कि आज कल 'श्रीलेखा' का स्टाफ अपनी किन्हीं मांगों को ले कर असहयोग आंदोलन पर है जिसकी वजह से फुटे से नाप कर काम करता है। इस वजह से वो रेस्टोरेंट आज कल सवा दो बजे बंद हो जाता है और फिर शाम को सात बजे खुलता है। इन पाबंदियों, इन मजबूरियों के तहत वहां दोपहरबाद किचन का कचरा आखिरी बार ढ़ाई बजे डाला जाता है। परसों भी ऐन यही हुआ था। ढ़ाई बजे के बाद कचरा डालने के लिये उस ड्रम का इस्तेमाल शाम साढ़े सात बजे हुआ था और उससे पहले पुलिस ड्रम में से खंजर बरामद कर चुकी थी। मेरी बात का मर्म समझ में आया, आला हजरत?"

शकील अहमद मुंह बाये उसका मुंह देखने लगा।

"परमेश राणा की गवाही के मुताबिक अचला तलवार ने दो बजकर पचास मिनट पर जा कर कचरे के ड्रम का ढ़क्कन उठाया था—मान लिया कि खंजर डालने के लिये ही उठाया था—लेकिन जब तब से लेकर शाम साढ़े सात बजे तक उस ड्रम में किचन का कोई कचरा नहीं डाला गया था तो खंजर कचरे की सतह पर क्यों न मिला? वो कचरे के नीचे दबा कैसे पाया गया?"

शकील अहमद को जवाब न सूझा।

"मामूली बात है।"—सहगल लापरवाही से बोला।

"अच्छा!"—सुनील की भवें उठीं।

"हां। इस बात पर गौर करो कि उस औरत की खंजर को ड्रम में डालने के पीछे मंशा क्या थी!"

"क्या थी?"

"खंजर को गायब करना। खंजर को कचरे में दफनाया, कचरा गाड़ी आयी और कचरा ले गयी। आगे किसी लैंडफिल में जहां कचरा डम्प, वहां खंजर डम्प।"

"क्या कहना चाहते हो?"

"जब उस औरत की ये मंशा थी तो क्यों वो खंजर को कचरे की सतह पर छोड़ेगी जहां कि ढ़क्कन उठाते ही वो किसी को भी दिखाई दे सकता था?"

"क्या करेगी?"

"उसे कचरे में नीचे, गहरा धकेलेगी ताकि वो निगाहों से ओझल हो जाये।"

"ऐसा करने के लिये ढ़ेर झुकना पड़ता है। पुलिस का गवाह बना परवेश राणा कहता है कि उसने पीठ पीछे से महज दायीं कोहनी और कंधे में मामूली हरकत देखी थी। और वो ढ़क्कन उठा के महज ड्रम में झांक रही थी।"

"वो हड़बड़ी का बयान था। अपना नया बयान वो रिकार्ड करा चुका है।"

"अचला तलवार ने खंजर ड्रम में डाला ही नहीं, उसे कचरे में गहरा भी धकेला?"

"हां।"

"ऐसा करते वक्त बांह को—चलिये बांह न सही कलाई को—कचरे से, वो भी गीले कचरे से, लिथड़ने से कैसे बचाया?"

"क्या!"

"उसकी कलाई लिथड़ी होती तो यकीनी तौर पर वो परवेश राणा की निगाह में आयी होती। उसके नये बयान में इस बात का जिक्र है?"

सहगल खामोश हो गया।

"फिर लिथड़ी हुई कलाई को साफ करने के लिये अचला तलवार को लेडीज वाशरूम में जाना पड़ा होता। क्या राणा के बयान में जिक्र है कि पिछवाड़े से वापिस लॉबी में पहुंचने के बीच अचला तलवार वाशरूम में भी गयी थी?"

सहगल परे देखने लगा।

"उस रोज वो पूरी बांह की गुलाबी रंग की कार्डीगन पहने थी। क्या गवाह ने कचरे में हाथ धंसाने से पहले उसे कार्डीगन की आस्तीन चढ़ाते देखा था? या खंजर वाला हाथ ऐसे ही कचरे में धंसा दिया था ताकि कार्डीगन भी गंदी हो जाती और धोने से भी आसानी से साफ न होती!"

"सुनील बाबू"—शकील अहमद बोला—"ये बातें हमारे साथ करने की किस्म की नहीं हैं।"

"मैं कहां कर रहा हूं! मैं तो जो बात मेरे से की जा रही है, उसका जवाब दे रहा हूं!"

शकील अहमद का सिर मशीनी अंदाज से सहमति में हिला।

"जो बातें हमारे बीच हुई हैं"—सुनील बोला—"आप उनका जिक्र केस के इनवैस्टिगेटिंग आफिसर से किये बिना नहीं रहेंगे। नतीजा ये होगा कि पुलिस का गवाह परमेश राणा अभी तीसरा बयान देगा जिसमें उसे 'अब याद आया' होगा कि अचला तलवार ड्रम पर काफी झुकी थी और ऐसा करने से पहले उसने अपनी कार्डीगन की दायीं आस्तीन कोहनी तक चढ़ाई थी—ये एक्सप्लेन करने की पुलिस कोई जरूरत महसूस नहीं करेगी कि दूसरे हाथ से तो वो ड्रम का ढक्कन उठाये थी, फिर कार्डीगन की आस्तीन उसने कोहनी तक कैसे रोल की—गवाह ये भी 'अब याद आया' बोलेगा कि लॉबी में लौटने से पहले वो लेडीज बाथरूम में गयी थी। पुलिस चाहे तो, उसको रास आये तो, वो गवाह से ये भी कहलवा सकती है कि ड्रम में खंजर अचला तलवार ने नहीं, उसने डाला था।"

"रिपोर्टर साहब"—सहगल बोला—"यू हैव वैरी पुअर ओपीनियन आफ पुलिस।"

"दि होल नेशन हैज पुअर ओपीनियन आफ...नाट ओनली पुलिस, आफ आल गवर्नमेंट सर्वेंट्स।"

"अपना अपना खयाल है।"

"अरे, सुनील बाबू"—शकील अहमद गिला करता बोला—"मेरे को तो बख्शना था!"

"आई एम सारी, बड़े मियां। हालात की रवानगी में मैं कुछ ज्यादा बोल गया वर्ना सब जानते हैं कि पांचों उंगलियां बराबर नहीं होतीं।"

"पहले तोलो, फिर बोलो।"

"बिल्कुल! बिल्कुल! आइंदा ध्यान रखूंगा।"—सुनील उठ खड़ा हुआ—"आई एम सारी, सहगल साहब।"

सहगल होंठों में कुछ बुदबुदाया।

"नो हार्ड फीलिंग्स!"

उसने अनमने भाव से सहमति में सिर हिलाया।

"काफी का शुक्रिया, बड़े मियां।"

"यू आर वैलकम, सुनील बाबू। फिर आना, लेकिन काफी पीने ही आना, पुलिस को कोसनों से नवाजने न आना। हा हा हा।"

सुनील वहां से रुखसत हुआ।

रात के नौ बजे सुनील यूथ क्लब में रमाकांत की सोहबत में था, उसके साथ 'पैग-पैग' खेल रहा था, जबकि रमाकांत के मोबाइल पर काल आयी।

दो मिनट रमाकांत अपने मोबाइल के हवाले रहा। आखिर उसने फोन से किनारा किया।

"तेरे मतलब की काल थी।"—फिर बोला।

"अच्छा!"—सुनील सम्भल कर बैठा।

"थैंक्यू बोल।"

"पहले पता तो लगे किस बात के लिए थैंक्यू बोलना है!"

"क्यों भई, मैं तेरे से झूठ बोलूंगा! जब कहा तेरे मतलब की काल थी तो थी तेरे मतलब की काल!"

"लेकिन..."

"खसमां नूं खा। नहीं थी तेरे मतलब की काल। मेरे मतलब की काल थी मुम्बई से। अपनी बताशा की।"

"क्या!"

"बिपाशा की। एक ही बात है। वो भी बताशा ही है।"

"अब कुछ कह भी चुको।"

"तू थैंक्यू बोल चुका?"

"हां। दो बार।"

"नशा हो गया, यार। मेरे को तो एक बार की भी याद नहीं!"

"अब, खुदा के वास्ते, उस मेरे मतलब की काल पर पहुंचो।"

"सुन। अब पुलिस को मालूम है कि मकतूल सिक्का के पास सौ सौ डालर के पचास नोट कहां से आये!"

"अच्छा!"—सुनील चौकन्ना हुआ—"कहां से आये?"

"समीर सक्सेना के पास से आये। समीर सक्सेना बोला मैंने, जिससे मिलने कल रात हम मंडेला रोड गये थे। याद आया जवान!"

"हां। पता कैसे लगा?"

"सुन। पुलिस ने एक मनीचेंजर का पता निकाला है जिससे कि मकतूल सिक्का वाकिफ था। उन्होंने मनीचेंजर से उन नोटों की बाबत सवाल किया था। पुलिस ने इस बात की तरफ ध्यान नहीं दिया था—ध्यान दिया था तो बात को किसी अहमयित के काबिल नहीं समझा था लेकिन मनीचेंजर ने फौरन नोट किया था—कि वो सारे नोट रनिंग सीरियल में थे। उस सीरियल की वजह से मनीचेंजर को याद आया कि वैसे साठ नोट उसने अपने एक रेगुलर कस्टमर समीर सक्सेना को दिये थे।"

"उसे याद थी ये बात?"

"याद थी और याद को मोहरबंद करने का जरिया था।"

"क्या?"

"गड्डी के बाकी के चालीस नोट तब भी उसके पास थे।"

"क्यों?"

"क्योंकि उसके और किसी कस्टमर ने करंसी एक्सचेंज करते समय सौ डालर के नोटों की मांग नहीं की थी; सबने भुगतान पचास, बीस, दस के नोटों में मांगा था।"

"इसलिये उसे याद था कि जब उसने सौ डालर के नये नोटों की गड्डी खोली थी तो उसमें से साठ नोट उसने अपने रेगुलर कस्टमर समीर सक्सेना को दिये थे?"

"हां। और उन्हीं साठ नोटों में से पचास किसी तरीके से मकतूल अमृत सिक्का के कब्जे में पहुंच गये थे। नहीं?"

"हां। मनीचेंजर कौन है, कहां पाया जाता है?"

"ये अभी मालूम नहीं पड़ा लेकिन ठण्ड रख, कल तक मालूम पड़ जायेगा। अब बाटम्स अप कर।"

सुनील ने अपना गिलास खाली किया।

□□□

सुबह के अभी नौ ही बजे थे जबकि सुनील होटल पैनोरमा पहुंच गया।

उसने रूम नम्बर 612 के बंद दरवाजे पर दस्तक दी।

"कौन?"—पहले की तरह भीतर से सवाल हुआ।

"सुनील।"—सुनील बोला—"अब ये न कहना कौन सुनील, किससे मिलना है!"

"हे भगवान! फिर आ गये!"

"मैं कोई गया वक्त तो नहीं कि फिर आ न सकूं।"

"अरे, दिन तो चढ़ने दिया होता!"

"माई हनीचाइल्ड, प्लीज ओपन दि डोर। एण्ड दैट्स ऐन आर्डर!"

एक झटके से दरवाजा खुला। सुजाता सक्सेना चौखट पर प्रकट हुई।

"आर्डर!"—वो गुस्से से बोली—"तुम कौन होते हो मेरे पर हुक्म चलाने वाले!"

"होता ही हूं कोई!"—सुनील कुटिल भाव से मुस्कराता बोला—"देख लो, दरवाजा खोला कि नहीं खोला!"

"मैंने तुम्हारा लिहाज किया…"

"ठीक किया। खैरख्वाह से ऐसे ही पेश आते हैं।"

"खैरख्वाह!"

"कल और क्या बोला था?"

"वो तो ठीक है लेकिन…"

"एक तरफ हटो।"

उसने सुनील के लिये रास्ता छोड़ा और उसके पीछे दरवाजा बंद किया।

"मैंने"—वो भुनभुनाती सी बोली—"एक बार तुम्हें मुंह लगा लिया…"

"दो बार।"—सुनील मुस्कराया—"एक बार मर्जी से, एक बार मजबूरी से।"

"…तो इसका मतलब ये नहीं कि…"

"मौत, ग्राहक और सुनील का कोई भरोसा नहीं, कभी भी आ सकते हैं।"

"ओफ्फोह! तुम तो मुंह नहीं खोलने देते।"

"देता हूं न! तुम्हीं ने खोलना है मुंह। मैं तो श्रोता बन के आया हूं।"

"फिर कोई सवाल…"

"है तो यही बात!"

"कल कसर रह गयी थी?"

"हां।"

"लसूड़े की जात हो…"

"चिपकू बोला, लसूड़ा बोला, मुखालिफ बोला लेकिन शुक्र है कि आखिरकार खैरख्वाह भी बोला। अब जो आखिरकार बोला, उसी का तुम्हें सदका है, इधर आ के बैठो और मेरी बात सुनो।"—सुनील एक क्षण ठिठका, फिर बोला—"प्लीज।"

चेहरे पर हिचकिचाहट के भाव लिये वो आगे बढ़ी। पिछले रोज की तरह दोनों आमने सामने बैठे।

"अब बोलो।"—वो बोली।

"सिक्का के पास तुम्हारे फ्लैट की चाबी थी?"

पहले ही सवाल पर उसने होंठ भींचे।

"क्या फायदा!"—सुनील बोला—"जब वो बंद फ्लैट के भीतर मरा पाया गया था तो उड़ के तो भीतर दाखिल नहीं हुआ होगा?"

"हां थी।"

"क्यों थी?"

"उसी सिलसिले में थी जो उसने वहां मेरे लिये आर्गेनाइज किया था।"

"और कोई वजह नहीं थी?"

"और क्या वजह होती!"

"तुम बताओ।"

"नहीं, और कोई वजह नहीं थी।"

"किसी का किसी दूसरे की आइडेंटिटी अख्तियार करना गैरकानूनी है। सिक्का ने तुम्हारे लिये ऐन तुम्हारे जैसी लड़की का इंतजाम किया, उसे तुम्हारे फ्लैट में तुम्हारी जगह स्थापित किया..."

"ऐसा कुछ नहीं हुआ था। किसी जवाबदेयी की नौबत आती तो मेरा जवाब होता कि फ्लैट को एक बहुत छोटे से अरसे के लिये सबलैट किया गया था।"

"वो भी तो गलत है!"

"है तो बात मेरे और फ्लैट के मालिक के बीच में है, मेरे और कानून के बीच में नहीं है।"

"अगरचे कि एक कत्ल न हो गया होता। कत्ल की रू में ये बात बहुत अहम हो उठती है कि, सबलैटिंग से ही सही, जो लड़की फ्लैट पर तुम्हारी जगह काबिज थी वो देखने में ऐन तुम्हारा डबल जान पड़ती थी।"

"देखो, मैं तुम्हें बता चुकी हूं कि उस सब इंतजाम की क्या वजह थी!"

"पुलिस को भी?"

"नहीं।"

"वजह?"

"जैसे तुम प्रेत बन कर कल मेरे सिर पर आन खड़े हुए थे, वैसे पुलिस...वैसा करतब पुलिस अभी नहीं कर पायी है।"

"पुलिस की सलाहियात का जैसा तबसरा तुमने कल की मुलाकात के दौरान किया था, उसकी रू में कोई ज्यादा देर तो नहीं लगेगी पुलिस से वास्ता पड़ने में! तब क्या जवाब दोगी?"

"तब की तब देखी जायेगी।"

"क्या देखी जायेगी?"

"अरे, भई, क्या पता वो नौबत आने से पहले कातिल ही पकड़ा जाये! और ये केस ही क्लोज हो जाये!"

"होपफुल थिंकिंग है!"

"कोई हर्ज है होपफुल थिंकिंग में?"

"नहीं, हर्ज तो कोई नहीं!"

"तो फिर?"

"कल तुमने कहा था कि तुम वारदात के रोज, यानी कि परसों, सिक्का से नहीं मिली थीं?"

"हां।"

"और मेरे इस बाबत इशारे को तुमने मजाक ठहराया था?"

"हां।"

"अब कैसा है रवैया तुम्हारा? अभी भी तुम इस बात पर कायम हो कि वो मजाक था, परसों तुम सिक्का से नहीं मिली थीं?"

"हां।"

"परसों दोपहरबाद तुम कहां थीं?"

"कहीं भी थी, तुम्हें क्या!"

"तूफानेहमदम तुम मेरे सवाल को टाल सकती हो लेकिन ये न भूलो यही सवाल पुलिस भी पूछेगी।"

"मिलेगी तो पूछेगी न!"

"मैं अभी मिलवा देता हूं।"

"क्या!"

"'100' पर तुम्हारे मौजूदा मुकाम की बाबत एक फोन ही तो लगाना होगा!"

"तुम ऐसा करोगे?"

"तुम्हारा हुक्म होगा तो नहीं करूंगा! मेरे मामूली सवाल को टालोगी नहीं तो नहीं करूंगा।"

"अच्छे खैरख्वाह हो!"

"बिल्कुल ऐसा ही हूं मैं।"—सुनील का स्वर शुष्क हुआ—"न होता तो पुलिस कल ही यहां पहुंची होती। या आज साथ ही ले कर आया होता। क्या प्राब्लम थी?"

उसके चेहरे पर ऐसे भाव आये जैसे रोने लगी हो।

"अब बोलो, परसों दोपहरबाद तुम कहां थीं! मामूली सवाल है। मैं नहीं समझता कि जवाब में छुपाने लायक कोई बात होगी।"

"लंच पर थी।"—वो कठिन स्वर में बोली।

"यहां रूम में?"

"नहीं।"

"होटल के किसी रेस्टोरेंट में?"

"नहीं।"

"बाहर कहीं?"

"हां।"

"कहां? किसके साथ?"

"किस के साथ' क्या मतलब? किसी के साथ क्यों?"

"तुम भूल रही हो कि तुम यहां छुप के रह रही हो। तुम्हारी अकेले लंच करने की मंशा होती तो तुम यहां से बाहर न गयी होतीं।"

"ये सवाल पूछने का मकसद क्या है?"

"मैं कत्ल के टाइम तक की तुम्हारी मूवमेंट्स ट्रेस करना चाहता हूं। जब तुम्हारा दावा है कि परसों तुम्हारी मकतूल से मुलाकात नहीं हुई थी तो ये बताने में क्या हर्ज है कि कत्ल के वक्त के आसपास तुम कहां थीं!"

"क्या है कत्ल का वक्त?"

"दो बज के तीस मिनट। पुलिस के कयास के मुताबिक दो पच्चीस और दो पैंतालीस के बीच। इस बीस मिनट के वक्फे में तुम कहां थीं, इस बाबत पुलिस भी बड़ी शिद्दत से तुमसे सवाल करेगी। अभी जवाब दोगी तो समझना पुलिस से जवाबदेयी का रिहर्सल हो गया।"

वो सोचने लगी।

"अच्छा, यही बताओ, लंच से कब फारिग हुई?"

"पौने दो बजे।"

"उसके बाद कहां गयीं?"

"एक...रेस्टोरेंट में गयी।"

"फिर?"

"हां।"

"पहले से जुदा किसी रेस्टोरेंट में?"

"हां।"

"लंच तो तुम्हारा हो चुका था! लिहाजा लंच के लिये तो तुम दूसरे रेस्टोरेंट में नहीं गयी होंगी!"

"हां।"

"तो क्यों गयी?"

वो परे देखने लगी।

"जवाब देने में मैं मदद करता हूं तुम्हारी। किसी से मिलने गयीं। ठीक?"

"हां।"

"मकतूल अमृत सिक्का से?"

"ह-हां।"

"मिला?"

"नहीं।"

"वो रेस्टोरेंट में न मिला तो फोन पर बात की होगी!"

"नहीं।"

"फोन नहीं किया था या बात नहीं हुई थी?"

"बात नहीं हुई थी।"

"कोशिश बराबर की थी? फोन किया था?"

"हां।"

"कहां?"

“उसका दिया एक नम्बर मेरे पास था, उस पर।”

“लैंड लाइन?”

“हां।”

“जो कि तुम्हारी रिहायश के मुकाम संतोषी अपार्टमेंट्स में ही तुम्हारे फ्लैट से जुदा किसी और फ्लैट में चलती थी?”

“हां।”

“उस फ्लैट में, जिसकी आकूपेंट का नाम कोमल कपूर है?”

“हां, यही नाम है मेरी जानकारी में।”

“एक ही कम्पलैक्स के बाशिंदों के तौर पर कभी मुलाकात हुई?”

“बाकायदा कभी नहीं। एकाध बार लिफ्ट में आते जाते रूबरू होने का इत्तफाक हुआ बस।”

“कभी कोई बातचीत, कोई दुआ सलाम न हुई?”

“न!”

“उस दूसरे रेस्टोरेंट में सिक्का से फोन पर अप्वायंटमेंट फिक्स करके गयी थीं या ऐसे ही चली गयी थीं क्योंकि जानती थीं कि सिक्का वहां लंच करता था इसलिये उम्मीद थी कि लंच के वक्त वो वहीं होगा?”

“जानती थी। सिक्का ने किसी और कांटैक्स्ट में कभी जिक्र किया था कि लंच आवर में वो उस रेस्टोरेंट में होता था।”

“पौने दो बजे तुम अपने लंच से फारिग हुई थीं, दूसरे रेस्टोरेंट में कब पहुंची थीं?”

“पांच सात मिनट मे पहुंच गयी थी। करीब ही था।”

“उससे पहले उससे कांटैक्ट करने की कोशिश न की?”

“न।”

“ये न सोचा कि उस टाइम तक तो लोगबाग लंच से फारिग हो लेते हैं?”

“सब नहीं। जरूरी भी नहीं।”

“इसलिये तुम्हें उम्मीद थी कि उस टाइम के बाद भी वो वहां होगा?”

“हां।”

“उम्मीद पूरी न हुई?”

“हां।”

“जल्दी चली जातीं तो मुलाकात हो जाती?”

“नहीं।”

“क्यों?”

“वो तब तक लंच के लिये वहां पहुंचा ही नहीं था।”

“कैसे जाना?”

“एक वेटर से जाना जो कि रेगुलर कस्टमर के तौर पर उसे बाई फेस और बाई नेम जानता था।”

"मुलाकात करना क्यों चाहती थीं?"

वो फिर खामोश हो गयी और बेचैनी से पहलू बदलने लगी।

"जवाब के खाते में मैं कुछ सुझाऊं?"

सकपकाये भाव से उसने सुनील की तरफ देखा।

"तुम्हारे अपने लंच के दौरान ऐसी कोई बात हुई थी, तुम्हारे और तुम्हारे लंच के कम्पैनियन के बीच ऐसा कोई मुद्दा उठा था, कि तुम्हें सिक्का से फौरन मिलना निहायत जरूरी लगने लगा था।"

तत्काल वो व्याकुल दिखाई देने लगी और निगाह चुराने लगी।

"खैर, दूसरे रेस्टोरेंट में सिक्का न मिला तो फिर क्या किया? वहीं इंतजार किया उसके आने का?"

"नहीं।"

"नहीं?"

"तुम से भी तो मिलना था! मैं पहले ही लेट हो चुकी थी, सिक्का का इंतजार करती तो और लेट हो जाती।"

"लिहाजा मेरे से मिलने के लिये निकल पड़ीं?"

"हां।"

"सिक्का से मुलाकात का खयाल छोड़ के?"

"मेरा वहां लौट के आने का इरादा था।"

"मेरे से मिल चुकने के बाद?"

"हां।"

"इसीलिये 'ब्लास्ट' के आफिस में हड़बड़ी में थीं?"

"हां।"

"आई सी।"

कुछ क्षण खामोशी रही।

"सिक्का से मुलाकात के दौरान"—फिर सुनील ने खामोशी भंग की—"तुमने सिक्का को कोई रकम दी थी?"

"लेकिन"—वो तमक कर बोली—"मुलाकात तो हुई ही नहीं थी!"

"मैं दूसरे फेरे की बात कर रहा हूं।"

"दूसरे फेरे में भी नहीं हुई थी।"

"वो वहां नहीं था?"

"नहीं था।"

"आया ही नहीं था या आ के चला गया था?"

"आया ही नहीं था।"

"ये बात तुम्हें अजीब न लगी?"

"अजीब क्या है इसमें? कई बार नहीं मन होता किसी का लंच करने का।"

"ठीक। तब न सही, हाल में कभी सिक्का को कोई रकम दी थी? हाल में जो भी मुलाकात हुई हो, उसके दौरान सिक्का को कोई पैसा दिया था?"

"हां।"

"फॉरेन करंसी में? डालर में?"

"हां।"

"क्यों?"

"क्योंकि इत्तफाक से डालर मेरे पास थे और सिक्का को वो कुबूल थे।"

"कितने?"

"छः सौ।"

"सौ सौ के छः नोट?"

"हां।"

"छः सौ डालर यानी कि तीस हजार रुपये तुमने सिक्का को दिये?"

"हां।"

"किसलिये?"

"खर्चे के लिये। उस प्रोजेक्ट पर खर्चे के लिये जिस को वो कंडक्ट कर रहा था।"

"इमपर्सनेशन का प्रोजेक्ट! डबल की फीस भरने का प्रोजेक्ट..."

"अच्छा, भई"—वो चिड़ कर बोली—"यही सही।"

"वो डालर तुम्हें तुम्हारे हसबैंड ने दिये थे?"

"यू आर टाकिंग नानसेंस!"—वो गुस्से से बोली।

"मैं इसमें कुछ सेंस पैदा करने की कोशिश करता हूं।"—सुनील धीरज से बोला—"देखो, ये स्थापित है जब सिक्का का कत्ल हुआ था तब एक गैरमामूली तौर से बड़ी रकम, वो भी डालर में, उसके बटुवे में मौजूद थी। पांच हजार डालर सौ सौ डालर के नोटों की सूरत में—कुलजमा पचास नोटों की सूरत में—उसके पास थे जिनका सोर्स, अब स्थापित है कि, तुम्हारा हसबैंड समीर सक्सेना था। एक ही सीरियल के साठ नोट तुम्हारे हसबैंड ने मनीचेंजर से हासिल किये थे और उन्हीं में से पचास किसी तरीके से सिक्का के पास पहुंच गये थे। अब ये सोचने में, बोलो, क्या खामी है कि बाकी दस में से छः कहीं तुम्हारे पास तो नहीं पहुंचे थे!"

"मेरे पास पहुंचे होते तो उस के पास से पचास की जगह छप्पन नोट बरामद हुए होते!"

"जानेजमां, अपनी ही कही बात भूल रही हो कि सिक्का को तुमने नोट खर्चे के लिये दिये थे! जैसे उसे डालर में पेमेंट कुबूल थी, वैसे जरूरी तो नहीं कि हर किसी को हो! तुम्हारे दिये डालर उसने भुनवा लिये होंगे, इंडियन करंसी में तब्दील करा लिये होंगे। नहीं?"

"हो सकता है। लेकिन मुझे डालर मेरे हसबैंड से मिले; ये न है, न हो सकता है। छः महीने से जैसी दुश्मनी सी उसके और मेरे बीच स्थापित है, उसकी रू में

वो मुझे कोई रकम दे, ये मुमकिन नहीं है। और रकम भी कैसी! चिकन फीड! चिड़िया का चुग्गा! क्यों भला! मेरा मिशन तो डाइवोर्स सैटलमेंट में उसके तन के कपड़े उतार लेने का है, उसकी चमड़ी उधेड़ लेने का है। वो जब देगा, बोरे में नोट भरके देगा। देखना तुम!"

"शुक्र है मैंने शादी नहीं की।"—सुनील होंठों में बुदबुदाया।

"क्या!"

"कुछ नहीं।"—उसने स्वर ऊंचा किया—"तो इस बात की कोई गुंजायश नहीं कि सिक्का के पास मौजूद डालर के नोट तुम्हारे पति के कब्जे से निकल कर तुम्हारे पास से होते हुए सिक्का के पास पहुंचे हों?"

"कोई गुंजायश नहीं। सिक्का को डालर मैंने दिये होते तो दो बार में क्यों दिये होते! और डालर कितने! दो लाख अस्सी हजार रुपये के बराबर के! इतने बड़े खर्चे का काम नहीं कर रहा था सिक्का मेरे लिये।"

"ठीक।"—सुनील उठ खड़ा हुआ—"ओके सनशाइन, थैंक्यू फार नथिंग।"

"जा रहे हो?"

"हां, भई!"

"यकीन नहीं आता।"

सुनील हंसा।

"अब दोबारा यहां लौट के न आना।"

उसके माथे पर बल पड़े।

"तुम्हारी ही सहूलियत के लिये बोला। आओगे तो टाइम ही जाया करोगे।"

"मतलब?"

"मैं यहां से चैक आउट कर रही हूं।"

"ओह! वापिस अपने फ्लैट में जा कर रहोगी या कहीं और?"

"ढूंढ़ना।"

"कुछ चैलेंज सा सुनाई दे रहा है मेरे को!"

"ठीक सुनाई दे रहा है। इस बार नहीं ढूंढ़ पाओगे।"

"माई डियर, गुमनाम जिंदगी किस काम की!"

"लसूड़ों का मौसम खत्म होने तक मैं ये सजा भुगत सकती हूं।"

"हा हा।"

"नमस्ते।"

सुनील इंदिरा गांधी जनरल हस्पताल पहुंचा।

डाक्टर हरीश वालिया अपने आफिस में मौजूद था।

वो वृद्धावस्था की ओर अग्रसर बड़ा सख्तमिजाज डाक्टर था, सूरत से जिसका कोई मूल्यांकन करता तो यकीन उसे डाक्टर की जगह जेलर समझता।

इस बार सुनील को उसे अपना परिचय न देना पड़ा।

"आओ, भई।"—वो संजीदगी से बोला—"सुनील ही हो न! चक्रवर्ती! 'ब्लास्ट'!"

"जी हां।"—करबद्ध अभिवादन करता सुनील बोला।

"बैठो।"

"थैंक्यू, सर।"

"मैं पहले तुम्हें जानता नहीं था, पिछली दो मुलाकातों के बाद से 'ब्लास्ट' की तरफ खास तवज्जो जाने लगी तो पता चला कि तुम तो बहुत मशहूर आदमी हो!"

"ऐसी कोई बात नहीं है, सर।"—सुनील शिष्ट भाव से बोला—"पत्रकारिता मेरा नशा है, मेरा जुनून है इसलिये मेहनत, जांमारी औरों से ज्यादा करता हूं वर्ना मेरे में और मेरे जैसे बाकी पत्रकारों में कोई फर्क नहीं।"

"खोजी पत्रकारों में!"

"जी हां।"

"जो कि तुम हो!"

"जी हां।"

"थोड़ी सी सोहबत हुई है तुम्हारी फिर भी मेरे में तुम्हारा असर आ गया है।"

"जी!"

"मुझे मालूम है तुम यहां क्यों आये हो!"

"जी!!"

"परसों मुगलबाग में एक कत्ल हुआ, कल पोस्टमार्टम हुआ, खोजी पत्रकार हो, जान ही लिया होगा कि इस काम के लिये जो डाक्टरों का पैनल है, उसमें से इस पोस्टमार्टम का काम मुझे सौंपा गया था। नहीं?"

"जी हां।"

"इसी वजह से बार बार मेरी तवज्जो तुम्हारी तरफ जा रही थी। बार बार मुझे लग रहा था कि तुम यहां पहुंचे कि पहुंचे।"

"कमाल है!"

डाक्टर मुस्कराया।

"चाय पियोगे।"—फिर बोला।

सुनील की निगाह स्वयमेव ही विशाल एग्जीक्यूटिव टेबल के एक कोने में पड़ी थर्मस की ओर उठी, वहां से फिसली तो थर्मस के बाजू में ही रखी फ्रेम में लगी तसवीर पर पड़ी जो कि उसके नौजवान—सिर्फ चौबीस साल के—इकलौते बेटे गौतम की थी जो कि कोई छः महीने पहले बैंकाक में रोड एक्सीडेंट में मारा गया था।

तत्काल डाक्टर के चेहरे पर से मुस्कराहट गायब हुई और उसकी जगह गहन उदासी ने ले ली।

"चाय पियोगे?"—वो भर्राये कण्ठ से बोला।

"नहीं, सर।"—सुनील बोला—"आपके साथ चाय पीना मेरे लिये फख्र की बात होती लेकिन...अब नहीं।...आप जानते हैं क्यों अब नहीं।"

उसने सहमति में सिर हिलाया।

"घर से चाय और सैंडविच लाता हूं।"—फिर बोला—"बिना छुए शाम को वापिस ले जाता हूं।"

"आई अंडरस्टैंड, सर। लेकिन वक्त बड़े बड़े गम भुला देता है।"

"कब आयेगा वो वक्त?"

"जल्दी आयेगा, सर। सब दिन जात न एक समान।"

"हां। ये बात तो है!"

"मैं आपके सिर्फ दो मिनट लूंगा।"

"हालिया पोस्टमार्टम के बारे में कुछ जानना चाहते हो?"

"जी हां।"

"क्या जानना चाहते हो?"

"सर, पुलिस का कहना है कि कत्ल ढ़ाई बजे हुआ था और इस संदर्भ में उन्होंने कत्ल का दो पच्चीस और दो पैंतालीस के बीच का वक्फा मुकर्रर किया है जो कि मुझे कुछ ज्यादा ही एक्यूरेट जान पड़ता है। सर, इन युअर कनसिडर्ड ओपीनियन क्या कत्ल का इतना एक्यूरेट वक्फा निर्धारित किया जा सकता है?"

"किया जा सकता है लेकिन आम हालात में नहीं। कत्ल का कोई चश्मदीद गवाह हो तो किया जा सकता है, कोई अकाट्य परिस्थितिजन्य प्रमाण हो तो किया जा सकता है लेकिन ऐसा कुछ न हो तो नहीं किया जा सकता।"

"पुलिस के सुझाये या किसी और साधन से इस केस में आपके सामने ऐसा कुछ है?"

"नहीं।"

"तो आपने क्या टाइम फैक्टर निर्धारित किया?"

"फॉरेन्सिक आबजर्वेशंस के आधार पर मैंने अपनी पोस्टमार्टम रिपोर्ट में कत्ल का वक्त डेढ़ से साढ़े तीन बजे के बीच का निर्धारित किया है।"

"आई सी। कोई स्पैशल आबजर्वेशन! कोई खास टिप्पणी!"

"भई, एक बात मैंने स्पैशल नोट के तौर पर अपनी रिपोर्ट में दर्ज की थी लेकिन लगता है कि पुलिस की निगाह में उसकी कोई अहमियत नहीं।"

"कौन सी बात?"

"बेहतर होता कि पुलिस से मालूम करते।"

"सर, पुलिस ने पोस्टमार्टम रिपोर्ट को कोई सीक्रेट नहीं रखा हुआ, वो लोग खुल कर उसकी बाबत बात करते हैं और किन्हीं भी सवालों का जवाब देने के लिये तत्पर दिखाई देते हैं लेकिन खास टिप्पणी का, किसी गैरमामूली बात का, पोस्टमार्टम के संदर्भ में सर्जन के किसी स्पैशल नोट का उन्होंने कोई जिक्र नहीं किया है।"

"अगर ऐसा है तो उन्हीं का मानना ठीक होगा कि उसकी कोई अहमियत नहीं।"

"लेकिन बात क्या है?"

डाक्टर हिचकिचाया।

"सर, मैं आपसे वादा करता हूं मैं आपसे हासिल जानकारी का कोई बेजा इस्तेमाल नहीं करूंगा।"

"मुझे तुम्हारी बात पर पूरा विश्वास है। ठीक है, सुनो। अगर कत्ल की वजह स्टैबिंग हो तो एक रूटीन के तौर पर स्टैबिंग वूंड की डाईमेंशंस को रिकार्ड किया जाता है क्योंकि उनके जरिये मर्डर वैपन की—अलायकत्ल की—शिनाख्त की सम्भावना होती है। इस केस में जो बात गैरमामूली पायी गयी थी, वो ये थी कि स्टैबिंग वूंड का साइज छाती में धंसे पाये गये खंजर से मैच नहीं करता था।"

"जी!"

"जख्म की चौड़ाई खंजर के फल की अधिकतम चौड़ाई से ज्यादा थी।"

"इसका मतलब क्या हुआ?"

"मतलब जा कर पुलिस से पूछो। या खुद सोचो।"

"लेकिन आप की कोई तो निजी राय होगी इस बारे में!"

"अपनी निजी राय मैंने अपने स्पैशल नोट में, विशेष टिप्पणी में दर्ज कर दी थी कि ये एक गैरमामूली बात है। अब पुलिस इस बात की क्या तर्जुमानी करती है, कैसे तर्जुमानी करती है, ये पुलिस जाने। इस स्टेज पर मेरा कोई निजी राय जाहिर करना ठीक नहीं होगा क्योंकि तब मेरी रिपोर्ट को अधूरी करार दिया जायेगा और मेरे पर इलजाम आयेगा कि मैंने अपना काम मुकम्मल तौर से न किया?"

"वैसे कोई निजी राय है बराबर आपकी?"

"नहीं।"

"आप बात को टालने के लिये, बहस से बचने के लिये ऐसा कह रहे हैं।"

"मेरे खयाल से चाय पी ही लो।"

"आई कैट टेक ए हिंट, सर।"—सुनील उठ खड़ा हुआ—"मुझे टाइम देने का शुक्रिया।"

उसने सिर हिला कर शुक्रिया कबूल किया।

पीठ फेरने से पहले सुनील की निगाह स्वयंमेव ही फ्रेम में जड़ी तसवीर की ओर उठ गयी।

"ये संसार"—डाक्टर के मुंह से घुटी कराह की तरह निकला—"एक नित्य जलते घर के समान है, यहां सुख की कल्पना भी करना अपराध है।"

जवान बेटे की मृत्यु के शोक से संतप्त डाक्टर को सांत्वना देने के लिये पिछली बार सुनील ने महात्मा बुद्ध के जिस उद्धरण का आसरा लिया था, डाक्टर उस घड़ी उसी को दोहरा रहा था।

अवसादपूर्ण ढंग से सिर हिलाता सुनील वहां से रुखसत हुआ।

रमाकांत 'ब्लास्ट' के आफिस में पहुंचा।

सुनील की निगाह स्वयमेव ही वालक्लॉक की ओर उठी।

साढ़े ग्यारह बजे थे।

"क्या बात है?"—वो सहानुभूतिपूर्ण स्वर में बोला—"तबीयत ठीक है न!"

"ओये, कोई वैलकम नहीं"—रमाकांत धम्म से एक कुर्सी पर बैठता बोला—"कोई हल्लो नहीं, कोई 'जी आयां नूं' नहीं, कोई 'हम घर साजन आये' नहीं, तबीयत के पीछे पड़ गया!"

"मुतवातर दो दिन कच्ची नींद से जाग गये, फिक्र तो होती है न!"

"कल का पता नहीं, आज का मैं किसी को बोल के सोया था कि वो मुझे जल्दी उठा दे..."

"अलार्म?"

"मुझे नहीं सुनाई देता। कान के पास ढ़ोल बजे तो बात दूसरी है।"

"तो किसी को बोल के सोये कि कान से पास ढ़ोल बजाये?"

"कैसे भी करे, लेकिन जगाये। खास बोला, मौसम था बहारों का फूलों ने खिलना था ते मैनूं अर्ली मार्निंग माड़ा जया यार से मिलना था, सुबह मुझे जल्दी उठा दे। कमले माईंयवे ने पता नहीं किसको उठा दिया! मैं इधर के आधे रास्ते में था तो मुझे सूझा कि मैं तो कोई और था!"

"फिर?"

"फिर क्या! वापिस गया, खुद अपने आपको उठाया और आनन फानन यहां पहुंचा तेरे द्वारे।"

"अहोभाग्य!"

"वो तो हुआ लेकिन पहले बता तेरा मोबाइल कहां है?"

सुनील ने जेबें टटोलीं।

"पता नहीं कहां है!"—फिर हड़बड़ाया—"शायद घर रह गया।"

"किसी दिन खुद को भी कहीं रख के भूल जायेगा फिर ढूंढ़ता फिरेगा।"

"खुद को!"

"और क्या!"

"काफी पियोगे?"

"काफी से ज्यादा पिऊंगा। और क्या मिलता है यहां?"

"वैज सैंडविच। ब्रैड पकोड़ा, आलू बोंडा, बिस्कुट..."

"कोई इंसानी कंसम्पशन के काबिल आइटम नहीं मिलती! प्लैनेट एप्स का ही सामान है सब यहां!"

"रमाकांत, रमाकांत..."

"ठीक है, ठीक है। अभी काफी मंगा, बाद में देखेंगे।"

सुनील ने काफी मंगाई।

रमाकांत ने एक सिग्रेट सुलगा लिया और काफी की एक चुस्की ली।

"मुझे उम्मीद तो नहीं थी"—फिर बोला—"लेकिन अच्छी है।"

"उम्मीद क्यों नहीं थी?"

"जहां बिस्कुट पकौड़ों का बोलबाला हो, वहां काफी अच्छी बनती हो, ये जरा मुश्किल ही काम है।"

सुनील हंसा।

"हस्सया ई कंजर!"

"कैसे आये?"

"तेरे मतलब की कुछ जानकारी हाथ लगी थी, तेरे को मोबाइल पर बताने की कोशिश की तो कोई जवाब ही न मिला।"

"लैंड लाइन..."

"बजाई थी। वो भी बजती ही रही।"

"आज मैं घर से जल्दी निकल आया था।"

"तभी!"

"यहां की लैंड लाइन..."

"ओये कमलया, लैंड लाइन लैंड वालों के लिये होती है, तेरे वड्डे भापाजी आसमान से उतरे हैं, तू उनको जमीं वालों के बराबर खड़ा करेगा?"

"इसलिये कहा कि आने की जहमत न करनी पड़ती..."

"और तेरा काफी का खर्चा बच जाता!"

"अब बस करो।"

"ठीक है। तू कहता है तो।"—उसने काफी का एक घूंट भरा, सिग्रेट का एक कश लगाया और फिर संजीदा लहजे से बोला—"मालको, मनीचेंजर के कांटैक्स्ट में कल रात को जो जानकारी हाथ लगी थी, उसे एक मिनट के लिये नजरअंदाज करें तो कल रात से पहले ये अहम सवाल था कि क्यों थे मकतूल के बटुवे में सौ सौ डालर के इतने नोट! तब सहज में जो जवाब मुझे सूझता था वो ये था कि वो सट्टेबाज था, किसी ने किसी दांव का भुगतान डालर में किया होगा।"

"उस 'किसी' के पास भी इतने डालर क्यों थे?"

"दर्जनों वजह हो सकती हैं। लेकिन उस 'किसी' के पास डालर की मौजूदगी हमारी तवज्जो का मुद्दा नहीं हैं, हमारी तवज्जो का मुद्दा है कि डालर सिक्का के पास थे। अगर उसे पेमेंट ही डालर में हुई थी—जैसा कि अब सामने आ रहा है—तो बात खत्म है लेकिन अगर उसे पेमेंट इंडियन करंसी में हुई थी तो उसने बल्क घटाने के लिये उसे डालर में तब्दील किया हो सकता है। ढ़ाई लाख के नोट इंडियन करंसी में बटुवे में नहीं आ सकते लेकिन डालर में, पाउंड में, यूरो में—जो कि इंटरनेशनल करंसीज हैं—आ सकते हैं। मनीचेंजर वाली स्टोरी सामने न आयी होती तो मैं कहता कि सिक्का ने रुपयों को डालर में तब्दील करवा लिया। लेकिन अब हमें मालूम है कि ऐसा सिक्का ने नहीं, समीर

सक्सेना ने किया। डालर के जो साठ नोट उसने मनीचेंजर से हासिल किये, उनमें से पचास किसी तरीके से मकतूल अमृत सिक्का के कब्जे में पहुंच गये।"

"किस तरीके से?"

"तू बता!"

"सिक्का ने समीर सक्सेना की कोई खिदमत की जिसके बदले में उसे डालर में उजरत मिली!"

"क्या खिदमत?"

"एक ही मुमकिन है। सिक्का ने सुजाता सक्सेना के साथ विश्वासघात किया और तमाम पोलपट्टी जा कर समीर सक्सेना पर खोल दी।"

"बदले में शाबाशी के तौर पर समीर सक्सेना ने उसे सौ सौ डालर के पचास नोट दिये!"

"हां।"

"ढ़ाई लाख रुपये बड़ी उजरत नहीं? जवाब सिक्का की जात औकात को निगाह में रख के देना।"

"बड़ी उजरत है, बहुत बड़ी उजरत है, लेकिन ये न भूलो कि समीर सक्सेना बीवी का अतापता—उसके प्रेम घरौंदे की बाबत जानकारी—पाने के लिये मरा जा रहा था।"

"इसलिये मर्जी हुई रईस की, दिया खजाना खोल!"

"यही समझ लो।"

"मालको, काम बड़ा था, बड़ी शाबाशी के काबिल था, इसलिये माना कि बड़ी उजरत अदा की गयी लेकिन काम हुआ कैसे? सिक्का को नहीं मालूम था सुजाता सक्सेना कहां थी, उसे तो महज एक नम्बर मालूम था जिस पर बावक्तेजरूरत वो कांटैक्ट करता था।"

"तुम होटल पैनोरमा के नम्बर को भूल रहे हो जो कि उसके स्क्रैच पैड पर लिखे नौ नम्बरों में से एक था!"

"वो होटल का नम्बर था, बड़े और पापुलर होटल का नम्बर था, उसके स्क्रैच पैड पर लिखा होने की दर्जनों दूसरी वजह हो सकती हैं।"

"सुजाता उसी होटल में सुरेखा माथुर के फर्जी नाम से रजिस्टर्ड थी।"

"इत्तफाक था। कहीं तो उसने होना ही था, इत्तफाक से वहां थी।"

"लगता है तुम्हारे जेहन में कोई और थ्योरी है!"

"है तो सही!"

"क्या?"

"थ्योरी नहीं, बल्कि दूर की कौड़ी है। कर्टसी जौहरी, दूर की कौड़ी है जो शायद तेरे मिजाज में आये।"

"क्या?"

"समीर सक्सेना जुए का शौकीन है। हर वीकएण्ड पर जुए की ऐसी फड़ में

बैठता है जहां बड़ा गेम होता है। बड़े गेम में बड़ा पैसा इंडियन करंसी में हो तो ब्रीफकेस में भर के ले जाना पड़ेगा। नोटों का बल्क घटाने का उसने ये तरीका सोचा हो सकता है कि फड़ में डालर ले के जाये।"

"तुम्हारी बात में दम है। ये फड़ वाली बात किसी और सोर्स से भी कनफर्म हुई है।"

"वदिया। अब तू सोच अगर उस फड़ में सिक्का भी शामिल हो और काफी माल पानी जीता हो तो समीर सक्सेना के हारे डालर के सौ सौ के नोटों का एक बड़ा हिस्सा उसके भी पास आ गया होना क्या बड़ी बात है!"

"समीर सक्सेना के मुकाबले में सिक्का की हैसियत बहुत हल्की है।"

"ओये, कमलया, थैली में दम होना चाहिये। हैसियत नगदऊ के दम से बनाती है।"

"ये दम भी सिक्का में कहां से आया!"

"इसे कहते हैं पराये दम से शाह!"

"तुम्हारा मतलब है सिक्का लोगों के सट्टे के पैसे से जुआ खेलता था?"

"और मोटा माल उसके पास कहां से आ सकता था!"

"रमाकांत, वो खुद बुकी नहीं था, किसी बड़े बुकी का एजेंट था। यूं अमानत में खयानत करने का नतीजा गम्भीर होता है। लाश समुद्र में तैरती पायी जाती है।"

"तब न, जब खयानत उजागर हो। अभी तो हम उसकी जुए में जीत की पिक्चर पेंट कर रहे हैं।"

"उसके बटुवे में जो नोट थे, वो जुए में जीत का माल थे?"

"नहीं हो सकता?"

"हो तो सकता है। लेकिन उसके पोजेशन में सौ सौ डालर के पचास नोट उसकी एक बार की जीत को ही तो रिफ्लेक्ट करते थे! क्या पता पहले वो लगातार हारता रहा हो!"

"तू ये कहना चाहता है कि अमानत में खयानत ही उसके कत्ल की वजह थी, बुकी के कराये जो हुआ था, इस फर्क के साथ हुआ था कि लाश समुद्र में तैरती नहीं पायी गयी थी!"

"मैं बात को दूसरे तरीके से कहता हूं। मेरी अक्ल ये कबूल नहीं करती कि वो औरत—अचला तलवार—कातिल है। अगर मैंने उसको बेकसूर मान के चलना है तो किसी दूसरे को तो कातिल तसलीम करना होगा न! फिर जब अंडरवर्ल्ड किलिंग की एक तसवीर उबरती है तो उसमें रंग भरने में क्या हर्ज है!"

"कोई हर्ज नहीं। खास तौर से तब जबकि घोड़े की बला तबेले के सिर मंढ़ने की तुझे आदत है, मश्क है।"

"मैं कील ठोक कर किसी को कातिल करार नहीं दे रहा, मैं सिर्फ एक पासिबलिटी को एंटरटेन कर रहा हूं।"

"और साबित कर रहा है कि डैमसेल-इन-डिस्ट्रेट से ही नहीं डैमसेल्स-मामा-इन-डिस्ट्रेस से भी तेरा दिल पसीजता है। लगा रह, मुन्ना भाई, एक दिन ऐसी ही कोई जनानी तुझे गोद ले लेगी और कहेगी—छोटा सा बलमा मेरे आंगना में गिल्ली खेले।"

सुनील हंसा।

"मेरे खयाल से"—फिर संजीदा हुआ और बोला—"हमें बतौर कातिल सक्सेना की कैंडीडेचर की तरफ तवज्जो देनी चाहिये। उस लिहाज से हमें पता करना चाहिये कि कत्ल के वक्त वो कहां था..."

"पुलिस को पता है वो कहां था और वो अपनी जानकारी से मुतमईन है।"

"अच्छा!"

"हां।"

"कहां था?"

"नागरथ डिटेक्टिव एजेंसी के मालिक के साथ लंच पर था। दोनों ने 'चायना पर्ल' में लंच किया था और वापिस एजेंसी के आफिस में लौटे थे जहां कि तीन बजे तक की उसकी हाजिरी सथापत है।"

"'चायना पर्ल' कहां है?"

"मुगलबाग में। वहां खुर्शीद आर्केड करके एक मल्टीस्टोरी कमर्शियल कम्पलैक्स है, उसके फर्स्ट फ्लोर पर।"

"नागरथ से इतनी लम्बी मुलाकात का प्रयोजन?"

"बीवी से पीछा छुड़ाने के बारे में सलाह मशवरा से सिवाय क्या हो सकता है! मेरे को तो यहां तक लगता है कि बीवी ने अपनी बेलगाम रंगरेलियों के लिये अपने डबल की सूरत में जो इंतजाम किया था वो—जैसा कि तूने कहा, सिक्का के विश्वासघात की वजह से—खसम पर उजागर हो चुका था। कोई इंतजाम ज्यादा ही सिक्केबंद दिखाई दे तो उसका ज्यादा सिक्केबंद होना ही शक का बायस बन जाता है।"

"हो सकता है।"

"बल्ले, भई! नहीं रीसां तेरियां! तू कहे तो डंके की चोट है, मैं कहूं तो हो सकता है।"

"समीर सक्सेना और मकतूल अमृत सिक्का में कोई लिंक होना चाहिए।"

"है तो सही! जुए की एक ही फड़ में बैठते थे।"

"इसके अलावा कोई लिंक होना चाहिए।"

रमाकांत ने संजीदगी से उस बात पर विचार किया।

"देखो, प्यारयो"—फिर बोला—"कत्ल के कैण्डीटेट के तौर पर समीर सक्सेना के नाम को तो पुलिस ने खारिज कर दिया है, क्योंकि कत्ल के वक्त के आस पास की उसकी एलीबाई मजबूत पायी गयी है, लेकिन उन्होंने अभी बिल्कुल ही उसका पीछा नहीं छोड़ दिया है। ये बात उनके जेहन में भी है कि

समीर सक्सेना और मकतूल सिक्का में कोई लिंक होना चाहिये। इसलिये वो लोग समीर सक्सेना की ताक में अभी भी हैं। मैं हैडक्वार्टर के अपने कांटैक्ट से मालूम करता रहूंगा कि उनके पल्ले कुछ पड़ रहा है या नहीं!"

"एक ही फड़ में बैठे लोगबाग जरूरी नहीं होता कि सारे के सारे एक दूसरे से वाकिफ हों।"

"मेरे से बात कर रहा है या बड़बड़ा रहा है?"

"सिक्का वहां किसी और के वाकिफ के तौर पर मौजूद हो सकता है और हो सकता है कि समीर सक्सेना की उससे सीधे कोई वाकफियत न हो।"

"क्या कह रहा है! अभी कह के हटा है कि सिक्का ने विश्वासघात किया, उसने जा कर सारी पोलपट्टी समीर सक्सेना के सामने खोल दी। कैसे खोल दी? बिना उसको जाने खोल दी? जानकारी और नकदऊ का लेन देन पर्दे में हुआ या नकाब ओढ़ कर हुआ?"

"वो अलग थ्योरी थी, अब मैं कुछ और कह रहा हूं।"

"क्या कहने!"

"ऊपर से मैं कनफ्यूज्ड हूं।"

"मैं सदके जावां।"

"तुम बात सुनो मेरी।"

"सुना।"

"कल जब मैं होटल पैनोरमा में सुजाता सक्सेना से मिला था तो उसने भी इस बात का जिक्र किया था कि उसका हसबैंड जुए का शौकीन था और वीकएण्ड्स पर जुए की लम्बी, वैल-अटैंडिड फड़ में बैठता था। ऐसी ही फड़ में एक बार अपने एक फैलो गेम्बलर से उसने कोई अच्छी प्राइवेट डिटेक्टिव एजेंसी रिकमैंड करने के लिये बोला था। वो कहती है कि तब उसके करीब वो डायलॉग सुनने को एक ऐसा शख्स मौजूद था जो कि उसका करीबी था। उसने उस शख्स का नाम नहीं लिया था लेकिन मैं अपनी एक महीने की तनख्वाह की शर्त लगाने को तैयार हूं कि वो शख्स सुजाता सक्सेना का गुमनाम आशिक था, उसका मौजूदा ब्वायफ्रेंड था, रेफ्रेंस की सहूलियत के लिये मिस्टर एक्स था जिससे सक्सेना जाती तौर पर वाकिफ नहीं था। इसी वजह से उसकी तवज्जो इस बात की तरफ नहीं गयी थी कि कोई उसकी और उसके दोस्त की बातें सुन रहा था। कोई वाकिफ यूं करीब हो तो तवज्जो न जानी हो तो भी उसकी तरफ जाती है और वो कोई एहतियात बरतता है कि उसकी खुफिया बातचीत किसी तीसरे के कानों में न पहुंचे। नहीं?"

"हां।"

"अब इस नये किरदार की एंट्री से—मिस्टर एक्स की एंट्री से—ये भी जरूरी नहीं जान पड़ता कि सिक्का जुए की फड़ में शामिल था।"

"तो फिर उसके कब्जे में वो पचास नोट कैसे पहुंचे जो समीर सक्सेना के

पास मौजूद साठ नोटों का हिस्सा थे।"

"लखनऊ वाया सहारनपुर पहुंचे।"

"मतलब?"

"जुए में जीत के तौर पर मिस्टर एक्स के पल्ले पड़े। फिर मिस्टर एक्स के जरिये सिक्का के पास पहुंचे।"

"टाइम का हुआ है?"

"पौने बारह बजे हैं।"

"फिर क्या फायदा! मेरा माईंयवा संकलप है कि मैं बारह बजे से पहले घूंट नहीं लगाऊंगा। तेरी जलेबी जैसी उलझी बातों ने मेरा दिमाग हिला दिया है, घूंट लगाने का टाइम हो गया होता तो दिमाग ठिकाने लग जाता।"

"घूंट यहां?"

"और कहां! तू जो दाईं ओर के सबसे नीचे के दराज में बोतल रखता है, कान में फुरहरी लगाने के लिये रखता है या दाढ़ में फाहा देने के लिये रखता है!"

सुनील हंसा।

"हस्सया ई, कंजर।"

"मैं आगे बढ़ूं?"

"नहीं, अभी जहां है वहीं रुका रह। तू यार है इसलिये मुझे अफसोस होगा अगर तू एक महीने की तनखाह हार गया। इसलिये अपनी भलाई के लिये सुजाता सक्सेना के कथत करीबी दोस्त के मामले में एक संशोदन कर। नोट कर रहा है न कि इस वक्त मैं राष्टर भाषा में बात कर रहा हूं! शुद्ध हिन्दी बोल रहा हूं।"

"क्या संशोधन करूं?"

"उस कथत करीबी का, जिसका नाम तूने मिस्टर एक्स रखा, जनानी का ठोकू होना जरूरी नहीं।"

"तो और कौन होगा वो?"

"दोस्त! एडमायरर! उस पर दिल रखने वाला!"

"एक और?"

"औरत का दिल दरिया होता है। उसमें बहुत किश्तियां तैर सकती हैं।"

"अच्छा!"

"अब ये बात गांठ बांध कर आगे बढ़ और जो कहना है कह!"

"क्या कहना है? क्या कह रहा था मैं?...हां। उस मिस्टर एक्स ने, जो कोई भी वो था, पहली फुरसत में सुजाता सक्सेना को खबरदार किया कि उसका हसबैंड उसके पीछे नागरथ डिटेक्टिव एजेंसी के जासूस लगाने वाला था। साथ ही अपनी फ्लेम के वैलविशर के तौर पर वो खुद भी ये जानने को उत्सुक था कि समीर सक्सेना अपनी बीवी के खिलाफ ऐसा कोई कदम क्यों उठा रहा था। ये जानकारी हासिल करने के लिये उसने सिक्का को जरिया बनाया—क्या समझ कर बनाया, ये तो वो ही जाने—और उजरत के तौर पर सिक्का को जो रकम

सौंपी वो सौ सौ डालर के उन पचास नोटों की सूरत में थी, जो कि समीर सक्सेना जुए में हारा था और जो इत्तफाक से जीत में मिस्टर एक्स के पल्ले पड़े थे।"

"दम तो है तेरी बात में, काकाबल्ली, लेकिन अब सवाल ये पैदा होता है कि जब पुलिस समीर सक्सेना से उन नोटों की बाबत इंक्वायरी करेगी तो वो पुलिस को क्या जवाब देगा? ये जवाब तो हरगिज नहीं देगा कि जुए में हारा था और वो नोट आगे किसी तरह से मकतूल अमृत सिक्का के पास पहुंच गये थे! जुआ गैरकानूनी है और ऐसी फड़ बहुत खुफिया तरीके से आर्गेनाइज की जाती हैं। कैसे वो फड़ में अपनी शिरकत अपनी जुबानी कुबूल करेगा?"

"नहीं करेगा। करेगा तो मरेगा। फिर उसे फड़ के मुकाम की बाबत बताना होगा, उसमें शिरकत करने वाले बाकी लोगों की बाबत बताना होगा। फड़ की बाबत मुंह फाड़कर इतने लोगों को दुश्मन बनायेगा तो उसे पता भी नहीं लगेगा कि स्वर्ग की सीढ़ी चढ़ रहा होगा।"

"नर्क की। जुआरियों का स्वर्ग में क्या काम!"

"मैं सोच रहा हूं जब ये शख्स पुलिस की निगाहों में आ ही गया है तो हमें भी इसका पुलंदा बंधता देखने के लिये कुछ करना चाहिये।"

"क्या करना चाहिये?"

"जो बात ये अपनी जुबानी कुबूल नहीं करने वाला, उसकी बाबत पुलिस को गुमनाम टिप देनी चाहिये।"

"वीकएण्ड की फड़ की बाबत! बतौर गेम्बलर उसमें उसकी शिरकत की बाबत!"

"हां। और उसकी खुफिया माशूक लहर दत्तानी की बाबत। इस स्पैशल टिप के साथ कि अगर समीर सक्सेना कातिल हो सकता है तो वो भी हो सकती है।"

"वो खामखाह!"

"क्यों खामखाह! शी इज इन लव। प्यार में लोग जान दे ही नहीं देते, जान ले भी लेते हैं।"

"मंजूर। लेकिन सिक्का की खामखाह! उसके जुनूनी इश्क ने जोर खाया होता तो वो सुजाता सक्सेना को अपना निशाना बनाती, सिक्का को किसलिये?"

"वजह वो सोचेंगे जिनको हमने हिंट ड्रॉप करना है।"

"हाथ क्या आयेगा?"

"देखेंगे। नहीं आयेगा तो ये कोई पहला मौका तो नहीं होगा जबकि यूं कुछ हाथ न आया हो! हमारे से ऐसी खुश्की से पेश आया था, ऐसे मिजाज दिखाता पेश आया था, ऐसी तुच्छता से पेश आया था जैसे हम मंगते थे। समझेंगे बदला उतारा।"

"माईंयवे ने ग्लास पानी तक नहीं पिलाया था।"

"इन रिटर्न वुई विल कुक हिज गूज।"

"एण्ड फिक्स हिज वैगन।"

"आमीन।"

"मालको, जिस शख्स को तुमने मिस्टर एक्स का दर्जा दिया, वो कौन होगा?"

"तुम बताओ!"

"मैं कैसे बताऊं? मैं भूत प्रेतों की वाकफियत नहीं निकाल सकता।"

"वो भूत प्रेत नहीं है..."

"मिस्टर एक्स भूत प्रेत ही होता है।"

"...ऐसा शख्स है जिसका बाकायदा वजूद है, जो हैसियत वाला है, पैसे वाला है—इतना कि बड़े लोगों की फड़ में बैठ कर बड़ा जुआ खेल सकता है—जो समीर सक्सेना से वाकिफ था, उसकी रूठी रानी सुजाता सक्सेना से वाकिफ था, तो वो उनके दायरे का ही कोई शख्स तो होगा!"

"बात तो तेरी ठीक है। यार, ऐसा एक शख्स आया तो है निगाह में, लेकिन वो सक्सेना मियां बीवी का करीबी नहीं, सिक्का का वाकिफ था। कम से कम मेरी जानकारी में सिक्का का वाकिफ था।"

"कौन?"

"निरंजन ठाकुर नाम है। सिक्का, यूं समझो कि, उसका हुक्मबरदार था, उसके अंडर में चलने वाला प्यादा था।"

"निरंजन ठाकुर!"—सुनील तत्काल सम्भल कर बैठा।

"हां। उछल क्यों रहा है? वाकिफ है उससे?"

"सिर्फ नाम से वाकिफ हूं। हाल ही में सुना।"

"कब? किससे?"

"सुजाता सक्सेना से। बकौल सुजाता सक्सेना, ये आदमी बड़ा बुकी है और सिक्का उसका सब-एजेंट था।"

"ओह!"

"कोई उम्रदराज आदमी है?"

"नहीं। चालीस के आसपास है। अच्छी पर्सनैलिटी है, अच्छी हैसियत है—माली भी और समाजी भी।"

"समाजी भी!"

"सबको थोड़े ही मालूम है कि बुकी है!"

"सबको क्या मालूम है?"

"फाइनांसर! बिल्डर! कांट्रैक्टर!"

"उसके पीछे पड़ो।"

"मुश्किल काम होगा।"

"क्यों?"

"बाहुबली नेताओं की किस्म का आदमी है। सख्तमिजाज! दबंग! उसे खबर लग गयी कि कोई उसके पीछे पड़ा था तो पीछे पड़ने वाले की आंख हस्पताल में ही खुलेगी।"

"ओह!"

"श्मशान घाट पर भी खुले तो कोई बड़ी बात नहीं।"

"श्मशान घाट पर!"

"बात का मतलब समझ। लफ्जों के पीछे मत पड़।"

"फिर भी कोई ढ़ंकी छुपी कोशिश तो करा देखो!"

"ठीक है।"

"अब वो माल दिखाओ, वड्डे भापा जी, जो अलग बांध के रखा है।"

"कौन सा माल?"

"बताया तो! जो अलग बांध के रखा है। अभी तक जो बातें तुमने मुझे बताई हैं, उनमें से ऐसी कोई नहीं है जो और दिन चढ़ आने का इंतजार न कर सकती। तुम्हारा खुद चल कर यहां आने की जहमत करना ही इस बात का सबूत है कि अभी डिनर कम्पलीट नहीं हुआ, डेजर्ट सर्व होना अभी बाकी है।"

"भूतनी दा सब ताड़ लेता है। चतुरसेन नाम होना चाहिये था तेरा।"

"अब बोलो, क्या खास बात है?"

"उस जनानी का टॉप सीक्रेट हमारे कब्जे में है।"

"क्या?"

"जो बात वो जनानी—सुजाता सक्सेना—अपने बाप को मालूम नहीं होने देना चाहती, सारी, खसम को नहीं मालूम होने देना चाहती, वो तेरे वड्डे भापा जी को मालूम है। काकाबल्ली इसे कहते हैं यारां नाल बहारां।"

"कहते हैं बराबर लेकिन अभी कहा तो कुछ नहीं!"

"उसके खुफिया, सात पर्दों में छुपे, ब्वायफ्रेंड की शिनाख्त हो चुकी है।"

सुनील सम्भल कर बैठा।

"सच में?"—वो बोला।

"और क्या मैं तेरे से झूठ बोलूंगा!"

"कौन है?"

"नाम शोभित शुक्ला। पता निर्मल अपार्टमेंट्स, विवेक नगर।"

"कैसे जाना?"

"स्क्रैच पैड के वरके पर लिखे उन नौ टेलीफोन नम्बरों से जाना कल ज़िनमें से अभी पांच की ही पड़ताल हुई थी। और इत्तफाक से जाना। भगवती भवानी की किरपा हुई इसलिए जाना।"

"इस शोभित शुक्ला का नम्बर, उस वरके पर था जो जौहरी ने कोमल कपूर के फ्लैट में हमारी मौजूदगी के दौरान वहां फोन के करीब पड़े स्क्रैच पैड पर से फाड़ा था?"

"और मैं क्या कह रहा हूं?"

"वो फोन सिक्का इस्तेमाल करता था।"

"और वो ही स्क्रैच पैड पर नम्बर नोट करता था। हैण्डराइटिंग साफ मर्दाना जान पड़ता था।"

"सिक्का से तो ब्वायफ्रेंड की आइडेंटिटी को टॉप सीक्रेट रखा गया था!"

"मैनूं नहीं पता टॉप सीक्रेट रखा गया था या बॉटम सीक्रेट रखा गया था, वो नम्बर उस स्क्रैच पैड पर दर्ज था।"

"ये कैसे जाना कि किसी शोभित शुक्ला का था और वो शोभित शुक्ला सुजाता सक्सेना का आज की तारीख में टॉप सीक्रेट ब्वायफ्रेंड था?"

"बोला तो, इत्तफाक से जाना, भगवती की किरपा से जाना।"

"प्लीज, एक्सप्लेन।"

"ओये, पुत्तरा, उस वरके पर लिखे सारे नम्बरों की पड़ताल की जा रही थी न! एक नम्बर निर्मल अपार्टमेंट्स, विवेक नगर के निवासी इस शोभित शुक्ला के घोड़े का निकला। राकेश को उस पते पर पड़ताल के लिये भेजा गया..."

"कब?"

"आज ही सुबह। उसकी फोन काल सुन कर ही मैं यहां के लिये रवाना हुंआ था।"

"हूं। आगे?"

"आगे ये कि मेरा जमूरा राकेश कहता है कि उसकी वहां मौजूदगी के दौरान एक जगमग-जगमग जनानी इस शोभित शुक्ला के फ्लैट पर पहुंची। राकेश उस जनानी को नहीं पहचानता था लेकिन अपनी रिपोर्ट में उसने उसका बहुत बारीकी से बयान किया था। तुझे याद है कल जब हम समीर सक्सेना से मिलने गये थे तो बातचीत के दौरान उसने तेरे से सवाल किया था कि तुझे उसकी बीवी कैसी जंची थी!"

"हां।"

"जवाब भी याद है?"

"हां।"

"राकेश ने भी अपनी रिपोर्ट में शोभित शुक्ला से मिलने आयी जनानी को ऐन ऐसे ही बयान किया था। बल्कि तेरे वाले अल्फाज में ही बयान किया था, बस सीक्वेंस में फर्क था। हाईफाई, कड़क, दबंग, चार सौ चालीस वोल्ट! उसकी रिपोर्ट पढ़ते ही गोली की तरह मेरी तवज्जो सुजाता सक्सेना की तरफ गयी थी। मालको, वो जनानी शर्तिया, शर्तिया सुजाता सक्सेना थी।"

"ओह!"

"अब खुद छुप कर रहती जनानी किसी ऐरे गैरे से मिलने के लिये तो अपने खुफिया ठिकाने से बाहर कदम रखती नहीं! फिर लड़के की शक्ल सूरत, पर्सनैलिटी भी अफेयर की चुगली करती थी।"

"उसमें क्या था?"

"राकेश कहता है बहुत खूबसूरत था। कहता है फिल्म स्टार लगता था।"

"शक्ल कैसे देख पाया?"

"जनानी के फ्लैट में पहुंच जाने के बाद एक बार फ्लैट की सड़क की ओर खुलने वाली एक खिड़की पर आया था, कुछ देर उसकी निगाह दायें बायें फिरी थी फिर उसने खिड़की बंद कर दी थी।"

"काम क्या करता है?"

"बताता हूं। पहले दिल जिगर कलेजा फेफड़े सब मजबूत कर ले।"

"कर लिया सब।"

"पानी पी ले। सिग्रेट सुलगा ले।"

"यार, कुछ कह भी चुको।"

"मनीचेंजर है।"

"क्या!"

"तभी तो बोला था जिगर थाम के सुन।"

"वही मनीचेंजर जिससे समीर सक्सेना ने सौ सौ डालर के साठ नोट लिये थे?"

"क्यों, भई! कोई और होता तो जिगर थाम के सुनने वाली कौन सी बात थी?"

"कहां पाया जाता है? मेरा मतलब है, वर्क प्लेस कहां है?"

"शंकर रोड पर। वहां एक कमर्शियल कम्पलैक्स है जिसके अपर ग्राउंड फ्लोर पर उसका आफिस है। रजिस्टर्ड मनीचेंजर है। वर्किंग आवर्स सुबह नौ से शाम सात तक। ओपन सैवन डेज ए वीक। सुना है करंसी एक्सचेंज का दो नम्बर का धंधा भी करता है।"

"क्या दो नम्बर का धंधा?"

"डालर ब्लैक होता है, भई। बेहिसाब चाहिये हो तो मार्केट रेट से ज्यादा रुपया अदा करना पड़ता है।"

"फिर तो अच्छे पैसे कमाता होगा!"

"हां।"

"समीर सक्सेना उसका रेगुलर क्लायंट है?"

"क्या बात है! कल का कुछ याद नहीं तेरे को! जब उसने खुद पुलिस को बोला था कि समीर सक्सेना उसका रेगुलर कस्टमर था तो..."

"ओह! सारी! बहरहाल समीर सक्सेना इस शख्स से—इस शोभित शुक्ला, मनीचेंजर से—वाकिफ है लेकिन इस हकीकत से वाकिफ नहीं कि वही उसकी बीवी का ब्वायफ्रेंड है..."

"ठीक है।"

"...जिसकी शिनाख्त के लिये वो मरा जा रहा है।"

"है न कमाल की बात!"

"मकतूल सिक्का के पास सुजाता सक्सेना के खुफिया ठिकाने का फोन

नम्बर था, उसके पास उसके टॉप सीक्रेट ब्वायफ्रेंड का भी फोन नम्बर था, ये सब इत्तफाकन नहीं हो सकता, इस बात का कोई खास मतलब होना चाहिये।"

"क्या?"

"सिवाय इसके क्या कि अपनी रोटियां सेंक रहा था या आइंदा सेंकने की फिराक में था।"

"हो सकता है।"

"सुजाता सक्सेना का सगा बन के दिखा के, उसकी पुचपुच करके, चम्पी करके वो अपने नापाक इरादों की बुनियाद मजबूत कर रहा था, फिर जब मुनासिब मौका पाता तो एक ही झटके से उसके पांव के नीचे से जमीन खिसका देता।"

"हो सकता है। ब्वायफ्रेंड का फोन नम्बर कैसे उसके काबू में आया होगा?"

"सुजाता सक्सेना के फ्लैट में से कहीं से। वो फ्लैट उसके काबू में था, क्या बड़ी बात है!"

"मालको, कहीं ब्लैकमेल का खाका तो नहीं खींच रहे हो?"

"ब्लैकमेल नहीं तो धोखा! दगा! विश्वासघात!"

"जो सिक्के ने सुजाता सक्सेना से किया?"

"हां।"

"फिर तो कातिल सुजाता सक्सेना का नया जमूरा शोभित शुक्ला भी हो सकता है!"

"माशूक से वफादारी दिखाई! उसको ब्लैकमेल के जंजाल से निजात दिलाने के लिये ब्लैकमेलर का कत्ल कर दिया!"

"होर की? यारनी यार के लिये कत्ल कर सकती है तो यार यारनी के लिये कत्ल नहीं कर सकता?"

"तुमने कहा कि इस शोभित शुक्ला नाम के मनीचेंजर के वार्किंग आवर्स सुबह नौ बजे से शुरू होते थे! लेकिन साथ ही ये भी कहा कि ग्यारह बजे वो घर पर था!"

"हां।"

"तब माशूक अभी पहुंची ही थी इसलिये ग्यारह बजे के काफी बाद तक भी घर पर ही होगा!"

"तो?"

"क्या तो! एक कामकाजी आदमी कामकाजी दिन में घर पर क्या कर रहा था?"

"अच्छा वो!"

"हां, वो।"

"भई, तबीयत खराब होगी! या माशूक से घर पर रंगरेलियां मनाने का प्रोग्राम होगा! सुजाता सक्सेना को उसकी किसी मदद, मशवरे की जरूरत होगी

जिसके लिए वो उसे अपने होटल नहीं बुलाना चाहती थी, शंकर रोड उसके आफिस भी नहीं जाना चाहती थी।"

"इसलिये उसके घर पहुंची?"

"हां। और भी कई वजह हो सकती हैं।"

"मशवरा कैसा?"

"भई, उसके फ्लैट में खून हुआ था। तुम्हारे लिये ये मामूली बात होगी, उसे बड़ी लगती होगी। उसे मुसीबत अपने गले पड़ने का अंदेशा होगा।"

"इसलिये ब्वायफ्रेंड से मशवरा?"

"क्यों नहीं?"

"राकेश अभी वहीं है?"

"हां। निगरानी पर है।"

"मालूम करो, वहां की क्या पोजीशन है!"

"हला।"

रमाकांत ने जेब से मोबाइल निकाला और उस पर नम्बर पंच करने लगा।

एक मिनट उसने मोबाइल के साथ व्यस्तता में गुजारा।

"जमूरा और जमूरी"—फिर बोला—"दोनों अभी वहीं हैं।"

"हम भी वहां चल रहे हैं। उठो।"

"उठता हूं लेकिन पहले मुझे तेरे एम्पलायर से मिलना है।"

"क्या! मलिक साहब से मिलना है?"

"हां।"

"क्यों?"

"उन्हें बोलना है कि वो मिडलमैन को इलीमिनेट करें।"

"मिडलमैन कौन?"

"तू, और कौन! तुझे इलीमिनेट करें और आगे से तेरी तनख्वाह सीधे मेरे हवाले किया करें।"

"क्या!"

"सारा काम तो मैं करता हूं, तुझे माईंयवी किस काम की तनख्वाह मिलती है?"

सुनील हंसा।

"हस्सया ई, कंजर।"

"उठो। चलो।"

वे विवेक नगर और आगे निर्मल अपार्टमेंट्स पहुंचे।

राकेश कहीं से निकला और लापरवाही से टहलता उनके करीब पहुंचा।

"क्या पोजीशन है?"—रमाकांत ने पूछा।

"वो औरत अभी यहां से निकल के गयी है।"—राकेश दबे स्वर में बोला—"फ्लैट का मालिक अभी भी फ्लैट में है।"

"नम्बर बोल।"

"चौदह। तीसरी मंजिल।"

गंतव्य स्थान पर पहुंच कर सुनील ने काल बैल बजाने की जगह धीरे से, अदब से दरवाजे पर दस्तक दी।

तत्काल दरवाजा खुला।

"अरे! वापिस क्यों लौट आयीं…"

चौखट पर प्रकट हुए सुंदर युवक की जुबान को फौरन लगाम लगी, उसने मुंह बाये आगंतुकों की तरफ देखा।

"शुक्ला?"—सुनील बोला—"शोभित शुक्ला?"

"हां।"—वो भुनभुनाया—"कौन हैं आप लोग? क्या चाहते हैं?"

"मैं सुनील हूं। ये रमाकांत है। भीतर आना चाहते हैं।"

"लेकिन…"

"ओये, पासे हट, मां सदके।"—रमाकांत बोला, उसने उसे एक तरफ धकेल कर भीतर कदम रखा तो सुनील ने उसका अनुसरण किया।

"सुजाता ने"—सुनील मुस्कराता हुआ बोला—"तुम्हें मेरे बारे में बताया होगा!"

"सु-सुजाता!"

"सक्सेना। सुजाता सक्सेना।"

"जो अभी यहां से गयी।"—रमाकांत बोला।

"आप"—युवक बोला—"आप लोग…वाकिफ हैं उससे?"

"लो!"—रमाकांत हैरानी जताता बोला—"उसने तुझे कुछ नहीं बताया?"

"न-हीं।"

"ये भी नहीं कि हम मिलने आ रहे थे?"

"नहीं। लेकिन…"

"दरवाजा बंद कर, वीर मेरे"—रमाकांत बोला—"और इधर आ के बैठ ताकि मोहब्बतां नाल तेरे से बात कर सकें।"

"प्रेम भाव से।"—सुनील बोला।

"टिक के बैठेगा तो सुनेगा न!"—रमाकांत बोला—"सुनेगा तो समझेगा न!"

"फिर भी…"

"फिर फिर भी?"

"बात का कोई सब्जेक्ट तो पता लगे?"

"सब्जेक्ट"—सुनील संजीदगी से बोला—"सौ सौ डालर के वो साठ नोट हैं जो तुमने मनीचेंजर के अपने कारोबार के तहत समीर सक्सेना को सौंपे थे।"

"अच्छा, वो!"—उसने चैन की सांस ली—"उसमें क्या है! मैं रजिस्टर्ड मनीचेंजर हूं, करंसी एक्सचेंज करना मेरा कारोबार है।"

"समीर सक्सेना नोन क्लायंट था?"

"हां।"

"उसके साथ ऐसी ट्रांजेक्शन अक्सर होती थीं?"

"हां।"

"जिस ट्रांजेक्शन का जिक्र हम कर रहे हैं, वो कैसे हुई थी? कैश से या चैक से?"

"कैसे भी हुई, तुम्हें क्या! इस बाबत पुलिस मेरे से सवाल कर चुकी है, पुलिस हैडक्वार्टर से एक इंस्पेक्टर प्रभूदयाल आया था मेरा बयान लेने, मैंने उसे तसल्लीबख्श जवाब दिया था।"

"क्या जवाब दिया था? पेमेंट चैक से थी या कैश से?"

"मैंने बोला न, इस बाबत मैं अपना बयान पुलिस को दे चुका हूं।"

"इस बाबत?"

"हां।"

"जो बात कह चुके, उसे दोहराना नहीं चाहते हो?"

"दोहराना जरूरी नहीं समझता हूं।"

"तो फिर उस सवाल का जवाब दो जो अब तुम से पहली बार पूछा जा रहा है। लिहाजा जवाब भी तुम पहली बार दे रहे होगे।"

"कौन सा सवाल?"

"तुम्हारा समीर सक्सेना की बीवी से अफेयर है?"

"क्या!"—वो भड़का—"ये क्या बकवास है?"

"ये शाश्वत सत्य है। तुम इसे नहीं झुठला सकते।"

"तुम्हारा इन बातों से कोई मतलब नहीं। तुम्हारा मेरी निजी जिंदगी में दखलअंदाज होने का कोई मतलब नहीं।"

"तुम चाहते हो तुम्हारी इस गैरअखलाकी, गैरकानूनी आशनाई का ढ़ोल पिटे?"

"कौन पीटेगा?"

"'ब्लास्ट' पीटेगा। जिसका मैं चीफ रिपोर्टर होता हूं। ये मेरा प्रेस कार्ड देखो। ये मेरा विजिटिंग कार्ड पास रखो।"

वो बद्हवास दिखाई देने लगा।

"मुझे तुम्हारा नहीं पता, लेकिन सुजाता हरगिज नहीं चाहेगी कि उसकी आशनाई की पोल खुले और इसी वजह से तलाक के मामले में उसके हसबैंड का अपर हैण्ड बन जाये। या चाहेगी?"

उसकी गर्दन स्वयमेव ही इंकार में हिलने लगी, फिर जब उसे इस बात का अहसास हुआ तो तत्काल उसने हिलती गर्दन को काबू में किया।

"तुम्हारी इसमें क्या दिलचस्पी है?"—फिर बोला।

"'ब्लास्ट' की दिलचस्पी है।"

"'ब्लास्ट' की ही सही। लेकिन क्या?"

"'ब्लास्ट' सच्चाई और इंसाफ कर तरफदार है। उन बद्‌नसीब लोगों का तरफदार है जो सच्चाई और इंसाफ के तालिब हैं।"

"कौन हैं वो लोग?"

"वो उदिता चोपड़ा और अचला तलवार नाम की दो औरतें हैं। जानते हो उन्हें?"

"नहीं।"

"बिना जाने भी तुम इस बात के हक में हो सकते हो कि उन्हें इंसाफ हासिल होना चाहिये।"

"जो सवाल तुम पूछ रहे हो, उसका उन औरतों को इंसाफ हासिल होने में क्या रोल है?"

"रोल सामने आयेगा न...जबकि तुम सुजाता सक्सेना से अपने अफेयर की बात कबूल करोगे। कबूल करोगे कि आज की तारीख में तुम उसके इतने करीब हो कि तुम्हारा उसका सब सांझा है। यानी तुम्हें सुजाता के उस डबल की भी खबर है जो कि संतोषी अपार्टमेंट्स में उसके फ्लैट में उसकी जगह लिये है। है तो बताओ क्यों वो अरेंजमेंट किया गया था? क्यों तुम्हें अपने सुजाता से अफेयर के जिक्र से परहेज है?"

"अफेयर कोई है ही नहीं। दूसरे, वो शादीशुदा औरत है।"

"जो कि अपने हसबैंड को छोड़ चुकी है।"

"क्योंकि वो बेरहम है, जालिम है, खुंदकी है, हिटलरी मिजाज का मर्द है।"

"और तुम उसका खौफ खाते हो। इसलिये उसके मुकाबिल होने के खयाल से तुम्हारे प्राण कांपते हैं।"

"इतनी आफत नहीं आयी हुई। एक अरसे से मैं जा कर उससे दो टूक बात करने की सोच रहा हूं पर सुजाता का खयाल करके रुक जाता हूं।"

"क्या खयाल करके? कैसा खयाल करके?"

"वो डरती है न उससे! उसकी किसी बड़ी मुखालफत की हिम्मत नहीं जुटा पाती। बावजूद इसके कि उस शख्स ने सुजाता की जिंदगी खराब कर दी, वो उससे खौफ खाती है।"

"तुम्हें उसके डबल की, उस लड़की की, जो उसे इमपर्सनेट कर रही है, खबर है?"

"नहीं।"

"इस बात की तो खबर है न कि सुजाता आजकल अपने संतोषी अपार्टमेंट्स वाले फ्लैट में नहीं पायी जाती?"

"हां। उसने मेरे को बोला था कि आजकल उसका फ्लैट उसकी एक फ्रेंड के हवाले है।"

"तुम्हें अपने मौजूदा आवास की बाबत बताया था?"

"हां।"

"होटल पैनोरमा का रूम नम्बर 612?"

"हां।"

"कभी उससे वहां जा के मिले?"

"हां।"

"मिलते थे तो वहीं मुकाम बनाये रहते थे या वहां से बाहर भी निकलते थे?"

"बाहर भी निकलते थे।"

"निकल कर कहां जाते थे?"

"तफरीहन कहीं भी। किसी रेस्टोरेंट में, किसी डिस्को में, किसी नाइट क्लब।"

"साथ न देखे जाओ, इस बाबत कोई एहतियात बरतते थे?"

"हां।"

"क्या?"

"हमेशा नयी, अंजान जगह पर जाते थे।"

"लेकिन संतोषी अपार्टमेंट्स में सुजाता के फ्लैट में क्या ड्रामा चल रहा था, उसकी तुम्हें कोई खबर नहीं थी?"

"हां।"

"आखिर अमृत सिक्का से लगी?"

युवक चिहुंका।

"क्या!"—उसके मुंह से निकला।

"वो तुमसे मिला न!"

"कौन कहता है?"

"जो तुम्हारे सामने बैठा है।"

उसने बेचैनी से पहलू बदला।

"जानते तो हो न उसे! जवाब इस बात को जेहन में रख के देना कि झूठ नहीं चलने वाला।"

उसने सहमति में सिर हिलाया।

"कब मिला?"

"परसों सुबह।"

"क्या चाहता था?"

"पता नहीं क्या चाहता था!"

"बोला नहीं कुछ?"

"साफ साफ कुछ न बोला। दायें बायें की बातें करता था जो मेरे पल्ले न पड़ीं!"

"दायें बायें की बातों में कोई ब्लैकमेल की तरफ तो इशारा नहीं था?"

"मेरे खयाल से तो नहीं था!"

"खयाल से क्या मतलब? यकीन से क्यों नहीं?"

"क्योंकि उस वक्त मैं उसका ऐसा कोई इशारा पकड़ने की स्थिति में नहीं था...क्योंकि तब मैं तमाम हालात से वाकिफ नहीं था। इसीलिये मैंने बोला कि उसकी कुछ बातें तो मेरे पल्ले ही न पड़ीं।"

"उस मुलाकात को जरा तफसील से बयान करो।"

"खास कुछ है तो नहीं तफसील से बयान करने को लेकिन...सुनो। वो मेरे आफिस में आया था। खुद उसने मुझे अपना परिचय दिया था फिर, जैसा की मैंने पहले कहा, इशारों में कुछ कहने की कोशिश करने लगा था। उसके इशारे मेरे तो पल्ले न पड़े।"

"इशारों की उसकी जुबान का कोई हिस्सा याद हो!"

"है तो सही!"

"क्या कहता था?"

"कहता था आइंदा दिनों में उसे कुछ पैसों की—मोटी रकम बोला था शायद—जरूरत पड़ने वाली थी और वो जिससे वो रकम हासिल होने की उम्मीद कर रहा था, मैं उससे बाखूबी वाकिफ था।"

"कोई नाम लिया?"

"इस संदर्भ में नहीं लिया, ये न बताया कि वो शख्स कौन था जिसे मैं जानता था और जिससे वो कोई रकम हासिल करने वाला था, लेकिन बाद में खामखाह, आउट आफ कांटैक्स्ट सक्सेनाज का जिक्र ले बैठा। मेरे से पूछने लगा क्या मैं समीर सक्सेना को जानता था! उसकी बीवी सुजाता सक्सेना को जानता था!"

"तुमने क्या जवाब दिया?"

"कोई जवाब न दिया। टाल दिया जवाब को। उसने भी इस बाबत कोई जिद न की।"

"फिर?"

"फिर वो जाने लगा, जाता जाता रुका और एकाएक बोला, 'मैंने पहले भी तुम्हें कहीं देखा है'। मैंने कहा मुझे तो ऐसा नहीं लगता था तो वो बोला मुगलबाग के संतोषी अपार्टमेंट्स में उसका आना जाना था क्योंकि वहां उसकी एक गर्लफ्रेंड रहती थी और वहीं शायद उसने मुझे कभी देखा था। फिर मेरी किसी हां या न का इंतजार किये बिना वो वहां से चला गया।"

"पीछे ये हिंट छोड़ कर कि संतोषी अपार्टमेंट्स में सुजाता सक्सेना का फ्लैट था जहां कभी तुम गये हो सकते थे और जिस रकम का उसने जिक्र किया था उसकी आपूर्ति सुजाता सक्सेना से हो सकती थी!"

"या समीर सक्सेना से। उसने दोनों का नाम लिया था। खामखाह लिया था, आउट आफ कांटैक्स्ट लिया था लेकिन लिया था।"

"ब्लैकमेल की तरफ सीधा, सरल, फौरन पकड़ाई में आने वाला कोई इशारा उसने नहीं किया था?"

"नहीं।"

"किसी तरह की धमकी का कोई हिंट था उसके लहजे में? उसके अंदाजेबयां में?"

"नहीं।"

"अब जबकि सक्सेना पति पत्नी के बीच की कोल्डवार काफी हद तक रौशनी में आ चुकी है तो क्या करोगे?"

"क्या करूंगा!"—वो असमंजसपूर्ण भाव से बोला, फिर उसके चेहरे पर दृढ़ता के भाव प्रकट हुए—"जा कर समीर सक्सेना से दो टूक बात करूंगा।"

"क्या बात करोगे?"

"उसे सुजाता की जिंदगी बर्बाद करने का कोई हक नहीं था, तलाक में अड़ंगा लगाने के अपने शैतानी इरादे से उसे बाज आना चाहिये था। आज के जमाने में कोई यूं किसी का मालिक बन के नहीं रह सकता था, जैसे...जैसे बीवी बीवी न हो, जरखरीद लौंडी हो।"

"ये सब तुम उससे कहते?"

"हां।"

"कह लेते?"

"क्यों नहीं। इतना नहीं डरता मैं उससे।"

"कितना डरते हो?"

उसने उत्तर न दिया।

"बहरहाल सिक्का ने कोई ब्लैकमेल का हिंट ड्रॉप किया था तो समीर सक्सेना और सुजाता सक्सेना के संदर्भ में ड्रॉप किया था, उसने तुम्हें अपने हिंट की जद में लेने की कोशिश नहीं की थी?"

"हां।"

"करंसी एक्सचेंज का कोई कारोबार किया था?"

"कैसा कारोबार!"

"जैसा तुम्हारे ठीये पर होता है। मनीचेंजर हो न, भई!"

"तुम्हारा मतलब है उसने रुपयों के बदले में डालर हासिल किये हों?"

"हां।"

"नहीं, ऐसा कुछ नहीं हुआ था।"

"तो डालर माशूक की तरफ से अदा किये?"

"क्या!"

"सिक्का के पास रनिंग सीरियल में सौ सौ डालर के पचास नोट थे जिनका सोर्स, अब स्थापित है कि, तुम थे। क्यों दिये?"

"मैंने दिये!"—वो अचकचा कर बोला।

"और कह दिया कि समीर सक्सेना को एक्सचेंज में दिये थे।"

"वाट नानसेंस!"—वो भड़का—"तुम चोर बहका रहे हो?"

"सच पूछो तो यही कर रहा हूं, यार। क्या करूं? और कुछ करना सूझ नहीं रहा।"

"मैं तुम्हारी साफगोई की दाद देता हूं।"

"थैंक्यू। लेकिन कवर अप की नीयत से तो भड़क कर नहीं दिखा रहे हो! सच में सिक्का को डालर में कोई अदायगी नहीं की थी न!"

"कसम उठवा लो, नहीं की थी।"

"कसम में आजकल कोई वजन नहीं रहा, फूंक मारे उठ जाती है।"

"तो फिर मैं तुम्हें कैसे यकीन दिलाऊं कि सौ डालर की नयी गड्डी के साठ नोट मैंने सिर्फ और सिर्फ समीर सक्सेना को दिये थे जो कि मेरा रेगुलर क्लायंट है!"

"तुम समीर सक्सेना से रूबरू, दो टूक बात करने का मन बनाये बैठे हो, इस बात की सुजाता को खबर है?"

"है। मैंने खुद खबर की।"

"उसने ऐतराज न किया?"

"पुरजोर लहजे से ऐतराज किया। सख्ती से बोला मैं ऐसा कोई कदम उठाने का खयाल तक न करूं। ऐसा कोई कदम उठाने से हमारे खोले ही तमाम पोल पट्टी खुल जायेगी, समीर साहनी के हाथ मजबूत होंगे और तलाक एक दूर का सपना बन के रह जायेगा। बोली, ये तो अपनी लगाम खुद उसके हाथ में देने का काम होगा।"

"तुम्हारे पास सुजाता के फ्लैट की चाबी है?"

"क्या!"

"जवाब दो।"

"फसादी बात को एकाएक सरकाना तुम्हारा स्टाइल मालूम होता है!"

"जवाब दो।"

"नहीं।"

"हमेशा के लिये न सही, कभी किसी छोटे से वक्फे के लिये, थोड़े से वक्त के लिये रही हो?"

"नहीं।"

"कभी सुजाता ने ये कह के दी हो कि जाओ जा के मेरे फ्लैट से फलां चीज निकाल के ले आओ?"

"नहीं।"

"तुम उसके करीबी हो—आने वाले वक्त में और करीबी हो जाने वाले हो—तुम्हारे पास सुजाता के फ्लैट की चाबी नहीं थी लेकिन अमृत सिक्का के पास थी, ये अजीब बात नहीं!"

"कोई अजीब बात नहीं। सिक्का सुजाता के लिये काम कर रहा था, वो एक

स्पैशल असाइनमेंट पर था जिस के तहत फ्लैट उसके हवाले था, इसलिये चाबी उसके पास होना अजीब बात नहीं, स्वाभाविक बात थी।"

"ओये"—एकाएक रमाकांत बोला—"अभी तो तू स्पैशल असाइनमेंट की जानकारी से इंकार करके हटा है!"

वो हड़बड़ाया, उसने मुंह बाये रमाकांत की तरफ देखा।"

"मैं!"—फिर बोला—"मैंने ऐसा कब कहा?"

"अभी कहा! और क्या पिछले हफ्ते कहा! अभी बोला नहीं था कि सुजाता का फ्लैट उसकी एक फ्रेंड के हवाले था! क्या मतलब हुआ, भई? एक टाइम में एक जगह दो मुख्तलिफ लोगों के हवाले थी?"

वो गड़बड़ाया, उसने बेचैनी से पहलू बदला।

"झूठ बोलना तजुर्बे का काम है, वीर मेरे। जमा, उसके लिये अच्छी याददाश्त का होना जरूरी होता है।"

"मैंने...मैंने झूठ नहीं बोला।"

"कनफ्यूजन में ऐसा कुछ कह गये"—सुनील उसे तसल्ली देने के अंदाज से बोला—"जो झूठ न सही, गलतबयानी बन गया। नहीं?"

"हां।"—वो फंसे कण्ठ से बोला।

"हो जाता है कभी कभी। आज से पहले सुजाता से कब मुलाकात हुई थी?"

"परसों।"

"उसी दिन सुबह तुमसे सिक्का आ कर मिला था?"

"हां।"

"जो कि उसके कत्ल का दिन था? उस दिन ढ़ाई बजे के करीब उसका कत्ल हुआ बताया जाता है।"

"हां।"

"कब मुलाकात हुई थी?"

"दोपहरबाद।"

"कहां?"

"शंकर रोड पर एलआईसी की बिल्डिंग की बेसमेंट में रुचि नाम का एक खामोश रेस्टोरेंट है जहां मैं लंच के लिये रेगुलर जाता हूं।"

"परसों कब गये थे?"

"पौने एक बजे।"

"सुजाता वहां मिली?"

"हां।"

"पहले से मौजूद थी?"

"ह-हां।"

"यानी वो इस बात से वाकिफ थी कि लंच के लिये वो—रुचि नाम का वो

रेस्टोरेंट—तुम्हारी फेवरेट जगह थी, तुम हमेशा वहां लंच करते थे और लंच के टाइम वहां होते थे?"

"हां।"

"जब वहां सुजाता से मिले थे तो उसे सिक्का की आमद की बाबत बताया था?"

"हां।"

"उस पर इस बात की कोई खास प्रतिक्रिया हुई थी?"

"नहीं।"

"पक्की बात?"

"हुई थी तो उसने जाहिर नहीं की थी।"

"वो सिक्का से वाकिफ थी?"

"बकौल उसके मामूली वाकफियत थी।"

"उसे बताया था कि सिक्का ब्लैकमेल का हिंट देता था?"

"कैसे बताता! तब तो ऐसा कोई हिंट मेरी पकड़ाई में आया ही नहीं था! ब्लैकमेल से ताल्लुक रखती बातें तो मुझे अब, तुम्हारे साथ बातचीत के दौरान सूझीं।"

"आई सी। कब तक वहां मौजूद थे?"

"दो बजे तक।"

"लंच सवा घंटे में होता है?"

"नहीं, नहीं, लंच तो डेढ़ तक हो गया था, और थोड़ी देर बाद वो भी चली गयी थी, लेकिन मैं वहीं बैठा रहा था।"

"क्यों?"

"वो...वो क्या है कि..."

"क्या है?"

"उस रोज का लंच मुझे रास नहीं आया था, पेट पर भारी पड़ा था, इसलिये..."

"लंच के बाद भी वहीं बैठे रहे थे?"

"ज्यादा देर नहीं।"

"लेकिन बैठे रहे थे?"

"हां।"

"सुजाता के साथ!"

"खामखाह! अभी मैंने बोला नहीं था कि वो डेढ़ बजे के थोड़ी देर बाद वहां से चली गयी थी।"

"पीछे तुम्हें अकेला छोड़ कर!"

"हां।"

"'अभी न जाओ छोड़ कर कि दिल अभी भरा नहीं' जैसा कोई माहौल न बना?"

"वाट नानसेंस!"
"वहां से दो बजे उठे?"
"हां।"
"फिर? फिर कहां गये? अपने आफिस लौटे?"
"न-हीं।"
"तो?"
"मैंने बोला न, उस रोज के लंच ने मुझे परेशान किया था।"
"मैंने सुना। लंच ने परेशान किया। तुम परेशान हुए। फिर क्या हुआ?"
"फिर यही हुआ कि...आफिस लौटने का मन न किया, घर आ के रैस्ट किया।"
सुनील ने अपलक उसकी तरफ देखा।
"मेरे को रेगुलर स्टामक एलमेंट है।"—वो दबे स्वर से बोला—"कभी भी एक्ट करने लगती है।"
"फिर भी रोजाना बाजार का खाना खाते हो?"
"और क्या करूं! मजबूरी है सिंगल लाइफ की।"
"ठीक। आज भी दोपहर हो गयी है, घर पर हो। आज भी स्टामक एक्ट कर रहा है या किसी और वजह से तबीयत खराब है! रैस्ट पर हो!"
वो खामोश रहा।
"बिजनेस सफर नहीं करता?"
"करता है लेकिन यूं आफिस बंद रहना कोई रोजमर्रा की बात तो नहीं! परसों और आज ही तो ऐसा हुआ!"
"परसों से पहले आफिस हमेशा खुलता था? रेगुलर खुलता था?"
"हां।"
"तब स्टामक एलमेंट नहीं थी?"
"थी, लेकिन काबू में थी।"
"कत्ल के रोज से काबू से बाहर हो गयी?"
"तुम तो यूं कह रहे हैं जैसे मेरी पेट की तकलीफ का कत्ल से कोई रिश्ता हो!"
"जो दिन अंडर रेफ्रेंस है, उसको और कैसे रेफर करूं?"
"परसों बोलो। वार बोलो। तारीख बोलो।"
"ओके। परसों लंच के बाद सुजाता की राह कौन सी थी जिस पर कि वो लगी? वो कहां गयी?"
"मुझे नहीं मालूम।"
"मालूम करने की कोशिश की?"
"कैसे?"
"उसके पीछे लग के!"
"अरे, तुम आदमी, क्या हो?"—वो फिर भड़का—"मैं तुम्हारे साथ कोआपरेट

कर रहा हूं तो इसका मतलब है तुम सिर पर ही सवार हो जाओ! कुछ भी बक दो..."

"ओये, चिल, काकाबल्ली"—रमाकांत पुचकारता सा बोला—"चिल।"

"वाट काका! वाट बल्ली! वाट चिल! जबरन घर में घुस आये; नाजायज, खामखाह के सवालों की बौछार करना शुरू कर दिया, मैंने फिर भी बर्दाश्त किया। मेहमान का दर्जा दिया तुम लोगों को। ऐसे सिर पर सवार होते हैं मेहमान! ऐसे नाजायज फायदा उठाते हैं किसी की शराफत का!"

"ओये, मां सदके! तू तो असली नाराज हो गया है!"

"एण्ड स्पीक ए सिविल लैंग्वेज विद मी। मैं तू तकार की भाषा पसंद नहीं करता।"

"बल्ले भई, तेरियां पसंदा दे!"

"नाओ, प्लीज, लीव।"

"मालको, ये तो हमें डिसमिस कर रहा है!"

"मुझे भी ऐसा ही लग रहा है।"—सुनील उठता हुआ बोला—"वैसे ये मेरा आखिरी सवाल था कि..."

"नो! नो! नथिंग आफ दि काइंड! अब मैं तुम्हारे किसी सवाल का जवाब नहीं दूंगा, तुम लोगों से मेरा जो बिगाड़ा जाता हो, बिगाड़ लेना। नाओ, गैट आउट आफ माई हाउस।"

"ओये"—रमाकांत बोला—"ओये, तेरा ये दृढ़ निश्चा है?"

"क्या!"

"हिन्दी नहीं समझता?"

"निश्चय।"—सुनील बोला—"दृढ़ निश्चय है?"

जवाब देने की जगह युवक उठा, दरवाजे पर पहुंचा, उसने एक झटके से दरवाजा खोला और बड़े अर्थपूर्ण भाव से उनकी तरफ देखा।

"बड़े बेआबरू हो कर"—सुनील दरवाजे की ओर बढ़ता बोला—"तेरे कूचे से हम निकले।"

"आहो, यार।"—उसके साथ चलता रमाकांत बोला।

सुनील दरवाजे पर पहुंचा, ठिठका, युवक की तरफ घूमा और जल्दी से बोला—"माशूक का पीछा करते सीधे संतोषी अपार्टमेंट्स ही पहुंचे थे न! जहां कि..."

शोभित शुक्ला ने उनके मुंह पर दरवाजा बंद कर दिया।

दोनों इमारत से बाहर निकल कर सड़क पर पहुंचे।

"पीछे किस फिराक में था तू?"—रमाकांत बोला।

"पता नहीं!"—सुनील बड़बड़ाता सा बोला—"ऐसे ही दून की हांक रहा था। जब मजबूत और चौकस कुछ न सूझे तो अंधेरे में तीर छोड़ने ही पड़ते हैं, वो निशाने पर लगें या न लगें।"

"ये बात तो तेरी ठीक है।"

"लेकिन एक बात की मुझे गारंटी है। वो लड़का किसी कवर अप की फिराक में तो बराबर है। उसको कोई फसादी जानकारी बराबर है जो कि उसे फिक्र में डाल रही है, पेट में मरोड़ उठा रही है, स्टामक एलमेंट कर रही है।"

"क्या जानकारी?"

"पता नहीं।"

"फिर क्या बात बनी?"

"नहीं बनी।"

"अब क्या करोगा?"

"कोई और जुगत सोचूंगा बात बनाने की।"

"वो तो तू सोचेगा। सोचेगा तो उस पर अमल करेगा। अब क्या करेगा?"

"अब क्या करूंगा?"

"हां।"

"मैं परवेश राणा से मिलना चाहता हूं।"

"नाम सुना हुआ तो लगता है। कौन है वो?"

"रमाकांत, रमाकांत..."

"ठण्ड रख। याद आ गया मुझे। तू नागरथ डिटेक्टिव एजेंसी के उन दो फील्ड वर्कर्स में से एक की बात कर रहा है जो जनानियों की निगरानी पर थे।"

"जिनमें से एक को जौहरी पहले से जानता पहचानता था। जो पहले डेल्टा सिक्योरिटीज में था लेकिन वहां से डिसमिस कर दिया गया था।"

"ओये, मां सदके, याद आ तो गया अब! अब क्या उसकी सारी जन्म पत्री बांचेगा!"

"कहां पाया जाता है?"

"मुझे नहीं पता। ठहर, जौहरी से पूछता हूं।"

रमाकांत मोबाइल निकाल कर फोन करने लगा।

उस दौरान सुनील ने एक सिग्रेट सुलगा लिया।

थोड़ी देर में रमाकांत फोन से फारिग हुआ।

"सुभाष नगर रहता है।"—फिर बोला।

"सुभाष नगर!"—सुनील के माथे पर बल पड़े।

"जार्जटाउन से ढ़ाई तीन किलोमीटर आगे है।"

"इतनी दूर!"

"मत जा।"

"वो इस वक्त घर होगा!"

"होगा। आज उसका ऑफ है।"

"उसका शनिवार ऑफ होता है?"

"इतवार भी। जौहरी कहता है डिटेक्टिव एजेंसीज के फील्ड आपरेटर्स को

अक्सर तेरह-तेरह, चौदह-चौदह घंटे की ड्यूटी की शिफ्ट लगानी पड़ती है। इसलिये दो ऑफ मिलते हैं।"

"ओह!"

"तो अब तू सुभाष नगर जायेगा?"

"अकेला नहीं जाऊंगा।"

"क्यों?"

"जेल बर्ड बताया कि नहीं बताया! ऐसे लोग खतरनाक होते हैं, उसके साथ मुझ अकेले की टूट फूट की गारंटी कौन करेगा?"

"कौन करेगा?"

"तुम्हें नहीं मालूम?"

"नहीं, नहीं मालूम। मालूम होता तो पूछता!"

"ठीक है, फिर।"—सुनील ने आखिरी कश लगा कर सिग्रेट को तिलांजलि दी—"चलता हूं।"

"पैदल! शाम तक पहुंच जायेगा?"

"देखूंगा।"

"ओये, भूतनीदया, बांह छुड़ाये जात है?"

"मैं नहीं, वड्डे भापा जी बांह छुड़ाये जात हैं। साथ में कार की धौंस दे रहे हैं।"

"ऐ कार माईंयवी! ऐ आई-20! ओये, मैं तेरे पर से सौ मर्सिडीज वार के फेंक दूं।"

"तो फिर..."

"मोड़ तक जा, अंगूठा हिला के लिफ्ट मांग, जैसे जनानियां मांगती हैं, मैं आ के तुझे लिफ्ट देता हूं, फिर चलते हैं।"

"मैं मोड़ तक नहीं जा सकता।"

"लै होर सुन! अभी सुभाष नगर तक जाने को तैयार था!"

"अब जल्दी फैसला करो..."

"फैसला केड़ा! ओये कमलया, गोल्ली किदी ते गहन किदे! मैं तेरा कार तेरी ओ, बल्लया"—रमाकांत तरन्नुम में बोला—"जान भी मांगे दूं..."

वे सुभाष नगर पहुंचे।

सुनील को जिस बद्‌किस्मती का अंदेशा था, वो पेश न हुई।

परमेश राणा घर पर मौजूद था।

वो फुटबाल के खिलाड़ियों जैसा चाकचौबंद और मजबूत बना हुआ कोई चालीस साल का व्यक्ति था जिसकी सूरत पर असहिष्णुता और क्रूरता के भाव स्थायी रूप से छपे जान पड़ते थे।

वैसे ही अंदाज से उसने अपलक अपने आगंतुकों का मुआयना किया।

"परमेश राणा?"—सुनील ने पूछा।

"हां।"—वो यूं बोला जैसे बोलता अहसान कर रहा हो—"क्या है?"

"मेरा नाम सुनील है। मीडिया से हूं। 'ब्लास्ट' का चीफ रिपोर्टर हूं।"

उसने रमाकांत की तरफ देखा।

"ये मेरे साथी हैं।"

"क्या चाहते हो?—राणा रुखाई से बोला।

"तुमसे बात करना चाहते हैं।"

"किस बाबत?"

"अमृत सिक्का नाम के शख्स के कत्ल की बाबत।"

"मेरा कत्ल से क्या मतलब?"

"सीधे नहीं है लेकिन फिर भी है।"

"पहेलियां न बुझाओ।"

"जिस औरत पर कत्ल का इलजाम है, तुम उसके कुछ कार्यकलापों के गवाह हो।"

"मैं अभी भी कुछ नहीं समझा।"

"मैं अचला तलवार की बात कर रहा हूं। परसों तुम उसकी और उदिता चोपड़ा नाम की एक दूसरी लड़की की निगरानी पर तैनात थे जबकि होटल श्रीलेखा में..."

"मैं उस बाबत कोई बात नहीं करना चाहता।"

"क्यों?"

"वजह भी नहीं बताना चाहता।"

"फिर भी!"

"वो मेरी नौकरी से, मेरी ड्यूटी से ताल्लुक रखती बात है, तुम्हें उससे कोई मतलब नहीं होना चाहिये।"

"आम हालात में नहीं होता लेकिन क्योंकि एक बेगुनाह की जान पर बनी है, इसलिये इंसाफ की खातिर हमारा तुमसे बात करना जरूरी है।"

"मैं अपना बयान पुलिस को दे चुका हूं। जो पूछना है, जा कर पुलिस को पूछो।"

"लेकिन..."

"अखबार वाले हो तो वहां से मेरे बयान की कापी हासिल कर लेना तुम्हारे लिये कोई बड़ी बात नहीं होगी। अब बरायमेहरबानी..."

उसने दरवाजा बंद करने की कोशिश की।

"मालको"—बंद होते दरवाजे में पांव फंसाता रमाकांत बोला—"ये तो पसरता ही जा रहा है! इसे तो ये भी नहीं मालूम जान पड़ता कि घर आये मेहमान से कैसे पेश आते हैं!"

"तुम मेहमान नहीं हो, मैं तुम्हें जानता तक नहीं हूं।"

"ओये कमलया, जो द्वारे आन खड़ा हो, वो मेहमान होता है। मेहमान भगवान का स्वरूप होता है।"

"मेरे लिये नहीं होता। मैं नास्तिक हूं। अब जाओ यहां से। पीछा छोड़ो।"

"छोड़ते हैं। एक आखिरी—खास, खासुलखास—बात सुन, फिर छोड़ते हैं।"

"बोलो।"

"तेरे मौजूदा एम्पलायर को खबर है कि तू सजायाफ्ता मुजरिम है?"

वो चौंका।

"तेरी शक्ल से लगता है कि नहीं है। डेल्टा स्क्योरिटीज में भी खबर नहीं थी, लेकिन जब लगी थी तो निकाल बाहर किया गया था। अब तेरी मौजूदा एम्पलायमेंट में भी तेरा यही हश्र होगा या नागरथ को बतौर एम्पलाई सजायाफ्ता मुजरिम मंजूर हैं?"

"ये क-क्या...क्या कह रहे हो तुम?"

"तेरे को पता है क्या कह रहा हूं। तू परजुरी के इलजाम में छः महीने की जेल की सजा काट चुका है। कातिल के खिलाफ गवाही दे कर मुकर गया था। कोई ज्यादा पुरानी बात नहीं है। अभी तीन साल ही हुए हैं तुझे सजा काटे।"

वो भौंचक्का सा रमाकांत का मुंह देखने लगा।

"कमला, माईंयवा। दाई से पेट छुपाता है!"

उसने बेचैनी से पहलू बदला।

"सजायाफ्ता मुजरिम कुमार राणा, अपनी ये हकीकत छुपा कर तूने डेल्टा सिक्योरिटीज में नौकरी हासिल की थी लेकिन हकीकत उन लोगों से छुपी नहीं रही थी इसलिये निकाल बाहर किया गया था। अब नागरथ डिटेक्टिव एजेंसी में भी तेरा यही हश्र होगा।"

"नहीं!"

"क्यों नहीं? जब उन्हें खबर लगेगी कि तू जेली है..."

"क-कैसे लगेगी?"

"मैं बोलूंगा न जा के!"

"तुम...तुम क्यों बोलोगे?"

"ओये, काकाबल्ली, जो मेरे यार नाल मंदा बोले, ओ मेरा घोर शत्रु।"

वो बेचैन दिखाई देने लगा।

"दो मिनट हमसे बात करना कुबूल करो"—सुनील बोला—"फिर कम से कम हमारी वजह से तुम्हारा राज फाश नहीं होगा।"

"ये...ये ब्लैकमेल है।"

"तू न फंस।"—रमाकांत तल्खी से बोला—"क्यों फंसता है!"

"चाहते क्या हो?"

"खास कुछ नहीं।"—सुनील बोला—"खाली ये चाहते हैं कि तुम एक बार पुलिस को दिये अपने बयान को हमारे सामने रीव्यू करो। जो पुलिस को बोला,

जो अपने एम्पालयर को अपनी रिपोर्ट के जरिये बोला, वो एक बार दोहरा दो, बस।"

"बस?"

"हां।"

"तुम्हारी मर्जी मुझे अपना बयान बदलने के लिये मजबूर करने की तो नहीं है?"

"नहीं। कसम उठवा लो।"

"आओ।"

उठने रास्ता छोड़ा। उसके पीछे चलते दोनों एक छोटी सी बैठक में पहुंचे। वहां एक दीवार पर एक कलेंडर टंगा था जिस पर हनुमान जी चित्रित थे।

"ये दारासिंह की फोटो है?"—रमाकांत बोला।

"नहीं।"—राणा बोला—"हनुमान जी की।"

"तूने तो दारासिंह की समझ कर टांगी न!"

"नहीं।"

"फिर भी बोला तू नास्तिक है!"

"वो...वो..."

"हमारे से पीछा छुड़ाने को झूठ बोला! भगवान के नाम में भी परजुरी! बल्ले, भई!"

"बैठो।"

सब बैठ गये।

"अब पूछो जो पूछना है!"—राणा बोला।

"तुम नागरथ डिटेक्टिव एजेंसी के फील्ड आपरेटर हो और मंगलवार सुबह से अपने एक साथी के साथ मुगलबाग, संतोषी अपार्टमेंट्स के एक फ्लैट में रहती दो महिलाओं की निगाहबीनी पर तैनात थे?"

"हां।"

"अपनी यही ड्यूटी करते परसों गुरुवार को तुम उन दोनों महिलाओं के पीछे होटल श्रीलेखा पहुंचे थे जो कि हामिद अली रोड पर है और उस वक्त पौने तीन बजे के करीब का टाइम था। ठीक?"

"हां।"

"वहां क्या देखा था?"

"पौने तीन बजे वो दोनों औरतें होटल की लॉबी में पहुंची थीं। वहां छोटी वाली फोन के साथ मसरूफ हो गयी थी और बड़ी वाली लापरवाही से टहलती पिछवाड़े में पहुंच गयी थी जहां कि किचन है और किचन से बाहर पिछवाड़े की गली में कचरे का ड्रम है। उस ड्रम के पास जब वो ठिठकी थी तब उसकी मेरी तरफ पीठ थी। पीठ पीछे से भी मुझे साफ अहसास हुआ था कि उसने कचरे के ड्रम का ढ़क्कन उठाया था, दूसरे हाथ से भीतर कुछ डाला था

और फिर ढ़क्कन वापिस रख दिया था। फौरन बाद वो जिस रास्ते वहां पहुंची थी, उसी रास्ते चलती वापिस लॉबी में पहुंच गयी थी।"

"तब क्या टाइम था?"

"दो बज कर पचास मिनट।"

"लिहाजा पिछवाड़े जाने आने में उसे पांच मिनट लगे थे?"

"हां।"

"संतोषी अपार्टमेंट्स से वो सीधी—बिना कोई डाइवर्शन किये—होटल श्रीलेखा पहुंची थीं?"

"हां।"

"संतोषी अपार्टमेंट्स से कब रवाना हुई थीं?"

"दो अड़तीस पर।"

"ऐग्जैक्ट टाइम याद है?"

"हां। तभी तो बोला! एक्यूरेट रिपोर्टिंग के लिये डिटेक्टिव एजेंसी के फील्ड आपरेटर को ऐसी बातें नोट करके रखनी पड़ती हैं।"

"आई सी। बड़ी वाली ने—अचला तलवार नाम है जिसका, और जो खास तुम्हारी निगाह में थी—कचरे के ड्रम में क्या डाला था?"

"मुझे नहीं मालूम।"

"नहीं मालूम! लेकिन अभी तो तुमने कहा था..."

"मैंने कहा था कि उसके एक्शन से...एक्शन से मुझे ऐसा लगा था कि कुछ डाला था।"

"उसके पीछे तुम उससे कितनी दूर थे?"

"कोई दस गज दूर था मैं।"

"वो डबल बैरल औरत है..."

"डबल बैरल क्या मतलब?"

"दोहरे बदन की है।"

"ये तकल्लुफ में लिहाज से बोल रहा है।"—रमाकांत बोला—"मोटी है।"

"कहने का मतलब ये है"—सुनील बोला—"कि ऐसी औरत की पीठ पीछे से ये तो दिखाई देना मुमकिन नहीं रहा होगा कि उसके हाथ क्या कर रहे थे?"

"वो बात ठीक है लेकिन एक्शन से भी तो अंदाजा होता है कि हाथ क्या कर रहे होंगे!"

"दस गज दूर से?"

"हां। दिन का वक्त हो, निगाह चौकस हो तो दस गज कोई ज्यादा फासला नहीं होता।"

"इसलिये तुम्हें बराबर अंदाजा है, उसने एक हाथ से ड्रम का ढ़क्कन उठाया था और दूसरे से भीतर कुछ डाला था?"

"हां।

"लेकिन अंदाजा...अंदाजा है!"

"मैं तुम्हारी बात समझ रहा हूं। अंदाजा खामखाह का नहीं है। अंदाजे की कोई बुनियाद है, उसको सबस्टैंशियेट करने वाले कोई टैलटेल एक्शन हैं जिनको मैंने बराबर नोट किया था।"

"लेकिन उन टैलटेल एक्शंस से ये नहीं जाना जा सकता था कि असल में उसने...अगर डाला था तो...ड्रम में क्या डाला था?"

"नहीं, ये नहीं जाना जा सकता था।"

"पीठ पीछे से, दस गज के फासले से उस आइटम को—अगर ऐसी कोई आइटम थी—तुम देख नहीं सकते थे?"

"ये बात तो है!"

"ढ़क्कन कौन से हाथ से उठाया?"

"बायें हाथ से।"

"दायें से भीतर कुछ डाला?"

"हां।"

"तुम किसी हाथ को देख नहीं सकते थे, क्योंकि दोनों हाथ औरत की विशाल पीठ की ओट में थे?"

"हां।"

"फिर तुम्हें क्या पता ढ़क्कन कौन से हाथ से उठाया और कुछ भीतर कौन से हाथ से डाला?"

"ढ़क्कन का कोना दिखाई दिया न!"

"ओह! ढ़क्कन का कोना दिखाई दिया।"

"तुमने वो ड्रम देखा है?"

"हां।"

"फिर तो तुम्हें मालूम होना चाहिये कि वो एल्यूमीनियम का बना बहुत बड़ा ड्रम है जिसका ढ़क्कन भी उतना ही बड़ा है जितना कि ड्रम का व्यास है। इतना बड़ा ढ़क्कन उठाये जाने पर पूरे का पूरा किसी की ओट में नहीं आ सकता।"

"ठीक! लेकिन दायां हाथ या उसकी हरकत तुम अपनी पोजीशन से नहीं देख सकते थे?"

"हां।"

"कोहनी के बारे में क्या कहते हो? उसकी कोई हरकत तुम्हारे नोटिस में आयी थी?"

"हां।"

"कंधे की?"

"उसकी भी।"

"इन बातों से तुम्हें अंदाजा हुआ था कि वो बायें हाथ से ढ़क्कन उठा कर दायें हाथ से भीतर कुछ डाल रही थी?"

"हां। और उसकी बाबत अब मुझे मालूम है कि वो एक खंजर था।"

"क्योंकि वो खंजर बरामद हो चुका है?"

"हां।"

"आलायकत्ल खंजर है, वो औरत मर्डर सस्पैक्ट है, इसलिये खंजर उसने डाला! ये दो में दो जोड़ कर जवाब छत्तीस निकालने जैसी बात है, प्यारेलाल।"

"जवाब निकालना, नतीजे निकालना मेरा काम नहीं, मेरा काम रिपोर्ट करना है।"

"लेकिन कामनसेंस की बात है, इतना तो समझ सकते हो कि ये कतई जरूरी नहीं कि खंजर उसने डाला हो! खंजर उससे पहले किसी ने वहां डाला हो सकता है, उसके बाद किसी ने वहां डाला हो सकता है। ये काम अचला तलवार का था, ये तब स्थापित होता जबकि उसके वहां से हटते ही तुम ड्रम के पास पहुंचे होते, तुमने उसका ढ़क्कन उठाया होता और कचरे पर, सबसे ऊपर पड़ा, खंजर तुम्हें दिखाई दिया होता।"

"ऐसा भी हुआ होता तो जैसी दलील तुम्हारी है, उसकी रू में तुम तब भी कह देते कि खंजर पहले से वहां पड़ा था, उस औरत के ड्रम के करीब पहुंचने से जरा पहले ही कोई खंजर वहां डाल के गया था।"

सुनील सकपकाया।

"जमा, मैंने सुना है कि वो औरत पुलिस के सामने अपनी जुबानी कुबूल कर चुकी है कि वो खंजर उसकी मिल्कियत था।"

"मिल्कियत कुबूल कर चुकी है, इस्तेमाल भी उसी ने किया था, ये नहीं कुबूल कर चुकी।"

"लाश की छाती में पैबस्त जो खंजर पाया गया था, उस पर उसकी उंगलियों के निशान थे।"

"तो फिर अलायकत्ल वो खंजर था। फिर ड्रम से बरामद हुए खंजर को अलायकत्ल कहने का क्या मतलब?"

"पुलिस से पूछो। मैं इन पचड़ों में नहीं पड़ना चाहता। मेरा काम आब्जर्व करना है और आब्जरवेशन को रिपोर्ट करना है, मैंने पहले ही कहा, नतीजे निकालना मेरा काम नहीं है।"

"उस औरत की कचरे के ड्रम के पास हाजिरी की रिपोर्ट अपने आफिस को कब की?"

"तभी की। वो एक अहम बात थी इसलिये तभी की।"

"तभी कब?"

"उस औरत के कचरे के ड्रम के पास से हट के लॉबी में वापिस पहुंचते ही।"

"किसको?"

"खुद नागरथ साहब को। उनके मोबाइल पर काल लगाई।"

"काल में वही कुछ बोला जो अभी मेरे सामने दोहराया?"

"हां।"

"यही बयान पुलिस को दर्ज कराया?"

"हां।"

"मेरे सुनने में आया है कि पुलिस को अपने बयान में तुमने कहा था कि अचला ने कचरे के ड्रम का ढ़क्कन उठा कर भीतर झांका था। उसमें कुछ डाला होने वाली बात का जिक्र तो तुमने नहीं किया था!"

"मैंने बाद में उस बाबत सोचा था तो मुझे उसकी तब की दायीं कोहनी की और दायें कंधे की हरकत याद आयी थी और तब मैं इस नतीजे पर पहुंचा था कि उसने ड्रम में कुछ डाला था।"

"अपनी नयी सोच पुलिस के पास दर्ज कराई थी?"

"हां।"

"कब?"

"कत्ल से अगले रोज। कल।"

"ये कि अचला ने—जैसा कि तुमने अपने शुरुआती बयान में कहा था—ड्रम में महज झांका ही नहीं था, उसमें कुछ डाला भी था?"

"हां।"

"जो कि खंजर ही हो सकता था?"

"जाहिर है।"

"जाहिर तो नहीं है लेकिन...खैर। ये बताओ ये अजीब बात नहीं कि जब वो वाकया तुम्हारे जेहन में ताजा था, तभी हो के हटा था, तब तो तुम्हें लगा कि अचला ने ढ़क्कन उठा कर महज ड्रम में झांका था लेकिन बात जब चौबीस घंटे पुरानी हो गयी तो तुम्हें लगा उसने ढ़क्कन भीतर झांकने के लिये नहीं, कुछ डालने के लिये उठाया था!"

"भीतर झांकने के लिये ढ़क्कन उठाने का क्या मतलब? एरोमा एनजाय करना चाहती थी?"

"बहुत स्मार्ट बात कही, गुलेगुलजार, लेकिन ये स्मार्ट बात तुम्हें पहली ही मर्तबा क्यों न सूझी?"

वो गड़बड़ाया।

"क्या ये सच नहीं कि तुम्हारी सोच में, सूझ में जो इंकलाबी तब्दीली आयी, वो ये खबर लगने के बाद आयी कि कचरे के ड्रम से खंजर बरामद हुआ था! वो जानकारी हासिल होने के बाद ही तुमने भजना शुरू किया कि उस औरत ने ड्रम में कुछ डाला था और यूं लपेट कर इस बात को सरकाया कि वो 'कुछ' खंजर हो सकता था!"

वो खामोश रहा।

"नहीं?"—सुनील जिदभरे लहजे से बोला।

"और भी बात थी।"—वो दबे स्वर में बोला।

"अच्छा! और भी बात थी!"

"जिसकी अहमियत मुझे बाद में सूझी थी।"

"अगले रोज?"

"हां।"

"पुलिस की खोज ने प्राम्प्ट किया, तब?"

"यही समझ लो।"

"क्या थी वो बात?"

"जब वो औरत कचरे के ड्रम पर झुकी हुई थी और जब मैंने उसकी दायीं कोहनी और कंधे में हरकत नोट की थी तब एक सेकंड को, बल्कि उससे भी कम वक्त को, मुझे उस औरत के जिस्म की ओट से एक चमक सी पैदा होती और फौरन गायब होती लगी थी।"

"कैसी चमक?"

"जो किसी चीज पर सूरज की किरणों के टकराने से पैदा होती है।"

"जैसे शीशे पर से? पालिश्ड मैटल पर से? किसी प्रेशस स्टोन पर से?"

"हां।"

"धारदार खंजर के फल पर से?"

"ह-हां।"

"ये बात सूझने पर अगले रोज अपना नया बयान दर्ज कराने पुलिस के पास पहुंचे?"

"हां।"

"बयान सूझा या सुझाया गया?"

"क्या मतलब?"

"समझो।"

"क्या समझूं?"

"किसी मुलजिम के खिलाफ अपने केस को मजबूत करने के लिये पुलिस अपने गवाहों के जेहन में ऐसी बातें सरकाती ही रहती है। अपने बयान में ये चमक वाली बात जोड़ने का सुझाव कहीं पुलिस का तो नहीं था?"

"नहीं, पुलिस ने मुझे ऐसा कुछ नहीं सुझाया था।"

"पुलिस को ये बात सूट करती है। तुम्हारा नार्मल बयान अचला की कचरे के ड्रम के पास सिर्फ हाजिरी लगाता है, कत्ल के केस के लिहाज से साबित कुछ नहीं करता। लेकिन तुम्हारा नया, कलरफुल बयान इस बात की तरफ साफ इशारा करता जान पड़ता है कि अचला खंजर ठिकाने लगाने की नीयत से ही ड्रम पर पहुंची थी।"

"मैं कुछ नहीं जानता। जो सच है, वो मैंने बयान किया।"

"या वो बयान किया जो कोई दूसरा चाहता था कि सच हो!"

"कौन दूसरा?"

"तुम बताओ।"

"ऐसा कोई नहीं था।"

"अचला के किचन के पिछवाड़े में पहुंचने से पहले वो ड्रम तुम्हारी निगाह में था?"

"नहीं। कैसे होता? बतौर डिटेक्टिव मेरा सब्जेक्ट वो दो औरतें थीं, कोई ड्रम नहीं था।"

"बाद में रहा हो तुम्हारी निगाहों में?"

"नहीं। उस औरत के वहां से हटते ही मैं भी वहां से हट गया था और वापिस लॉबी में पहुंच गया था।"

"तो क्या गारंटी हुई कि कचरे के ड्रम में खंजर अचला ने डाला? वो उसके ड्रम के पास फटकने से पहले किसी ने उसमें डाला हो सकता था या उसके वहां से हट जाने के बाद किसी ने डाला हो सकता था!"

"खामखाह! वो खंजर अलायकत्ल था और कातिल वो औरत थी, इस लिहाज से..."

"अलायकत्ल वो खंजर था जो मकतूल की छाती में धंसा पाया गया था और जिस पर बताया जाता है कि प्राइम मर्डर सस्पैक्ट अचला तलवार के फिंगरप्रिंट्स पाये गये थे। जो खंजर ड्रम से बरामद हुआ था, उस पर उसकी उंगलियों के निशान नहीं थे।"

"क्योंकि पोंछ दिये थे। जैसे खून पोंछ दिया था।"

"लेकिन..."

"देखो, मैं इस बहस में नहीं पड़ना चाहता। कातिल वो हो या काला चोर हो, मेरी बला से। तुम पुलिस को दिये मेरे बयान की बाबत जानना चाहते थे, जान चुके; बतौर डिटेक्टिव असाइनमेंट की मेरी रिपोर्ट की बाबत जानना चाहते थे, जान चुके, अब कोई और सेवा बताओ।"

"यही सेवा है कि अब फाइनली बोलो, तुम्हें यकीन है कि अचला तलवार ने परसों दोपहरबाद दो बज कर पचास मिनट पर ड्रम में कुछ डाला था?"

"हां।"

"लेकिन परसों दो बज कर पचास मिनट पर ये यकीन तुम्हें नहीं था?"

"नहीं था क्योंकि, मैंने पहले ही कहा, कुछ बातें मेरे जेहन में बाद में कौंधी थीं।"

"खुद कौंधी थीं, पुलिस ने नहीं भरी थीं?"

"बार बार एक ही बात पूछने का क्या फायदा!"

"पुलिस ने या किसी और ने?"

"और किसने?"

"मसलन तुम्हारे एम्पलायर ने। नागरथ डिटेक्टिव एजेंसी के संचालक नागरथ ने?"

"खामखाह!"

"प्राइवेट डिटेक्टिव का धंधा पुलिस की दयादृष्टि के बिना नहीं चलता। पीडी के पास पुलिस की फेवर हासिल करने के कई तरीके होते हैं। उनमें से एक तरीका उनकी मनमाफिक, मनभावन बात कहना होता है।"

"तुझको हो जो पसंद वही बात कहेंगे"—रमाकांत बोला—"पुलिस के चम्पू पीडियों का स्लोगन होता है।"

"अब मैं क्या कहूं?"—राणा असहाय भाव से बोला।

"जो कहा, वही काफी है।"—सुनील एकाएक उठ खड़ा हुआ—"थैंक्यू।"

दोनों वहां से रुखसत हुए।

और जा कर कार में सवार हुए।

"क्या कहता है?"—रमाकांत बोला—"जो कुछ पीछे हुआ, उसकी बाबत अपने विचार परगट कर।"

"इस आदमी को"—सुनील संजीदगी से बोला—"झूठ बोलने का तजुर्बा है..."

"वो तो है ही! जेल ही इसी वजह से गया था।"

"किसी मामूली बात को रफू करके, एम्ब्रायडरी करके, सजा संवार कर पेश करना इसके लिये कोई बड़ी बात नहीं। वो जो चमक वाली, रिफ्लेक्शन वाली बात इसने कही, वो मुझे बिल्कुल मुतमईन नहीं कर रही। अपना काम आब्जरवेशन बताता है, आब्जर्व करने लायक बात पहले तो सिर से गुजर गयी, फिर अगले दिन याद आ गयी—बात भी और उसकी अहमियत भी—ये कोई मानने की बात है!"

"किसी ने सिखाया पढ़ाया?"

"हां।"

"ड्रम में खंजर बेबे ने ही डाला, इस बात को मजबूत करने के लिये? सथापत करने के लिये?"

"हां।"

"किसने किया होगा ऐसा?"

"पुलिस गवाहों को ऐसी पट्टी आम पढ़ाती है लेकिन ये जिस मदारी का बंदर है, वो क्योंकि पीडी है इसलिये ऐसा करने वाला वो भी हो सकता है।"

"वजह? इसके अलावा कोई वजह बोल कि ये भी पुलिस का सगा बन के दिखाने का एक तरीका है।"

"और कोई वजह है तो मालूम करेंगे।"

"नागरथ से?"

"पहली कोशिश तो उसी पर होगी। फिर देखेंगे पुलिस क्या कहती है!"

"ठीक है। अब आगे क्या इरादा है?"

"आगे वड्डे भापा जी से एक मेहरबानी और हासिल करने का इरादा है।"

"नेक इरादा है। मालूम पड़ गया माईंयवे नूं कि मैं शनिवार को मेहरबानियों की खैरात बांटता हूं।"

"खैरात बांटना एक धार्मिक काम है, इसके लिये कोई खास दिन मुकर्रर होना जरूरी नहीं।"

"पक्का पता है तेरे को?"

"हां।"

"कोई खास ज्ञानी ध्यानी बोला?"

"मैं खुद ही खास ज्ञानी ध्यानी हूं।"

"कभी भनक तो न लगने दी!"

"दी। बराबर दी। इस वक्त ध्यान नहीं कर पा रहे हो!"

"अच्छा!"

"कोशिश करो। कुछ न कुछ जरूर याद आयेगा।"

रमाकांत ने एक सिग्रेट सुलगाया और उसका लम्बा कश लगाया।

"हां, यार"—फिर बोला—"जब तेरे एक हाथ में घूंट का गिलास और दूसरे में सूटा होता है तो ज्ञानियों ध्यानियों जैसे इंटेलीजेंट एक्सप्रेशन आते तो हैं तेरी अदरवाइज फिटे मूं शक्ल पर!"

"देखा! याद आ गया न!"

"तू कहीं ये तो नहीं समझ रहा कि तूने टैक्सी हायर की हुई है और मैं ड्राइवर हूं?"

"नहीं।"

"फिर ठीक है। अब बोल कहां चलें?"

"होटल श्रीलेखा।"

"वहां क्या है? कचरे के ड्रम के अलावा। उस ड्रम के दर्शन पाना चाहता है?"

"वो तो मैं कल पा चुका।"

"तो कोई और बात है?"

"हां। यहां से हिलो, बताता हूं।"

वे कार में सवार हुए। रमाकांत ने कार को हामिद अली रोड के रास्ते पर दौड़ाया।

"अब कुछ उचर तो सही!"—रमाकांत बोला।

"मेरे को"—सुनील संजीदगी से बोला—"ये बात हैरान कर रही है कि परसों कत्ल के बाद जब मेरे कहने पर वो दोनों औरतें—उदिता चोपड़ा और अचला तलवार—संतोषी अपार्टमेंट्स से कूच कर गयीं तो उन्होंने करीब ही होटल श्रीलेखा में क्यों मुकाम पाया? एक कत्ल हो कर हटा था, उनमें से एक पर—या दोनों पर—कातिल होने का इलजाम आयद हो सकता था, ऐसे में उनकी मंशा तो मौकायवारदात से ज्यादा से ज्यादा दूर निकल जाने की होनी चाहिये थी? बगल में ही क्यों पड़ाव डाल लिया?"

"बगल में तो नहीं!"

"जहां छः सात मिनट में पहुंचा जा सकता हो, वो जगह मुहावरे की जुबान में तो बगल में ही कहलायेगी! मैंने उन्हें किसी पब्लिक प्लेस पर, किसी शापिंग माल में, किसी सिनेमा में, रेस्टोरेंट में जाने की राय दी थी, शहर की अनगिनत ऐसी जगहों को छोड़ कर उन्होंने 'श्रीलेखा' को चुना, इसके पीछे कोई वजह होनी चाहिये।"

"वहां उनका कोई वाकिफ, कोई हिमायती होगा!"

"अव्वल तो ऐसा मुमकिन नहीं जान पड़ता, था तो क्या हिमायत कर सकता था?"

"तू बता।"

"फिर लॉबी के अलावा तो वहां वो कहीं गयी ही नहीं थी! लॉबी में हिमायती मिला होता तो परमेश राणा एण्ड कम्पनी की निगाह में आया होता और उनके जरिये आगे उसकी पुलिस को खबर होती!"

"तो फिर?"

"क्या पता अचला तलवार कभी बतौर गैस्ट उस होटल में ठहरी हो!"

"हां, यार, ये हो सकता है। लेकिन..."

"लेकिन क्या?"

"वो मामूली हैसियत की औरत है, कैसे वो उस होटल का रूम रैंट अफोर्ड कर सकी होगी!"

"डिपेंड करता है। अगर वो वहां ठहरी होगी तो खर्चा भी अफोर्ड किया ही होगा! 'श्रीलेखा' चलते हैं, देखते हैं, सूंघते हैं, शायद कुछ मालूम पड़े!"

"माईंयवे, अन्ने कुत्ते..."

"रमाकांत, प्लीज!"

"ठीक है। तू कहता है तो..."

वे 'श्रीलेखा' पहुंचे।

और आगे मैनेजर से मिले।

सुनील ने उसे अपना परिचय दिया और बोला—"परसों मुगलबाग, संतोषी अपार्टमेंट्स में जो कत्ल हुआ था उसके सिलसिले में आपका होटल भी फोकस में है क्योंकि यहां से मर्डर वैपन बरामद हुआ बताया जाता है।"

"होटल से नहीं।"—उसने तत्काल प्रतिवाद किया—"होटल के बाहर से। किचन के पिछवाड़े की गली से।"

"ऐसे ही सही। हम अपने संडे सप्लीमेंट में उस कत्ल पर एक फीचर स्टोरी छापना चाहते हैं जिसकी तैयारी के सिलसिले में हम आप से कुछ जानकारी हासिल होने की उम्मीद से यहां आये हैं।"

"क्या जानकारी चाहते हैं?"

"आपको मालूम होगा कि कत्ल का इलजाम अचला तलवार नाम की एक अधेड़ महिला पर है जिसने कि मर्डर वैपन यहां के एक कचरे के ड्रम में फेंका बताया जाता है और जो गिरफ्तार है!"

"मालूम है। पेपर में भी पढ़ा और टीवी पर भी देखा।"

"अपना रिकार्ड देख कर आप बता सकते हैं कि क्या कभी ये अचला तलवार आपके होटल में ठहरी थी?"

वो सोचने लगा।

"आजकल तो सब कुछ कम्प्यूट्राइज्ड होता है, क्या प्राब्लम है?"

"प्राब्लम तो कोई नहीं..."

"तो फिर मेहरबानी कीजिये।"

"मैं यहां नया हूं..."

"आप नये हैं न, जनाब, रिकार्ड तो पुराना है!"

"कितना पीछे तक जाना होगा?"

"आप गैस्ट लिस्ट में इस नाम पर सर्च मारिये, खुद ही सामने आ जायेगा कि वो होटल में ठहरी थी तो कब ठहरी थी!"

सहमति में सिर हिलाते वो रिसैप्शन के पीछे गया और वहां पड़े एक कम्प्यूटर के हवाले हुआ।

रमाकांत ने अपना चार मीनार का पैकेट निकाला।

"नो स्मोकिंग जोन है।"—सुनील धीरे से बोला।

रमाकांत ने उस पिलर पर निगाह डाली जिस पर 'नो स्मोकिंग' लिखा था। उसने पैकेट वापिस जेब में रख लिया।

"गोली वज्जे"—वो भुनभुनाया—"माईंयवे नोस्मो किंग नूं।"

मैंनेजर वापिस लौटा।

दूर से ही वो इनकार में सिर हिलाता आ रहा था।

"ठीक है।"—सुनील जबरन मुस्कराता बोला—"थैंक्यू।"

वे मैनेजर से अलग हुए।

"पिछवाड़े में चलो।"—सुनील बोला।

"पिछवाड़े में!"—रमाकांत की भवें उठीं—"जहां कचरे का ड्रम है?"

"हां। चलो।"

"सर!"

सुनील ने घूम कर पीछे देखा तो एक बैलब्वाय को सामने खड़ा पाया।

सुनील की उससे निगाह मिली तो उसने खींसे निपोरीं।

"क्या है?"—सुनील घुड़कता सा बोला।

"सर"—उसने तत्काल हंसना बंद किया—"जब आप देशमुख साहब से बात कर रहे थे, तब मैं करीब ही था।"

"देशमुख साहब कौन?"

"लॉबी मैनेजर। जिनसे आप बात कर रहे थे।"

"तो?"

"मेरी कोई मंशा नहीं थी, सर, सुनने की लेकिन तब आपकी बातचीत मुझे भी सुनाई दे रही थी।"

"अरे, तो?"

"सर, आपका परिचय भी मैंने सुना। आप बड़े अखबार के मालिक हैं..."

"मालिक नहीं, मुलाजिम, जैसे तुम होटल के मुलाजिम हो।"

"सर, मैं मामूली पोर्टर हूं, आप बड़े मुलाजिम हैं, बड़ी हैसियत वाले मुलाजिम हैं..."

"क्या कहना चाहता है?"

"सर, मैंने सुना है कि अपने मतलब की जानकारी की अखबार वाले कीमत चुकता करते हैं!"

"तेरे पास मेरे मतलब की कोई जानकारी है?"

"है न, सर!"

"जिसकी तू कोई फीस चाहता है?"

"सर, जब छापे वालों में ऐसा रिवाज है, वो कोई कीमत, फीस, शुकराना हासिल जानकारी के लिये अदा करते हैं तो...तो...सर, समझो न?"

"क्या है जानकारी तेरे पास।"

उसने दांत निपोरे?

"अरे, ये तो बता किस बाबत है?"

"उसी बाबत है जिस बाबत आपका देशमुख साहब से सवाल था।"—एकाएक उसका स्वर धीमा हुआ—"अचला तलवार की बाबत।"

सुनील सकपकाया उसने घूर कर बैलब्वाय की तरफ देखा।

बैलब्वाय विचलित न हुआ, चेहरे पर दृढ़ता के भाव लिये उसने सुनील की निगाह से निगाह मिलाई।

सुनील ने रमाकांत की तरफ देखा।

रमाकांत ने सहमति में सिर हिलाया।

"जानकारी"—सुनील फिर बैलब्वाय की तरफ घूमा—"मेरे काम की न हुई तो?"

"ये नहीं हो सकता।"—वो दृढ़ता से बोला।

"फिर भी..."

"फिर भी समझना, सर, कि पैसा लॉस में गया।"

"क्या चाहता है?"

"एक बड़े वाला गांधी तो होना चाहिये, सर, सबसे बड़े वाला।"

"सबसे बड़े वाले के लिहाज से तेरा कद छोटा है अभी।"—सुनील ने जेब

से निकाल कर उसे पांच सौ का नोट दिखाया—"ये मिलेगा। जो कहना है कह, वर्ना दफा हो।"

वो दफा न हुआ, उसने व्यग्रता से पांच सौ का नोट काबू में किया।

"वो यहां नौकरी करती थी।"—फिर राजदाराना लहजे से बोला।

"क्या! कौन?"

"अचला तलवार।"

"कब?"

"दो साल पहले तक।"

"क्या नौकरी करती थी?"

"'बिग चिल' में स्टीवार्डेस थी।"

"'बिग चिल', वो रेस्टोरेंट जिसकी किचन के आगे पिछवाड़े की गली है?"

"वही।"

"कितना अरसा की नौकरी?"

"एक साल।"

"जो अचला तलवार हमारी तफ्तीश का मुद्दा है, उसकी आज के अखबार में फोटो छपी थी! देखी थी?"

"देखी थी, सर। मैं रेगुलर पेपर पढ़ता हूं इसलिये देखी थी।"

"तू उसी अचला तलवार की बात कर रहा है?"

"हां, सर।"

"वो दो साल पहले यहां की मुलाजिम थी, 'बिग चिल' में स्टीवार्डेस थी?"

"यही बोला मैं, सर।"

"भाग जा।"

"थैंक्यू, सर।"

वो दोनों वापिस पिछवाड़े की राह चले।

"मालको"—रास्ते में रमाकांत बोला—"अब तो समझ में आ गया होगा कि बेबे यहां क्यों आयी?"

"हां।"—सुनील संजीदगी से बोल।

"क्योंकि वो यहां की मुलाजिम रह चुकी थी इसलिये इस जगह के हर कोने खुदरे से पूरी तरह से वाकिफ थी। इस बात से भी वाकिफ थी चालाक जनानी कि किचन के पिछवाड़े की गली में एक कचरे का ड्रम होता था जिसमें कि खंजर ठिकाने लगाया जा सकता था। इसीलिये इस काम के लिये किसी दूसरी जगह जाने की जगह यहां आई।"

सुनील खामोश रहा। तब तक वे पिछवाड़े की गली में पहुंच चुके थे। उसने ड्रम का ढ़क्कन उठा कर भीतर झांका।

"ये वैसा ही कोई और ड्रम है।"—रमाकांत उसके पीछे से बोला—"क्योंकि असल वाला तो पुलिस ले गयी!"

सुनील ने सहमति से सिर हिलाया।

वहां पहुंचते ही रमाकांत ने सिग्रेट सुलगा लिया था और अब बड़े तृप्तिपूर्ण भाव से उसके कश लगा रहा था।

"परसों पुलिस ने ड्रम को कचरे से दो तिहाई भरा पाया था।"—सुनील बड़बड़ाता सा बोला—"खंजर कचरे की सतह पर नहीं, उसके भीतर गहरा दफन पाया गया था। किसी चीज को यूं दफन करने के लिये, देख लो, ड्रम पर झुकना जरूरी है और हाथ भीतर डालना जरूरी है। यूं हाथ कोहनी तक भले ही न लिथड़े लेकिन कलाई तक तो लिथड़े ही लिथड़े। यहां मैं समझता हूं कि हमें परवेश राणा के ओरीजिनल बयान पर—न कि बाद वाले फुंदने टंके, एम्ब्रायडरी किये बयान पर—एतबार लाना चाहिये जो कहता है कि अचला ड्रम पर झुकी नहीं थी, उसकी दाईं कोहनी और दायें कंधे में मामूली हरकत हुई थी और उसने महज भीतर झांका था। रमाकांत, इस बयान पर एतबार लाया जाये तो मुझे एक नयी बात सूझी है।"

"क्या? ड्रम से परे हट के ढक्कन वापिस रख के बता क्या? क्या नयी बात सूझी है मेरे शरलाक होम्ज को?"

"अचला ने जो किया, कवर अप के लिये किया..."

"बल्कि यहां से चल। ये कोई जगह है बात करने की! मैने लॉबी में बार देखा था, वहां चल के बैठते हैं। हिल।"

सुनील ने सहमति में सिर हिलाया।

वो लॉबी में और आगे बार में पहुंचे।

रमाकांत ने दोनों के लिये बीयर और क्लब सैंडविच का आर्डर दिया।

पांच मिनट में आर्डर सर्व हुआ।

"अब बोल"—रमाकांत बोला—"क्या कह रहा था?...तू कह रहा था अचला ने जो किया, कवर अप के लिये किया। इससे आगे बढ़। कैसा कवर अप?"

"कत्ल का कवर अप!"—सुनील बोला।

"वो तो किया ही। जब उसने कत्ल करके खंजर यहां फेंका तो...?"

"कत्ल किसी और ने किया।"

"क्या!"

"वो औरत झूठ बोलने में माहिर है। उसको तजुर्बा है ऐसे विश्वसनीय ढण्ग से झूठ बोलने का कि जो सुने, उसे वो शाश्वत सत्य लगे। मुझे भी उसने बाकायदा यकीन दिला दिया था कि उदिता को संतोषी अपार्टमेंट्स की लॉबी में छोड़ कर जब वो अपनी कोई चीज, जो वो ऊपर भूल आयी थी, उठाने गयी थी तो तब उसने अपनी भूली चीज को—जो कि खंजर था—ऐसी पोजीशन में वाल कैबिनेट टॉप पर पड़ा देखा था कि पोजीशन साफ चुगली करती थी कि उसे वहां से उठाया गया था और बाद में वापिस रखा गया था, और ऐसा करने

में पोजीशन बदल गयी थी। उससे—और बैडरूम के बंद दरवाजे की चौखट पर लुढ़के पड़े सिक्का के बटुवे से—उसे लगा था, बल्कि यकीन हो गया था, कि तब भीतर बैडरूम में सिक्का का कत्ल हो चुका था और वो वहां मरा पड़ा था। अब मुझे लगता है खंजर उससे ऊपर फ्लैट में नहीं छूटा था, वो पहले से ही किसी और के पास था जिसने मजबूरन या इरादतन उसे सिक्का का कत्ल करने में इस्तेमाल किया था और फिर सारे वाकये की खबर अपनी मेहरबान, अपनी हमदर्द, अपनी माननीय, पूज्यनीय वगैरह अचला तलवार को की थी। अचला अपनी यहां की पुरानी नौकरी की वजह से यहां के तमाम निजाम से, हर कोने खुदरे से खूब वाकिफ थी इसलिये तब शायद उसी ने उस किसी को राय दी थी कि वो 'अलायकत्ल' खंजर को झाड़ पोंछ कर किचन के पिछवाड़े के कचरे के ड्रम में डाल दे। बाद में अचला जब 'श्रीलेखा' में थी तो सिर्फ ये कनफर्म करने के लिये पिछवाड़े में गयी थी कि उसकी राय पर अमल हुआ था या नहीं! रमाकांत, ये बात परवेश राणा की पहली—ओरीजिनल—रिपोर्ट से बिल्कुल टैली करती है कि अचला ने कचरे के ड्रम का ढ़क्कन उठा कर महज भीतर झांका था।"

"कनफर्म करने के लिये कि खंजर वहां पड़ा था?"

"हां।"

"न कि खुद खंजर भीतर डालने के लिये?"

"हां।"

"कातिल कौन?"

"तुम बताओ।"

"उदिता चोपड़ा। वही बेबे की चमची थी और उसी की बेबे सलाहकार थी।"

"वो तो अचला के साथ थी!"

"कत्ल के वक्त नहीं साथ होगी! वो कहती है अचला उसे लॉबी में छोड़ कर वापिस ऊपर गयी थी। असल में शायद ऐन उलट हुआ हो!"

"अचला लॉबी में ठिठकी हो और उदिता ऊपर गयी हो?"

"हां।"

"टाइम फैक्टर इस बात की तसदीक नहीं करता कि अगर वो कातिल थी तो टेलीफोन करने के लिये ऊपर रुकी होती! उससे तो अपेक्षा की जाती थी कि वो उलटे पांव लॉबी में लौटती। फिर लॉबी से निकलकर वो दोनों टैक्सी में सवार होती देखी गयी थीं और 'श्रीलेखा' में भी साथ थीं जहां कि लॉबी से पिछवाड़े का अकेले चक्कर लगाने वाली अचला थी, उदिता नहीं।"

"यानी बतौर कातिल उदिता की कैंडीडेचर खारिज!"

"हां। अब एक बात सुनो।"

"दो बोलो, प्यारयो।"

"तुम्हीं ने मुझे ये जानकारी दी थी कि उस पिछवाड़े के ड्रम में आखिरी बार कचरा ढ़ाई बजे डाला गया था!"

"हां। जौहरी कहता है कि तब कोई कचरे की बहुत बड़ी लबालब भरी बाल्टी ले कर किचन से निकला था और उसने वो बाल्टी ड्रम में पलटी थी। काकाबल्ली, तूने इस बात को याद किया तो मुझे भी एक बात याद आ गयी है।"

"कौन सी बात?"

"ड्रम में उस रोज दिन में आखिरी बार कचरा डालने वाले उस वर्कर से पुलिस ये कहलवाने की कोशिश कर रही है कि उस वक्त टाइम ढ़ाई बजे का नहीं, तीन बजे का था लेकिन वो आदमी ये कहने को तैयार नहीं क्योंकि उसने अपने कई साथी कर्मचारियों को पहले ही बोला हुआ था कि उसने तीन बजे राजनगर सैंट्रल स्टेशन पहुंच कर अपनी सास को रिसीव करना था इसलिये दो पैंतीस तक हर हाल में उसने 'श्रीलेखा' से निकल जाना था। वो कहता है कि बात कई तरीकों से सथापत हो सकती है कि तीन बजे वो रेलवे स्टेशन पर अपनी सास को 'पैरी पौना' बोल रहा था। मालको, इस जानकारी का सोर्स भी वही वर्कर था कि कचरे की अपने वाली बाल्टी ड्रम में पलटने के बाद ड्रम कचरे से दो तिहाई भर गया था।"

"गुड। अब जो मैं कहना चाहता हूं, वो सुनो। अगर उस कर्मचारी ने जो कहा, सच कहा तो ये बात अपने आप ही हकीकत का दर्जा अख्तियार कर लेती है कि ड्रम में खंजर ढ़ाई बजे से पहले डाला गया था।"

"तो वो उस कर्मचारी को क्यों न दिखाई दिया?"

"काहे को दिखाई देता? उसने ड्रम में झांक के क्या लेना था? उसने तो ढ़क्कन उठा कर ड्रम के साथ खड़ा किया होगा और कचरे की बाल्टी उसमें उलट दी होगी।"

"खंजर उसके डाले कचरे के नीचे दफन?"

"और क्या!"

"फिर बाद में जब बेबे ने—अचला तलवार ने—जा कर ड्रम में झांका तो खंजर तो उसे नहीं दिखाई दिया होगा!"

"ऐग्जैक्टली।"

"तो वो खंजर वहां कहां से आया?"

"किसी और ने डाला। चलो, मान लिया उदिता ने डाला।"

"कत्ल के बाद?"

"जब उस पर सिक्का वाले ब्लड ग्रुप के अवशेष पाये गये थे तो जाहिर है कि कत्ल के बाद।"

"लेकिन कत्ल तो ढ़ाई बजे हुआ बताया जा रहा है!"

"इतनी एक्यूरेसी से कैसे कत्ल का टाइम प्रिडिक्ट किया जा सकता है!"

"ये पूछना अब सूझा तुझे! माईंयवी सारी रामायण हो गयी तो अब पूछ रहा है सीता रावण की क्या थी!"

सुनील खामोश रहा।

"वैसे पुलिस ने इस वक्फे को थोड़ा सा फैलाया है, ऐसा मैंने सुना है। बीस मिनट की गुंजायश के साथ फैलाया है उन्होंने। वो कहते हैं कि कत्ल दो पच्चीस और दो पैंतालीस के बीच हुआ था।"

"ये भी बहुत एक्यूरेट है, कोई अलग से सबूत—जैसे कि कत्ल के वक्त का कोई चश्मदीद गवाह हो—हासिल न हो तो बीस मिनट के गैप से भी कत्ल का टाइम फिक्स करना मुश्किल है पोस्टमार्टम करने वाले डाक्टर के लिये। जिस डाक्टर ने पोस्टमार्टम किया है उसका नाम हरीश वालिया है और इत्तफाक से मैं उससे वाकिफ हूं..."

"ओये, वाकिफ है तो मिलना था उससे!"

"मिला था। आज सुबह मिला था। बतौर एक्सपर्ट उसने जो कत्ल का टाइम मुकर्रर किया है वो दोपहरबाद डेढ़ और साढ़े तीन के बीच का है।"

"फिर भी पुलिस दो पच्चीस और दो पैंतालीस के वक्फे के गीत गा रही है!"

"क्योंकि वो पहले से अपना फाइनल फैसला किये बैठे हैं कि कातिला अचला तलवार है। क्योंकि उनका निर्धारित किया गया बीस मिनट का वक्फा अचला की मौकायवारदात की मूवमेंट्स पर ऐन फिट बैठता है।"

"बैठता होगा। तू अभी नये सुझाये कातिल की बात कर।"

"उदिता चोपड़ा ढ़ाई बजे से थोड़ा पहले तक संतोषी अपार्टमेंट्स वाले फ्लैट में—मौकायवारदात पर—मौजूद थी। आइंदा दस-ग्यारह मिनट तक वो नीचे लॉबी में ही थी। बकौल परमेश राणा, दो बज कर अट्ठाइस मिनट पर वो दोनों औरतें वहां से निकली थीं और टैक्सी पर सवार होकर सातेक मिनट में—पौने तीन बजे तक—होटल श्रीलेखा में पहुंच गयी थीं।"

"कत्ल कब हुआ?"

"अगर उनमें से किसी ने न किया तो जाहिर है कि उनकी गैरहाजिरी में हुआ।"

"ये तो पुलिस वाला ही वक्फा हुआ!"

"हुआ तो सही।"

"भई, अगर कातिल उन दोनों औरतों में से कोई—खास तौर से अचला तलवार—है तो क्या खराबी है उनकी सोच में?"

"कोई नहीं। लेकिन और लोग भी तो थे जिनको उस वक्फे के दौरान सहज स्वाभाविक तौर पर फ्लैट में दाखिल होने की सुविधा थी!"

"और लोग कौन?"

"ऐसे लोगों में सबसे पहले तो फ्लैट की आकूपेंट, लीज होल्डर, सुजाता सक्सेना ही है।"

"उसके पास तो फ्लैट की चाबी भी होगी!"

"क्यों नहीं होगी! आखिर फ्लैट उसका है!"

"ठीक!"

"कत्ल के वक्त वो कहां थी, इस बारे में निश्चित रूप से कुछ कहना मुहाल है। खुद अपनी जुबानी जो वो कहती है, वो ये है कि पहले वो शंकर रोड पर रुचि नाम के रेस्टोरेंट में शोभित शुक्ला के साथ लंच पर थी, फिर वहां से रुखसत पा कर उस दूसरे रेस्टोरेंट में गयी थी जो कि लंच के लिये मकतूल सिक्का का फेवरेट ठीया था। लेकिन ये बात वो किसी तरह से स्थापित नहीं कर सकती क्योंकि कहती है कि सिक्का उसे वहां नहीं मिला था।"

"मिला भी होता तो क्या है! अब क्या वो रखा है गवाही के लिये!"

"ठीक! कहती है उसने सिक्का के लिये काल भी लगाई थी। कहां काल लगाई होगी?"

"संतोषी अपार्टमेंट में ही! कोमल कपूर वाले फ्लैट में!"

"मेरा भी यही खयाल है। इमपर्सनेशन का तमाम सिलसिला आखिर वो वहीं से कंट्रोल करता था।"

"वहां काल लगाई। फिर?"

"कोमल कपूर से उसे मालूम हुआ होगा कि सिक्का तभी नीचे दूसरे फ्लैट में गया था..."

"खामखाह! ओये, मां सदके, अभी तो यही सथापत नहीं है कि कोमल कपूर उससे वाकिफ थी, उस सैटअप से वाकिफ थी जिसके तहत सिक्का के लिये वहां फोन आते थे।"

"ये भी ठीक है। जब सुजाता सक्सेना को ये ही नहीं पता था कि सिक्का कहां उपलब्ध था तो वो उसके कत्ल के लिये वहां कैसे पहुंची हो सकती थी!"

"कोई और कैण्डीडेट सोच।"

"कोमल कपूर। जो अपनी जुबानी मानती है कि उसी वक्फे के दौरान उसने जा कर फ्लैट के दरवाजे पर दस्तक दी थी। वो कहती है कि भीतर से सिक्का ने दरवाजा नहीं खोला था तो वापिस लौट आयी थी लेकिन कत्ल में लपेटे जाने से बचने के लिये झूठ बोलती हो सकती है।"

"असल में सिक्का ने उसे दरवाजा खोला होगा?"

"बहुत मुमकिन है।"

"वो भी फ्लैट के अंदर होने की सुविधा परापत..."

"सुविधा प्राप्त।"

"वही। कोई और कैंडीडेट!"

"शोभित शुक्ला।"

"फ्लैट मालकिन मैडम का ठोकू?"

"अपनी इसी खास हैसियत में उसके पास फ्लैट की चाबी होना क्या बड़ी बात है?"

"कोई बड़ी बात नहीं।"

"अब अगर किसी तरह से ये कनफर्म हो जाये कि उसके पास सुजाता सक्सेना के फ्लैट की, मौकायवारदात की, चाबी थी..."

"कैसे कनफर्म हो जाये? जाके उससे बोलें 'चल ओये कोट्टी निमन, चाबी निकाल!"

"तुम्हारे आदमी उसकी निगरानी पर लगे हैं..."

"एक वचन में। राकेश लगा है।"

"वही सही!"

"वो क्या करे? उसकी गैरहाजिरी में उसके फ्लैट को सर्च करे या उसको गन दिखाकर उसकी जामातलाशी ले?"

सुनील खामोश रहा।

"फिर कत्ल के बाद से उसने चाबी अपने पास रखी हुई होगी!"

"क्या किया होगा?"

"फेंक दी होगी कहीं। मेरे खयाल से चाबी को तो तू भूल ही जा..."

तभी सुनील के मोबाइल की घंटी बजी।

उसने काल रिसीव की तो लाइन पर अर्जुन को पाया।

"पुलिस हैडक्वार्टर से बोल रहा हूं।"—वो बोला—"करारी खबर है।"

"क्या? किस बारे में?"—सुनील ने पूछा।

"अचला तलवार के बारे में। उस औरत का तो फुल पुलंदा बंध गया आपकी जुबान में। अब तो समझिये कि खुलबंद केस है उसके खिलाफ।"

"क्या!"

"ओपन एण्ड शट।"

"क्या हुआ?"

"अब ये बात उसी के किये स्थापित है कि बटुवे की बाबत उसने झूठ बोला था..."

"कौन सा बटुवा?"

"...और जो औरत एक बात में झूठ बोल सकती है, वो अनेक बातों में भी झूठ बोल सकती है।"

"अरे, बटुवे की बात कर। कौन सा बटुवा?"

"हीं हीं हीं। गुरु जी एक ही तो बटुवा तसवीर में फिट है। मकतूल अमृत सिक्का का बटुवा जिसमें कि सौ सौ डालर के पचास नोट थे।"

"अब क्या कहती है वो उसके बारे में?"

"अब जो कहती है वो उससे ऐन उलट है जो उसने पहले कहा था।"

"पहले उसने कहा था कि बटुवा उसे बैडरूम में बंद दरवाजे के बाहर फर्श पर पड़ा मिला था और उसने उसे सिक्का को हिफाजत से लौटा देने के इरादे से उठा लिया था। अब क्या कहती है?"

"पुलिस के दबाव के नीचे टूट कर अब कहती है कि बटुवा उसे तब नहीं मिला था जबकि उसने उदिता चोपड़ा के साथ ढ़ाई बजे के करीब वहां से कूच किया था, बल्कि तब मिला था जबकि वो दोनों अपनी लम्बी शापिंग से फारिग हो कर शाम को फ्लैट में लौटी थीं। तब उदिता आते ही फोन के हवाले हो गयी थी और वो अकेली बैडरूम में पहुंची थी तो उसने सिक्का को वहां कुर्सी पर मरा पड़ा पाया था और बटुवा उसके कदमों के करीब बैडरूम के फर्श पर पड़ा था। लिहाजा बकौल उसके, उसे सिक्का के कत्ल की खबर थी, वो जानती थी कि बटुवा उसे लौटाया नहीं जा सकता था और बड़ी रकम के लालच के हवाले हो कर उसने बटुवा उठा कर अपने काबू में कर लिया था। गुरु जी, इसकी पुलिस की तर्जुमानी ये है कि उसे कत्ल की खबर इसलिये थी क्योंकि कत्ल किया ही उसने था और उसने ये सोच कर बटुवा अपने कब्जे में किया था कि किसी को कभी मालूम नहीं हो पायेगा कि मकतूल का बटुवा कहां गया!"

"आई सी। तूने पुलिस के दबाव की बात कही, उसके नीचे आ कर टूटने की बात कही, पुलिस उससे कुबुलवा पायी कि वो कातिल है?"

"मेरी जानकारी में तो नहीं! मेरी जानकारी में तो अपने नये बयान में उसने इतना ही कुबूल किया है कि शाम को फ्लैट में लौटने पर उसने सिक्का की लाश देखी, बटुवा देखा और लालच के हवाले हो कर बटुवा अपने कब्जे में कर लिया।"

"लालच के हवाले हो कर ये काम किया था तो नोट निकाल के बटुवा फेंक क्यों न दिया, पास क्यों रखे रही?"

"औरत की बुद्धि है, गुरु जी, अभी करती हूं, अभी करती हूं में टाइम निकाल दिया।"

"तुझे खबर कैसे लगी इस बात की?"

"ऐन घोड़े के मुंह से लगी। आई मीन फ्रॉम हार्सिज माउथ। खुद इंस्पेक्टर प्रभूदयाल ने पुलिस हैडक्वार्टर के प्रैस रूम में आ कर मीडिया को अड्रैस किया और ये बात बताई।"

"प्रभूदयाल ने? पुलिस के पीआरओ ने नहीं?"

"प्रभूदयाल ने, गुरु जी, तभी तो बोला ऐन घोड़े के मुंह से खबर लगी। वो अभी भी प्रैस रूम में ही है और बहुत रौनक लगा रहा है, बहुत वाहवाही हासिल कर रहा है। ये दुर्लभ मौका है जबकि प्रभूदयाल मीडिया को ऐसे और इतना मुंह लगा रहा है। आपको यहां होना चाहिये था, गुरु जी। अभी भी पहुंच सकें तो..."

"करीब ही हूं। आता हूं।"

सुनील ने फोन बंद किया और उठ खड़ा हुआ।

"की होया!"—रमाकांत बोला।

"हैडक्वार्टर में इंस्पेक्टर प्रभूदयाल की प्रैस कांफ्रेंस जारी है, वहां पहुंचना है।"

"ओये, बीयर तो खत्म कर। सैंडविच तो खा।"

"बीयर नहीं, सैंडविच साथ ले जाता हूं..."

तभी रमाकांत के मोबाइल की घंटी बजी।

सुनील तेज कदमों से चलता बाहर को लपका।

वो अभी होटल से बाहर ही कदम रख पाया था कि रमाकांत दौड़ता हुआ उसके करीब पहुंचा।

"एक बात सुन के जा।"—वो हांफता हुआ बोला—"तेरे मतलब की है।"

"क्या?"—सुनील उतावले स्वर में बोला—"जल्दी बोलो।"

"कार में चल। वहां सुनाता हूं और तुझे हैडक्वार्टर भी पहुंचाता हूं।"

"थैंक्यू।"

दोनों पार्किंग में जा कर रमाकांत की कार में सवार हुए। रमाकांत ने कार को बाहर सड़क पर ला कर मुगलबाग, पुलिस हैडक्वार्टर के रास्ते पर डाला।

"राकेश का फोन था।"—रमाकांत बोला—"तेरे को पता ही है वो उस मनीचेंजर जमूरे की—शोभित शुक्ला की—निगरानी कर रहा था।"

"हां।"

"भूतना घर से निकला, बाहर सड़क पर आया, कोई आधा किलोमीटर पैदल चला और फिर जेब से कुछ निकाल कर एक गटर में डाल दिया।"

"क्या?"

"सोच।"

"चाबी!"—सुनील के लहजे में सस्पैंस का पुट आया।

"बिल्कुल! आखिर सूझा उसे वो चाबी उसके पास नहीं होनी चाहिये थी।"

"ओह!"

"राकेश को गटर का लोहे के सींखचों वाला ढ़क्कन उखाड़ कर वो चाबी गटर से निकालनी पड़ी।"

"रमाकांत, एक चाबी ही तो बरामद हुई! ये कैसे पता है कि वो हमारे मतलब की है?"

"उसके हैड पर संतोषी अपार्टमेंट्स—SANTOSHI APTS—गुदा हुआ है।"

"ओह! ओह! उसने उसको संतोषी अपार्टमेंट्स में सुजाता सक्सेना के फ्लैट के मेन डोर में लगा कर देखा?"

"अभी कहां देखा! अभी तो वो उस जमूरे के ही पीछे है।"

"उसे बोलो शोभित शुक्ला का पीछा छोड़ दे और फौरन संतोषी अपार्टमेंट्स पहुंच कर ये काम करे।"

"ठीक है।"

"जो नतीजा सामने आये उसकी फौरन मुझे खबर करना।"

"अच्छा।"

कार चलाते चलाते ही रमाकांत ने मोबाइल पर राकेश को काल लगाई और निर्देश दोहराया।

"अब मेरी समझ में आ रहा है कि क्या हुआ होगा?"—सुनील बड़बड़ाया।

"क्या हुआ होगा?"

"इस लड़के ने—शोभित शुक्ला ने—सुजाता सक्सेना को 'रुचि' में लंच के दौरान बताया होगा कि अमृत सिक्का उससे मिला था और क्या कहता था। सुजाता सक्सेना तत्काल समझ गयी कि वो ब्लैकमेल की तरफ स्पष्ट इशारा था। फिर उस औरत ने…"

"तेरी मंजिल आ गयी।"

"ओह!"

रमाकांत ने हैडक्वार्टर की लॉबी में ले जा कर कार रोकी।

सुनील ने कार के अपनी तरफ के दरवाजे के हैंडल को थामा, ठिठका, फिर वापिस रमाकांत की तरफ घूमा।

"की होया?"—रमाकांत बोला।

"सुबह मैं एक बात पूछना भूल गया था।"—सुनील बोला—"ये 'चायना पर्ल' है कहां?"

"बोला तो था मैंने! खुर्शीद आर्केड में।"

"वो कहां है?"

"मुगलबाग में। कुछ याद नहीं रहता तेरे को!"

"क्यों कलपा रहे हो? मुगलबाग में खुर्शीद आर्केड कहां है, ये पूछ रहा हूं मैं।"

"अच्छा वो!"

"हां।"

"यार, ये तो मैंने पूछा ही नहीं!"

"बढ़िया।"

"मैं पता करके तेरे को ततकाल खबर करता हूं।"

"ठीक है।"

सुनील कार से निकल कर लपकता हुआ लॉबी में दाखिल हुआ।

प्रैस रूम के बाहर उसे अर्जुन दिखाई दिया।

"क्या हुआ?"—सुनील ने पूछा।

"प्रैस कांफ्रेंस खत्म हो गयी।"—अर्जुन बोला।

"ओह! प्रभूदयाल?"

"ऊपर अपने आफिस में। गुरु जी, मैंने इस केस से ताल्लुक रखते कई लोगों को ऊपर जाते देखा है।"

"मसलन?"

"सुजाता सक्सेना। उसका हसबैंड समीर सक्सेना। कोमल कपूर। शोभित शुक्ला।"

"वो भी यहां है?"

"है न! हैरानी की क्या बात है?"

"बहुत जल्दी पहुंचा!"

"क्या मतलब?"

"तू नहीं समझेगा। ये सब लोग ऊपर कहां गये?"

"ये तो ऊपर जा के ही पता चलेगा? जाऊं?"

"नहीं। मैं जाता हूं।"

सुनील पहली मंजिल पर पहुंचा।

प्रभूदयाल के आफिस के बाजू के कमरे में—इनटैरोगेशन रूम में—वो चारों जने उसे बैठे दिखाई दिये। सक्सेना पति पत्नी वहां भी एक दूसरे पर निगाहों से भाले बर्छियां बरसा रहे थे। उनके आजू बाजू कोमल कपूर और शोभित शुक्ला बैठे थे। शुक्ला के चेहरे पर बेचैनी के भाव थे, वो कुर्सी पर बार बार पहलू बदल रहा था और सुजाता से आंख न मिलाने की भरपूर कोशिश कर रहा था। कोमल कपूर की उसकी तरफ पीठ थी इसलिये उसके चेहरे के भाव वो न देख पाया।

वो आगे बढ़ा और इंस्पेक्टर प्रभूदयाल के आफिस का दरवाजा खोल कर भीतर दाखिल हुआ।

प्रभूदयाल वहां मौजूद था।

"मैं हाजिर हो सकता हूं, माईबाप?"—सुनील अदब से बोला।

प्रभूदयाल ने सिर उठाया और सुनील की तरफ देखा।

"हो तो चुके हो हाजिर!"—वो शुष्क स्वर में बोला—"जो काम कर चुके हो, उसकी इजाजत मांगने का क्या मतलब?"

"गुस्ताखी की माफी की दरख्वास्त के साथ हाजिर हो सकता हूं?"

"क्या चाहते हो?"

"जनाब, मैं आपकी प्रैस कांफ्रेंस में हाजिर न हो सका, लेट पहुंचा, इसलिये आपसे दो बातें करने का मौका चाहता हूं।"

"सिक्का वाले केस के बारे में?"

"जी हां।"

"क्या बातें करना चाहते हो?"

"बैठ कर बताऊं तो कैसा रहे?"

"बैठो, भई, बैठो। 'ब्लास्ट' की नाक की आमद मेरे सिर माथे।"

"थैंक्यू, सर।"

"जुकाम हो। आसानी से पीछा कहां छोड़ते हो!"

"बाज लोग मेरा नाम मौत और ग्राहक के साथ भी जोड़ते हैं।"

"मेरे पास शास्त्रार्थ का टाइम नहीं है।"

"सारी, सर।"

"पूछो, क्या पूछना चाहते हो?"

"तो पुलिस का दावा है कि मर्डर सस्पैक्ट अचला तलवार ने मकतूल सिक्का का नोटों से भरा बटुवा कत्ल की खबर लग जाने के बाद—अपनी आंखों से लाश देख लेने के बाद—हथियाया था?"

"हां।"

"कौन कहता है?"

"वो खुद कहती है। अपनी जुबानी कहती है। हमारे पास रिकार्डिंग है।"

"कैसे कहलवा पाये?"

"उसने खुद कहा।"

"खुद ही कहा होगा लेकिन खुद कहने के हालात तो पुलिस ने बनाये होंगे!"

प्रभूदयाल के चेहरे पर धूर्त मुस्कराहट आयी।

"कैसे किया, माईबाप?"

"लॉक अप में उसके साथ एक दूसरी औरत बंद की जिस पर कि अपनी बहू को जहर देने का इलजाम था। दोनों बतियाने लगीं, बातों के दौरान दूसरी औरत ने रो रो कर बताया कि उसने जहर नहीं दिया था, एक साजिश के तहत लड़की के मायके वालों ने उसे फंसाया था। उसने अपने केस की कथा की तो अचला तलवार की वाणी भी मुखर हुई और उसने अपनी राम कहानी कह सुनाई जिसमें उसने साफ कहा कि उसने पहले सिक्का की लाश देखी थी और फिर ये सोच कर उसका नोटों से भरा बटुवा कब्जाया था कि किसी को उसकी उस हरकत की खबर नहीं होगी।"

"वो दूसरी औरत पुलिस की मुलाजिम थी?"

"सब-इंस्पेक्टर है।"

"यानी अचला तलवार को फंसा कर, बहला बरगला कर, धोखे से उसका बयान रिकार्ड किया!"

"एण्ड जस्टीफाईज दि मींस, रिपोर्टर साहब।"

"क्या है एण्ड? इतने से साबित हो गया कि वो कातिल है?"

"क्यों नहीं! उसके बयान से साफ तो जाहिर है कि उसने सिक्का की लाश नहीं देखी, उसे लाश ही उसने बनाया। ताकि उसके पास मौजूद ढ़ाई लाख रुपयों से ज्यादा की रकम पर हाथ साफ कर पाती।"

"उसने सिक्का की छाती में खंजर उतारा?"

"हां।"

"दो बार! एक ही खंजर से दो वार नहीं, दो खंजरों से दो वार। लेकिन जख्म—स्टैबिंग वूंड—एक ही। एक खंजर लाश में छोड़ा—बमय अपने फिंगरप्रिंट्स लाश में छोड़ा—और दूसरा झाड़ पोंछ कर मौकायवारदात से

दूर होटल श्रीलेखा के पिछवाड़े की किचन के बाहर के कचरे के ड्रम में डाला!"

"ये बात हमारे में पहले हो चुकी है। बार बार दोहराने का कोई फायदा नहीं। दो खंजरों की क्या कहानी है, वो मुलजिमा वैसे ही खुद अपनी जुबानी बतायेगी जैसे उसने मकतूल के बटुवे की चोरी की बाबत बताया।"

"पोस्टमार्टम रिपोर्ट में दर्ज है कि छाती के जख्म का—स्टैबिंग वूंड का—साइज छाती में धंसे खंजर के साइज से मैच नहीं करता!"

"तुम्हें कैसे मालूम?"

"जानकारी हासिल करने के 'ब्लास्ट' के अपने साधन हैं। जनाब, क्या ये सच है कि जख्म की चौड़ाई खंजर की चौड़ाई से ज्यादा थी? खंजर का फल उतना चौड़ा नहीं था जितना चौड़ा कि जख्म था?"

"वो मामूली बात है।"—प्रभूदयाल के स्वर में लापरवाही का पुट आया—"तुम खंजर घोंपे जाने का नक्शा अपने जेहन में उतारो। खंजर लाश में भौंका गया, मूठ पर पड़ा कातिल का हाथ दायें बायें हिल गया या उसने जान के हिलाया—ताकि वार के अंजाम की और गारंटी हो जाती—तो जख्म की चौड़ाई थोड़ी बहुत बढ़ेगी या नहीं बढ़ेगी?"

"तो इसलिये खंजर के फल का साइज जख्म के साइज से मैच नहीं करता था?"

"हां।"

"न कि इसलिये कि पहले एक खंजर भौंका गया था फिर उसी जगह दूसरा खंजर भौंका गया था जिसका फल पहले खंजर से थोड़ा कम चौड़ा था?"

"नानसेंस!"

"हाथ खंजर को आरती क्या...आई मीन हाथ कंगन को आरसी क्या! दोनों खंजर आपके पोजेशन में है। दोनों के फल की चौड़ाई नाप के देखिये कि वो चौड़ाई में छोटे बड़े हैं या नहीं! मुझे पूरा यकीन है कि नाप से मालूम होगा कि जो खंजर कचरे के ड्रम से बरामद हुआ था, उसका फल चौड़ा था और जो लाश की छाती में धंसा पाया गया था, उसका फल कम चौड़ा था।"

"अगर ऐसा है भी तो इससे क्या साबित हुआ?"

"ये साबित हुआ, माईबाप, कि जो खंजर लाश में धंसा पाया गया था, जिस पर मुलजिमा अचला तलवार की उंगलियों के निशान थे, वो अलायकत्ल नहीं था। अलायकत्ल वो खंजर था जिस पर कोई उंगलियों के निशान नहीं थे, जिस पर से खून भी पोंछ दिया गया था और जिसे अचला तलवार ने कचरे के ड्रम में डाला था। जो कि कदरन ज्यादा चौड़ाई वाला खंजर था।"

"चलो, ऐसे ही सही। फिर भी तो कातिल वो ही हुई!"

"उसने अलायकत्ल ड्रम में नहीं डाला था। वो अलायकत्ल बाद में बना था...बल्कि बनाया गया था। जबरन। इरादतन।"

"सब कहानी है। सुनीलियन पुड़िया है। तुम्हारी कल्पना की उड़ान है। पुलिस को गुमराह करने की कोशिश है। तुम जितना मर्जी जोर लगा लो, कहानियों से उस औरत को बेगुनाह साबित नहीं कर पाओगे।"

"मुझे आपकी बात से पूरा इत्तफाक है, माईबाप, लेकिन सुनील भाई मुलतानी के तरकश में अभी और भी तीर हैं।"

"मतलब?"

"उस औरत को बेगुनाह साबित करने का एक तरीका ये भी है कि मैं आपको कत्ल का आल्टरनेट कैंडीडेट सुझाऊं।"

"करो। करो ऐसा। ये वक्त की बर्बादी है लेकिन समझो तुम्हें अभयदान है आज। मुझे मंजूर है तुम्हारे साथ वक्त बर्बाद करना।"

"कातिल इसी इमारत में मौजूद है।"

"है न! अचला तलवार है न लॉक अप में बंद! साथ में अकम्पलिस उदिता चोपड़ा!"

"कातिल आपके इनटैरोगेशन रूम में मौजूद है।"

"आदत से मजबूर हो इसलिये लम्बी लम्बी छोड़ रहे हो। पहले मैं समझता था कि तुम हसीनाओं के ही तरफदार हो, अब पता लगा कि तुम औरत जात के तरफदार हो, भले ही वो किसी शेप, साइज, सन की हो।"

सुनील हंसा, फिर तत्काल संजीदा हुआ।

"अब अपने दावे को, कि कातिल कोई और है, सबस्टैंशियेट करने के लिये कोई पुख्ता, विश्वास में आने लायक बात कहो, कोई नाम लो कत्ल के आल्टरनेट कैंडीडेट का वर्ना दरवाजा उधर है।"

"दरवाजा मुझे मालूम है किधर है, कृपानिधान—क्योंकि यहां आना जाना तो लगा ही रहता है—लेकिन जब आपने जुकाम का दर्जा दिया तो ऐसे ही तो मैं नहीं चला जाने वाला!"

"तो कुछ उचरो।"

"ठीक है। हाकिम के हुक्म की तामील करता हूं और उचरता हूं। सुनिये। बगल के कमरे में शोभित शुक्ला मौजूद है, उससे पूछिये कि क्यों उसके पास संतोषी अपार्टमैंट्स के फ्लैट की चाबी थी और क्यों उससे पीछा छुड़ाने के लिये उसने उसे गटर में फेंका! उससे पूछिये कि कैसे वो चाबी सुजा..."

तभी सुनील के मोबाइल की घंटी बजी।

"एक्सक्यूज मी।"—वो प्रभूदयाल से बोला और उसने काल रिसीव की।

"वो चाबी।"—उसे रमाकांत की व्यग्र आवाज सुनाई दी—"सुजाता सक्सेना के फ्लैट की नहीं निकली है। वो चाबी फ्लैट नम्बर ४०२ के फ्रंट डोर की नहीं,

एक मंजिल ऊपर फ्लैट नम्बर ५०३ के फ्रंट डोर की है जिसकी आकूपेंट, तुझे मालूम है, कोमल कपूर है। पता लगा है कि कोमल कपूर के फ्लैट आकूपाई करने से पहले उसमें शोभित शुक्ला रहता था और एक ही जगह, यूं समझो कि पड़ोस में, रहते होने की वजह से ही उसकी सुजाता सक्सेना से आशनाई हुई थी। तब सुजाता सक्सेना ने महसूस किया था कि उसके ठोकू का उसके पड़ोस में ही बसा होना ठीक नहीं था और शोभित शुक्ला को कहा था कि वो वो फ्लैट छोड़ कर अपने रहने का इंतजाम कहीं और करे। उसके फ्लैट छोड़ जाने के बाद कोमल कपूर उसमें आ कर बसी थी। समझ गया?"

"हां। शुक्रिया।"

"अभी एक बात और सुन।"

"बोलो जल्दी।"

"खुर्शीद आर्केड मुगलबाग में फर्स्ट क्रास रोड पर है—संतोषी अपार्टमेंट्स के ऐन सामने सड़क के पार। अब बंद कर।"

सुनील ने फोन बंद करके जेब के हवाले किया।

"तो"—प्रभूदयाल उतावले स्वर में बोला—"शोभित शुक्ला के बारे में क्या कह रहे थे तुम?"

"यही कि उसके पास संतोषी अपार्टमेंट्स के एक फ्लैट की चाबी थी"—सुनील सहज भाव से बोला—"और कभी वो वहां रहा करता था।"

"तो ये कौन सी बड़ी खोज है? जहां वो रहता था, वहां की चाबी नहीं होगी उसके पास?"

"रहना छोड़ चुकने के बाद भी थी।"

"तो क्या हुआ! लौटाना भूल गया होगा!"

"मुमकिन है। मैं सिर्फ ये बात आपकी जानकारी में लाना चाहता था कि जिस कम्पलैक्स में मर्डर हुआ था, जहां लाश पायी गयी थी, वहां की एक चाबी शोभित शुक्ला के पास भी थी।"

"तो भी क्या हुआ? इतने भर से उसका कत्ल से रिश्ता बन गया?"

"इतने से तो नहीं बन गया लेकिन...मैंने सोचा कि...ये बात...पुलिस की जानकारी में होनी चाहिये थी।"

"फिजूल की जानकारी है ये। तुम कहते उसके पास उस फ्लैट की चाबी थी जो कि मौकायवारदात था तो कोई बात भी थी!"

"ऐसा तो नहीं था लेकिन वो क्या है कि मैंने सोचा कि ये बात महज इत्तफाक भी है तो भी आपको मालूम होनी चाहिये थी कि जिस फ्लैट की आज थोड़ी देर पहले तक उसके पास चाबी थी उसमें अब कोमल कपूर रहती है जो कि उन चार लोगों में से एक है जो कि इस वक्त बगल के कमरे में मौजूद हैं।"

"हमें उसकी बाबत सब मालूम है।"

"ये भी कि वो मकतूल अमृत सिक्का की गर्लफ्रेंड थी? वो सिक्का पर शक करती थी कि वो उसके साथ डबल गेम खेल रहा था…"

"डबल गेम क्या मतलब?"

"किसी और पर आशना था। सिक्का उसके फ्लैट में था जबकि सिक्का मरने के लिये एक मंजिल नीचे के फ्लैट में गया था और उसने चुपचाप सिक्का का वहां तक पीछा किया था।"

"क्या मतलब?"—प्रभूदयाल सम्भल कर बैठा—"तुम कहना चाहते हो कि कोमल कपूर चुपचाप मकतूल सिक्का के पीछे लग कर सुजाता सक्सेना के फ्लैट तक गयी थी!"

"जी हां।"

"तुम्हें क्या मालूम?"

"उसने खुद मुझे ऐसा कहा था।"

"वो तो कहती है कि वो सारी दोपहर सोई रही थी!"

"झूठ कहती है। उसने खुद मुझे कहा था दोपहरबाद ढ़ाई बजे से जरा पहले वो सिक्का के पीछे लगी थी और उसने उसे एक मंजिल नीचे सुजाता सक्सेना के फ्लैट नम्बर 402 का ताला खोल कर भीतर जाते देखा था। ये बात उसने एक नहीं, दो नहीं, तीन गवाहों के सामने कही थी।"

"कौन थे वो तीन गवाह?"

"मेरा सहयोगी अर्जुन, दोस्त रमाकांत और उसका जौहरी नाम का एक आदमी।"

"ये गवाह हैं कि सिखाये पढ़ाये तोते?"

"आपको मेरी बात पर यकीन नहीं?"

"कतई नहीं। जिन लोगों के तुमने नाम लिये, वो तुम्हारी खातिर कुछ भी कह सकते हैं, कुछ भी कर सकते हैं, मैं क्या जानता नहीं!"

"जनाब, ये हकीकत है…"

"पुड़िया है। खास सुनीलियन पुड़िया है। मुझे तुम्हारी चाबी वाली बात पर भी शक है कि शोभित शुक्ला के संदर्भ में तुम पहले कुछ और कहने लगे थे, बीच में फोन आ गया तो कुछ और कहने लगे।"

"ऐसी कोई बात नहीं है, जनाब। और हाथ कंगन को आरसी क्या, कोमल कपूर को यहां बुला कर पूछिये कि जो मैंने अभी कहा, वो उसी ने तीन गवाहों के सामने मुझे बताया था या नहीं!"

वो सोचने लगा।

"आज तुम्हें छूट दी है"—फिर बोला—"इसलिये, चलो, ये भी करता हूं मैं।"

उसने घंटी बजा कर हवलदार को बुलाया और कोमल कपूर को वहां ले कर आने को बोला।

सजी धजी कोमल कपूर यूं मुस्कराती हुई वहां पहुंची जैसे किसी पार्टी की मेहमान हो। प्रभूदयाल के आग्रह पर वो सुनील से दो सीट परे एक विजिटर्स चेयर पर बैठ गयी।

"इधर मेरी तरफ तवज्जो दीजिये।"—प्रभूदयाल गम्भीरता से बोला—"ये सुनील है, सुनील चक्रवर्ती, चीफ रिपोर्टर, 'ब्लास्ट'। कल आप से मिल चुका है। ये कहता कि अपनी मौत से पहले, ऐन पहले, मकतूल अमृत सिक्का आपके साथ आपके फ्लैट में था जहां से निकल कर जब वो एक मंजिल नीचे सुजाता सक्सेना के फ्लैट में—जहां कि वो मरा पड़ा पाया गया था—गया था तो आपने चुपचाप उसका वहां तक पीछा किया था। आप क्या कहती हैं?"

उसने नेत्र फैलाये, वैसे ही सुनील की तरफ देखा।

"ये"—फिर बोली—"ये ऐसा कहते हैं?"

"हां।"

"इन्हें ऐसा नहीं कहना चाहिये।"—वो सुनील की तरफ घूमी—"आपको ऐसा नहीं कहना चाहिये, मिस्टर सुनील। आप जब मेरे से मिलने आये थे तो मैंने खास तौर से आपसे कहा था कि मैं सो रही थी, आपकी आमद ने मुझे सोते से जगाया था। मैंने आपको खास तौर से बताया था कि अमृत सुजाता सक्सेना या सक्सेरिया करके किसी औरत से वाकिफ था जिससे कि उसका कोई व्यापारिक वास्ता था। इसके अलावा मुझे उस औरत के बारे में कुछ नहीं मालूम—ये भी नहीं मालूम कि वो कौन थी। मैं तो सख्त हैरान हुई थी जबकि मुझे पता लगा था कि वो औरत संतोषी अपार्टमेंट्स में ही मेरे से एक मंजिल नीचे के एक फ्लैट में रहती थी।"

"ये बात आपने सुनील को बताई थी?"

"जी हां।"

"गवाहों के सामने?"

"इनके साथ के कुछ लोग आनन फानन मेरे फ्लैट में घुस आये थे। इन्होंने मुझे बताया था ये खोजी पत्रकार थे, इनके अखबार की उस औरत से हमदर्दी थी जो कि कत्ल के इलजाम में गिरफ्तार थी—इनकी निगाह में बेगुनाह थी, नाहक गिरफ्तार थी—अपनी खोज से ये ऐसा साबित करना चाहते थे ताकि ये अपने अखबार में केस का सनसनीखेज खुलासा एक्सक्लूसिव तौर पर पेश कर पाते और अपने इसी अभियान के तहत ये मेरे से बात करना चाहते थे। मैंने इन्हें साफ बोला था कि मैं इनकी कोई मदद नहीं कर सकती थी क्योंकि इनके कत्ल के केस के बारे में मैं कतई कुछ नहीं जानती थी। फिर इन्होंने मुझे ये पट्टी पढ़ाने की कोशिश की थी कि जो स्टोरी ये अपने अखबार के लिये तैयार कर रहे थे, वो बहुत जंच जाती अगरचे की मैं कहती कि मैं अमृत की बेवफाई से खफा थी, मैं उसकी टू-टाइमिंग से, उसके डबल गेम से भड़की हुई थी। इंस्पेक्टर साहब, मैं ऐसा नहीं कह

सकती थी क्योंकि मुझे यकीनी तौर से मालूम था कि अमृत के सुजाता समथिंग से महज बिजनेस रिलेशंस थे, जो कि किसी महानगर में किसी मर्द के किसी औरत से होना कोई बड़ी बात नहीं। फिर ये कहने लगे कि इनकी स्टोरी में थोड़ा कलर आ जायेगा अगर मैं अपनी बात को थोड़ा सा इनके हक में मोड़ दूं।"

"क्या मतलब हुआ इसका? इसने आपको अपना बयान बदलने के लिये उकसाया?"

"जी हां। बदलने को नहीं तो थोड़ी हेरफेर के लिये, थोड़ा चेंज करने के लिये तो बराबर बोला।"

प्रभूदयाल ने आग्नेय नेत्रों से सुनील की तरफ देखा।

"मुझे एक मिनट इससे बात करने दो"—अपने भीतर घुमड़ते गुस्से को भरसक काबू में करता सुनील बोला—"फिर चाहे फांसी पर चढ़ा देना।"

"क्यों बात करने दो?"—प्रभूदयाल भड़का।

"क्योंकि ये झूठ बोल रही है।"

"तुम्हारे कहने से क्या होता है?"

"मेरे ही कहने से होता है। मैं ही जानता हूं कि ये झूठ बोल रही है।"

"ठीक है, करो। मारो जो तीर मार सकते हो।"

"थैंक्यू।"—सुनील कोमल की तरफ घूमा—"दिन में सोना तुम्हारा रेगुलर शगल है या कल ही सोईं?"

"रेगुलर शगल नहीं है।"—वो भुनभुनाती सी बोली—"मैं सुबह लेट जागती हूं, कभी जल्दी जाग जाऊं तो दिन में सोती हूं।"

"ऐसे ही जैसे इस वक्त दिखाई दे रही हो।"

"पागल हुए हो!"

"अभी टाइम है। हो जाऊंगा तो खबर करूंगा। जवाब दो!"

"चेंज करके। नाइटी पहन कर।"

"कल कितने बजे सोई थीं?"

"मैं घड़ी देख के नहीं सोती। लंच किया था और सो गयी थी।"

"तुमने लंच किया था, कपड़े उतारे थे, उनकी जगह नाइटी पहनी थी और सो गयी थीं। और ये सब तुमने मकतूल अमृत सिक्का की मौजूदगी में किया था!"

"मैं अमृत के चले जाने के बाद चेंज करके सोई थी।"

"क्या वक्त था जब सिक्का तुम्हारे फ्लैट से गया था? सोती घड़ी देख कर नहीं हो लेकिन उसके प्रस्थान का वक्त तो मालूम होगा!"

"मालूम है।"

"क्या?"

"वो दो पच्चीस पर गया था।"

"श्योर?"

"यस। वैरी।"

"फिर कब मुलाकात हुई?"

"कभी न हुई।"—उसका स्वर रुंआसा हुआ।

"उसके जाते ही तुमने कपड़े उतारे, नाइटी पहनी और सो गयीं?"

"हां।"

"कितना अरसा सोईं?"

"सारी दोपहर। छः बजे जागी।"

सुनील मुस्कराया, उसने गहरी सांस ली।

"क्या हुआ?"—प्रभूदयाल बोला।

"झूठ के पांव नहीं होते।"—वो बोला—"मकतूल अमृत सिक्का का ऐसा इंतजाम था कि सुजाता सक्सेना के लिये जो काल नीचे उसके फ्लैट में आती थी, उसकी जानकारी फौरन इसके फोन पर सिक्का को ट्रांसफर की जाती थी और फिर उस काल का व्योरा आगे सुजाता सक्सेना को ट्रांसफर किया जाता था ताकि वो काल बैक कर पाती। सुजाता सक्सेना के फ्लैट में ऐसी काल सारा दिन आती थीं जिन्हें अचला तलवार—या कभी कभार उदिता चोपड़ा—रिसीव करती थी और उनकी खबर सिक्का के बताये फोन नम्बर पर—जो कि इसके फ्लैट में चलता था, लेकिन अचला को नहीं मालूम था—सिक्का को करती थी। काल रिसीव करने के लिये कभी सिक्का न हो तो उसकी जगह फोन ये सुनती थी ताकि ऐसा कभी न हो कि काल अनसुनी चली जाये। ये कहती है सिक्का दो पच्चीस पर फ्लैट से चला गया, उसके बाद अचला की जो काल आयीं, वो—जैसा कि इंतजाम था—इसने सुनीं। कैसे सुनी? ये तो सो रही थी!"

"कोई काल आयी ही नहीं होगी!"

"इस बाबत काल करने वाली से पूछिये। अचला तलवार से पूछिये काल की बाबत, बल्कि काल्स की बाबत।"

"मुलजिम की बात पर एतबार नहीं किया जा सकता।"

"तो दूसरा सिरा पकड़िये। काल्स रिसीव करने वाली से दरयाफ्त कीजिये। सुजाता सक्सेना से पूछिये, परसों उसने कब, कितनी काल रिसीव कीं!"

प्रभूदयाल ने सहमति में सिर हिलाया, उसने प्रश्नसूचक भाव से कोमल की तरफ देखा।

"वो क्या है कि"—कोमल बेचैनी से पहलू बदलती बोली—"मैं एक दो बार नींद से जागी थी टेलीफोन की बजती घंटी की वजह से और काल सुन कर, उसकी बाबत आगे फोन लगा कर फिर सो गयी थी। सारा दिन मैं घर से नहीं निकली थी क्योंकि सोती रही थी। जैसा कि मैंने पहले कहा कि दो

पच्चीस पर अमृत फ्लैट से गया था, उसके जाते ही मैं सो गयी थी और छ: बजे जागी थी। मैंने फ्लैट से बाहर कदम नहीं रखा था। अब अगर इसने कहा, या हिंट भी दिया, कि सिक्का के पीछे जा कर मैंने उसका कत्ल किया था तो मैं...मैं...”

“क्या करोगी?”—सुनील बोला।

“मुंह नोच लूंगी।”

“जब तुम मुंह नोच रही होगी तब मैं क्या करूंगा?”

उसने जवाब न दिया, उसने जोर से थूक निगली।

“गांधीगिरी करूंगा? हाथ पीठ पीछे बांधकर तुम्हारे सामने खड़ा रहूंगा?”

वो परे देखने लगी।

“तुम”—प्रभूदयाल सुनील से सम्बोधित हुआ—“इधर मेरी तरफ देखो।”

“देखता हूं।”—सुनील विनीत भाव से बोला—“और भी जो कहें, करता हूं लेकिन पहले मुझे कुछ कहने का मौका दीजिये।”

“जरूरत नहीं।”

“आपने इतनी देर मुझे बर्दाश्त किया है, थोड़ी देर और एक दोस्त की खातिर...”

“दोस्त!”

“दुश्मन सही। जिसे पास बिठा लिया, उसका थोड़ा लिहाज और कीजिये।”

“क्या कहना चाहते हो?”

“अभी। बहन जी को रुखसत कीजिये।”

प्रभूदयाल ने कोमल कपूर को वापिस बगल के कमरे में भेजा।

“अब बोलो।”—फिर बोला।

“सुनिये। आम धारणा ये है कि कत्ल दो पच्चीस और दो पैंतालीस के बीच के बीस मिनट के वक्फे में हुआ था। दो पैंतालीस तक अचला तलवार और उदिता चोपड़ा होटल श्रीलेखा पहुंच गयी हुई थीं और अचला अपना खंजर—जो कि वो ऊपर फ्लैट में भूल आयी थी और जो कि मर्डर वैपन था, अपने साथ ले गयी हुई थी...”

“तुम्हें क्या पता मर्डर वैपन कौन सा था?”

“आप बताइये कौन सा था? इस बात को बहस का मुद्दा बनाये बिना बताइये कि दोनों खंजरों पर मकतूल का खून लगा पाया गया था?”

“जो लाश की छाती से निकाला गया था, जिस पर अचला तलवार की उंगलियों के स्पष्ट निशान थे।”

“लेकिन आपके पोस्टमार्टम सर्जन हरीश वालिया का कहना है कि मकतूल की छाती का जख्म उस खंजर के फल से ज्यादा चौड़ा था।”

"क्यों था! वजह मैंने अभी बयान की तो थी!"

"आपने दूसरा खंजर हरीश वालिया को सौंपा था?"

"नहीं। उसका उससे कोई मतलब नहीं था। वो लैब के काम का था और लैब को सौंपा गया था जहां स्थापित हुआ था कि उस खंजर पर से उंगलियों के निशान पोंछ दिये गये थे और उसके फल पर मकतूल के ब्लड ग्रुप के खून के अवशेष थे।"

"आपने वो दूसरा खंजर भी हरीश वालिया को सौंपा होता तो उसकी रिपोर्ट ये होती कि उस खंजर का फल ऐन मकतूल की छाती के जख्म के साइज का था इसलिये वो ही मर्डर वैपन था।"

"नानसेंस! मर्डर वैपन वो था जो मकतूल की छाती से बरामद हुआ था।"

"तो फिर दूसरे खंजर पर, जो कि कचरे के ड्रम से बरामद किया गया था, मकतूल के खून के अवशेष क्यों थे?"

"ये बात फिलहाल हमें कनफ्यूज कर रही है लेकिन जल्दी ही कनफ्यूजन दूर हो जायेगा।"

"मैं अभी दूर करता हूं न! आप अभी मेरी बात सुनिये, उसको मानिये भले ही नहीं, लेकिन सुनिये।"

"सुनाओ।"

"बंदानवाज, भले ही कत्ल में दो खंजरों की हाजिरी है लेकिन सहज बुद्धि यही कहती है कि अलायकत्ल एक ही हो सकता है, एक ही है। अचला तलवार के पास एक खंजर था जो, वो कहती है कि, फ्लैट से रवाना होते वक्त उसे पीछे वाल कैबिनेट टॉप पर रखा भूल आयी थी। एक मिनट ये मान के चलिये कि वो खंजर, उसकी प्रापर्टी वो खंजर, कम चौड़े फल वाला था जिसे अपनी मूढ़, जनाना अक्ल के तहत, अपनी बात को बढ़ा चढ़ा के सोचने की आदत के तहत उसने मर्डर वैपन समझ लिया था, समझ लिया था कि तभी उससे कत्ल हो कर हटा था क्योंकि खंजर को उसने अपनी जगह पर उस पोजीशन में नहीं पाया था जिसमें कि वो उसे वहां रख कर गयी थी। हकीकतन कत्ल तब तक नहीं हुआ था, तब तक सिक्का के फ्लैट में पांव ही नहीं पड़े थे।"

"आगे बढ़ो।"—प्रभूदयाल उतावले स्वर में बोला।

"उस खंजर को—आई रिपीट, अपनी प्रापर्टी खंजर को, कम चौड़े फल वाले खंजर को, जो कि अलायकत्ल नहीं था—उसने ले जा कर 'श्रीलेखा' की किचन के पिछवाड़े के कचरे के ड्रम में डाल दिया था...डाल दिया था, माईबाप, परमेश राणा की सूरत में आपके पास गवाह है कि डाल दिया था, धकेल नहीं दिया था।"

"खून पोंछ कर।"

"कौन सा खून! मैंने अर्ज किया न कि तब तक खून हुआ ही नहीं था।

दूसरे, अगर उसे पोंछना सूझा होता तो उंगलियों के निशान पोंछना भी सूझा होता।"

"उंगलियों के निशान उस खंजर पर! लेकिन निशान तो…"

"आप सुनिये तो सही! ऐसे टोकते जायेंगे तो आप खुद तो कनफ्यूज हैं ही, मुझे भी कनफ्यूज कर देंगे।"

"ओके।"

"मैं अर्ज कर रहा था कि अचला तलवार ने अपना, कम चौड़े फल वाला, खंजर कचरे के ड्रम में डाला था, उसे धकेला नहीं था ताकि वो कचरे में छुप जाता। जमा, अब ये भी स्थापित तथ्य है कि उसके ऐसा करने के बाद उस वक्त से ले कर शाम साढ़े सात बजे तक ड्रम में और कचरा नहीं डाला गया था—कैसे स्थापित तथ्य है, ये मैं आपको बाद में बताऊंगा। इस घड़ी आप मेरी जुबान पर एतबार करके इस बात को कबूल कर लीजिये—इस लिहाज से ड्रम से बरामद होने वाले खंजर को कचरे की सतह पर पड़ा पाया जाना चाहिये था लेकिन हकीकतन वो कचरे में इतना गहरा धंसा पाया गया था कि तभी बरामद हुआ था जबकि ड्रम का सारा कचरा बाहर उलटा गया था और उसे खंगाला गया था। अचला तलवार ने खंजर को कचरे में गहरा धकेला नहीं था, ऊपर से और कचरा पड़ा नहीं था तो खंजर कचरे में दफ्न क्योंकर हो गया! माईबाप, ये वो लाख रुपये का सवाल है जिसकी इस वक्त है कहानी, कर्टसी सुनील भाई मुलतानी!"

"ड्रामा मत करो!"—प्रभूदयाल डपट कर बोला।

"यस, सर। इसका साफ मतलब ये है कि खंजर किसी और ने बाद में आ कर कचरे की सतह से नीचे धकेला। क्यों ऐसा किया उसने! क्योंकि उसने आटोमैटिकली सोच लिया कि किचन के कचरे का ड्रम था, अचला तलवार के उसके पास से हटने के बाद वक्त वक्त पर—उसके ड्रम पर पहुंचने से पहले—और कचरा उसमें डाला ही गया होगा। लिहाजा उसे लगा कि बाद में भी, उसकी वहां आमद के वक्त तक भी, खंजर का कचरे की सतह पर ही पड़ा होना स्वाभाविक नजारा नहीं थी इसलिये नजारे को स्वाभाविक बनाने के लिये उसने…उसने खंजर को कचरे में गहरा धकेला।"

"क्यों? अगर तुम्हारी स्टोरी पर एतबार लाया जाये तो उस खंजर का तो कत्ल में कोई रोल ही नहीं था।"

"रोल बनाया गया। ताकि कत्ल का इलजाम अचला तलवार पर आता।"

"किसने किया ऐसा?"

"जाहिर है कि कातिल ने।"

"कैसे किया?"

"खंजरों की अदला बदली करके किया। उसने अचला तलवार द्वारा कचरे में डाला गया खंजर जिस पर उसकी उंगलियों के स्पष्ट निशान थे, ले जा

कर सावधानी से लाश के उसमें पहले से बने स्टैबिंग वूंड में पैबस्त कर दिया और वहां से निकाला गया खंजर, जिससे कि असल में कत्ल हुआ था, झाड़ पोंछ कर ले जा कर कचरे के ड्रम में डाल दिया, कचरे में गहरा दफन कर दिया। बस, इतनी सी बात है जिसका सरकार ने अफसाना कर दिया।"

प्रभूदयाल भौंचक्का सा उसका मुंह देखने लगा।

"अब जो सवाल आपके जेहन में इस वक्त करवट बदल रहा है, वो ये है कि कातिल को कैसे खबर थी कि अचला 'श्रीलेखा' में थी, वो वहां पिछवाड़े में ड्रम के पास गयी थी और उसने उसका ढ़क्कन उठा कर भीतर 'कुछ' डाला था!"

प्रभूदयाल का सिर स्वयमेव सहमति में हिला।

"माईबाप, इस हकीकत से सिर्फ तीन शख्स वाकिफ थे। एक शख्स नागरथ डिटेक्टिव एजेंसी का फील्ड वर्कर परमेश राणा, जो अपने एक जोड़ीदार के साथ अचला और उदिता की निगरानी पर तैनात था, दूसरा उसका एम्पलायर, एजेंसी का संचालक, नागरथ जिसको कि वो रिपोर्ट करता था और तीसरा जिसने कि एजेंसी को उन दोनों औरतों की निगरानी के लिये एंगेज किया था।"

"कौन?"

"समीर सक्सेना।"

"वो कातिल?"

"बिल्कुल!"

"नानसेंस! उसके पास कत्ल के वक्त की पर्फेक्ट एलीबाई है। कत्ल के वक्त वो नागरथ के साथ था..."

"कौन सा कत्ल का वक्त! मैंने पहले अर्ज किया न कि कत्ल उस वक्त नहीं हुआ था जो कि पुलिस सोचे बैठी है। आपकी थ्योरी है कि कत्ल उन दोनों औरतों के फ्लैट से रुखसत होने और अचला तलवार के लॉबी से अकेली वापिस फ्लैट में लौटने के बीच के वक्फे में हुआ था, इसलिये वो कातिल है। दूसरे, कोमल कपूर की गवाही कहती है कि सिक्का उसी वक्त, ढ़ाई बजे के करीब ही नीचे वाले फ्लैट में गया था।"

"क्या खराबी है?"

"लगभग यही टाइम अचला के फ्लैट में वापिस लौटने का था। इस लिहाज से तो फ्लैट में उनका आमना सामना हुआ होना चाहिये था!"

"हुआ न! तभी तो उसने उसका कत्ल किया!"

"जनाब, जब तक आप अचला को कातिल मानने की अपनी जिद नहीं छोड़ेंगे तब तक मैं अपनी बात नहीं कह पाऊंगा। मेरी बात में आल्टरनेट कातिल का पिवोटल रोल है, वो रोल मुझे हाईलाइट कर लेने दीजिये, फिर जो मर्जी कहियेगा।"

"करो!"

"वो खंजर—दोनों—इस वक्त लैब में हैं?"

"नहीं। लैब का काम खत्म हो चुका है, अब मेरे पास हैं।"

"जरा दिखायेंगे?"

प्रभूदयाल ने हिचकिचाते हुए मेज के एक दराज से निकाल कर दोनों खंजर मेज पर रखे।

सुनील ने देखा दोनों खंजर मोटे तौर पर शक्ल और साइज में एक जैसे थे। दोनों की मूठ के साथ डोरी से टैग बंधा था। एक टैग पर लिखा था—अलायकत्ल। लाश से बरामद। दूसरे पर लिखा था—कचरे के ड्रम से बरामद। उसने गौर से दोनों का मुआयना किया।

"माईबाप"—सुनील बोला—"गौर से देखने से साफ पता लगता है कि इस कचरे के ड्रम से बरामद खंजर का फल कदरन चौड़ा है और इस लाश से बरामद खंजर का फल चौड़ाई में कोई आधा सूत के करीब कम है।"

प्रभूदयाल ने दोनों खंजरों का मुआयना किया और फिर अनिच्छा से सहमति में सिर हिलाया।

"अचला की मिल्कियत खंजर ये है जो कि लाश से बरामद हुआ..."

"जो कि मर्डर वैपन है। जिस पर उसकी उंगलियों के निशान हैं।"

"दूसरी बात ठीक है, मर्डर वैपन वाली बात गलत है। कैसे गलत है मैं अभी अर्ज करूंगा। इस खंजर की एक खासियत खातिर में लाइये। आम तौर पर खंजर की मूठ भारी होती है और उसके मुकाबले में फल हलका होता है, इस खंजर का फल भारी है—मूठ से ज्यादा नहीं तो उसके बराबर भारी है। दूसरे, खंजर और फल के बीच में ये एक बाहर को निकला हुआ एलिप्टिकल रिंग काबिलेगौर है। ये खंजर मेज पर रखा देखिये, मैं इसके फल को हलका सा भी छूता हूं तो मूठ उठ जाती है। मैं इसको फूंक मारता हूं तो ये रिंग पर बैलेंस हुआ पैंडुलम की तरह हिलने लगता है। अभी और देखिये।"

सुनील ने मेज पर से एक फाइल उठाई और उसे जोर से पंखे की तरह रिंग के सामने झला। यूं पैदा हुए हवा के झोंके से खंजर एक सौ अस्सी डिग्री के एंगल पर घूम गया। पहले उसका फल सुनील की ओर और मूठ प्रभूदयाल की ओर थी, अब मूठ सुनील की ओर थी और फल प्रभूदयाल की ओर था।

सुनील ने फाइल वापिस रख दी।

"देखा?"—वो बोला।

"क्या देखा! क्या मतलब हुआ इसका?"

"अचला तलवार कहती है कि जब उसने खंजर वाल कैबिनेट के दराज से निकाल कर उसके टॉप पर रखा था तब उसके फल की नोक बाहर की

तरफ और मूठ दीवार की तरफ थी लेकिन जब वो खंजर लेने फ्लैट में वापिस गयी थी तो उसने मूठ बाहर की तरफ, अपनी तरफ, और फल की नोक का रुख दीवार की तरफ पाया था, कहानियां कहने की आदी उस औरत ने जिससे ये नतीजा निकाला था कि खंजर को इस्तेमाल करके वहां रखा गया था।"

प्रभूदयाल के चेहरे पर आश्वासन के भाव न आये।

"गुस्ताखी माफ, जनाब, आप उस औरत के किरदार से पूरी तरह वाकिफ नहीं हैं। वो खयालों की दुनिया में विचरने वाली औरत है जो हर अनहोनी के होनी बन जाने का इंतजार करती है। बैग में खंजर रखती है क्योंकि उसे—जो खुद को पैंतालीस की बताती है लेकिन पचास के पेटे में जान पड़ती है—रेप का खतरा है। वैसे रेप का खतरा है लेकिन—बकौल उसकी जोड़ीदार उदिता चोपड़ा—सपने देखती है कि कब वो शुभ घड़ी आये। उस फ्लैट में कदम रखते ही भजने लगी थी कि उसे वहां मौत बसती जान पड़ती थी। ऊपर से मिस्टीरियस असाइनमेंट से थर्राई हुई, और ऊपर से आदत से मजबूर, ऐसे मिजाज की औरत का कूद कर इस—गलत, नाजायज, भ्रामक—नतीजे पर पहुंच जाना क्या बड़ी बात थी कि खंजर का इस्तेमाल कत्ल में हुआ था, कत्ल सिक्का का हुआ था जो कि भीतर बेडरूम में मरा पड़ा था और कातिल भी अभी वहीं था। इतनी लम्बी, इतनी कलरफुल स्टोरी उसके खुराफाती दिमाग ने इस बिना पर गढ़ ली कि उसने खंजर की पोजीशन बदली हुई पायी थी, जबकि—मैंने अभी डिमांस्ट्रेट किया—ऐसा फ्लैट में कहीं से आया हवा का झोंका भी कर सकता था। नहीं?"

"असल बात पर पहुंचो।"—प्रभूदयाल शुष्क स्वर में बोला।

"असल बात ये है कि कत्ल अचला के कैबिनेट टॉप पर पड़े खंजर समेत वहां से चले जाने के बाद हुआ था। लिहाजा जो खंजर उसके साथ चला गया था, उससे कत्ल हुआ नहीं हो सकता था। कत्ल दूसरे कदरन चौड़े फल वाले खंजर से हुआ था।"

"और कत्ल समीर सक्सेना ने किया था?"

"हां।"

"उसके पास कत्ल के वक्त की पर्फेक्ट एलीबाई है।"

"क्या पर्फेक्ट है उसमें?"

"वो नागरथ के साथ लंच पर था।"

"कहां लंच पर था? 'चायना पर्ल' में। जो कि संतोषी अपार्टमेंट्स के ऐन सामने की खुर्शीद आर्केड में है। लंच के बाद वो उठ कर टायलेट गया हो तो नागरथ के साथ ही माना जायेगा न!"

"आगे बढ़ो।"

"असल में वो रेस्टोरेंट से निकला, सड़क पार की और संतोषी अपार्टमेंट्स

में दाखिल हो गया। आगे चौथी मंजिल पर पहुंचा जहां उसने अपनी बीवी के—सुजाता सक्सेना के—402 नम्बर फ्लैट को अनलाक्ड पाया। वो खामोशी से भीतर दाखिल हुआ तो उसने अमृत सिक्का को बैडरूम में एक कुर्सी पर बैठा रिलैक्स करता पाया...”

“रिलैक्स करता!”

“कोट कुर्सी की पीठ पर टंगा हो, खुद वो कुर्सी में यूं पसरा पड़ा हो जैसे वो उसी का घर हो तो रिलैक्स करता ही माना जायेगा न!”

“हूं। आगे?”

“वो नजारा समीर सक्सेना ने देखा तो उसका खून खौल उठा। अपनी बीवी के किसी यार की शिनाख्त की कोशिश में तो वो था ही—इसीलिये उसने बीवी की निगरानी पर जासूस लगाये हुए थे—वो नजारा देख कर वो कूद कर इस नतीजे पर पहुंचा कि सिक्का ही बीवी का यार था। आग बगूला हुए उसने जेब में मौजूद खंजर निकाला और बीवी की छाती में भौंक दिया।”

“जेब से खंजर निकाला!”—प्रभूदयाल व्यंग्यपूर्ण स्वर में बोला—“जेब में खंजर होना बालपैन होने जैसी आम बात थी, रूमाल होने जैसी आम बात थी?”

“हर किसी के लिये आम बात नहीं थी लेकिन उसके लिये आम बात थी। आप भूल रहे हैं कि वो क्यूरियो डीलर था और वो खंजर एक क्यूरियो आइटम थी जिसकी उस घड़ी उसके पास होने की कई वजह हो सकती थीं।”

“कोई एक बताओ।”

“जैसे उसे बतौर सैम्पल पेश करके वो कहीं से उसका बल्क आर्डर हासिल करना चाहता था।”

“खंजर ऐन अचला तलवार की मिल्कियत खंजर जैसा?”

“ऐन वैसा कहां है? दोनों खंजर आपके सामने पड़े हैं, देखिये, फल के वजन में फर्क है, साइज में फर्क है।”

“मोटे तौर पर दोनों एक जैसे हैं।”

“तो इसे इत्तफाक समझिये, जनाब। इत्तफाक होते ही हैं इस फानी दुनिया में!”

“फ्लैट में सिक्का और सुजाता दोनों होते तो वो दोनों को मार देता?”

“कैसे होते! सुजाता के वहां होने का कोई मतलब ही नहीं था। जब से उसने अपने डबल को वहां बसाया था, तब से वो तो कहीं और रह रही थी। फिर भी किसी वजह से उसे सुजाता की वहां मौजूदगी मुमकिन लगती तो वो वहां जाता ही नहीं। वो तो गया ही इसलिये था क्योंकि रेस्टोरेंट से उसने अपनी बीवी को कम्पैनियन के साथ वहां से जाते देखा था।”

“बीवी को नहीं, उसकी जगह लिये बैठी उदिता चोपड़ा को। अब ये न

कहना कि उसने भी धोखा खाया और वो भी उस लड़की को अपनी बीवी सुजाता सक्सेना समझ बैठा। औरों की बात और होती है लेकिन पति पत्नी को न पहचाने, ये नहीं हो सकता।"

सुनील ने कुछ क्षण उस बात पर विचार किया।

"तो"—फिर बोला—"नागरथ ने देखा होगा और उसने सक्सेना को बोला होगा कि उसकी बीवी और कम्पैनियन फ्लैट से निकल कर टैक्सी में सवार हुई थीं और टैक्सी वहां से जा रही थी। तब सक्सेना ने बाहर सड़क की तरफ झांका होगा तो नागरथ के जासूसों को टैक्सी के पीछे लगता पाया होगा। इतना भी उसे यकीन दिलाने के लिये काफी था कि पीछे सुजाता का फ्लैट खाली था।"

"वो नागरथ के जासूसों को पहचानता होगा?"

"मुमकिन है। नहीं पहचानता होगा तो नागरथ ने प्वायंट आउट किया होगा कि वो जो दो जने टैक्सी के पीछे लगे थे, वो उसके डिटेक्टिव थे।"

"आगे?"

"आगे बढ़ने से पहले सक्सेना के मिजाज से ताल्लुक रखती एक बात मैं आपकी तवज्जो में लाना चाहता हूं। सुजाता सक्सेना उसके बारे में कहती है कि वो अहम का मारा आदमी था, अलहदगी की टेंशन के मौजूदा माहौल में वो खुद चल कर बीवी के पास नहीं जा सकता था। इसीलिये उसे तसल्ली थी कि उसके फ्लैट में उसकी जगह कोई और रह रहा था, ये बात उसकी जानकारी में नहीं आ सकती थी।"

"फिर भी गया!"

"बीवी के पास नहीं। तब गया जबकि उसे आश्वासन मिला कि बीवी कम्पैनियन के साथ वहां से जा चुकी थी और पीछे फ्लैट में कोई नहीं था।"

"तब भी क्यों गया?"

"उत्सुकता ले कर गयी। इसलिये गया कि वो उसे सुनहरा मौका जान पड़ा था बीवी के मौजूदा रहन सहन को जज करने का, जांचने परखने का। ये उम्मीद ले कर गयी कि बीबी की गैरहाजिरी में उसके फ्लैट का फेरा उसके मौजूदा ब्वायफ्रेंड की कोई जानकारी हासिल हो पाने का सबब बन सकता था।"

"हूं। तो कत्ल समीर सक्सेना ने किया?"

"हां।"

"आगे क्या किया?"

"'चायना पर्ल' में वापिस लौटा—जैसे टायलेट से लौटा हो—कोई बड़ी बात नहीं कि नागरथ को दिखाने के लिये रूमाल से हाथ पोंछता लौटा हो। वहां से वो वापिस नागरथ के आफिस में पहुंचे तो वहां परमेश राणा का फोन आया

जिसमें उसने अचला तलवार की 'श्रीलेखा' की किचन के पिछवाड़े की मूवमेंट का जिक्र किया। वो जिक्र नागरथ ने क्लायंट से किया जिसके लिये कि विजिल का वो काम हो रहा था। क्लायंट को—समीर सक्सेना को—सस्पेंस हो गया कि अचला तलवार ने कचरे के ड्रम में क्या डाला होगा! मैजेस्टिक सर्कल से—जहां कि नागरथ का आफिस है—होटल श्रीलेखा बिल्कुल करीब है, लिहाजा सस्पेंस के हवाले उसने खुद जा कर कचरे के ड्रम में झांकने का फैसला किया। बिना होटल में दाखिल हुए पिछवाड़े की गली के रास्ते वो ड्रम तक पहुंचा, उसने उसका ढ़क्कन उठा कर भीतर झांका तो भीतर कचरे की सतह पर वैसा ही खंजर पड़ा पाया जैसा वो पीछे संतोषी अपार्टमेंट्स में इस्तेमाल करके आया था। तब अपनी सेफ्टी की उसे ये तरकीब सूझी कि बाजरिया ड्रम में पड़े खंजर वो अचला तलवार को बतौर कातिल प्रोजेक्ट कर सकता था। अचला की जनाना सूझ में ये तो आया नहीं था कि खंजर को कचरे के ड्रम में डालने से पहले वो उस पर से अपने फिंगरप्रिंट्स पोंछ देती। लिहाजा लाश में उस खंजर की बरामदी उसे निर्विवाद रूप से कातिल करार देती। उसने सावधानी से—ताकि उस पर बने अचला के फिंगरप्रिंट्स न बिगड़ जाते, खंजर को वहां से उठाया और उसके साथ वापिस संतोषी अपार्टमेंट्स पहुंचा। वहां उसने लाश में से अपने वाला खंजर बाहर खींचा और उसकी जगह लाश में अचला का, उसके फिंगरप्रिंट्स वाला, खंजर पिरो दिया। अपने खंजर को उसने अच्छी तरह से पोंछा—ये जुदा बात है कि खून के अवशेष फिर भी उस पर रह गये—और उसे ले जा कर वापिस कचरे के ड्रम में डाल दिया ताकि बाद में अगर परमेश राणा का बयान होता—जो कि हुआ ही था—तो खंजर की कचरे से बरामदी से उसके बयान की तसदीक होती कि उसने अचला को कोई ऐसी चीज ड्रम में डालते देखा था जिससे सूरज की रोशनी रिफ्लैक्ट होती थी और चमक पैदा करती थी जो कि उसके नोटिस में आयी थी। यहां सक्सेना की एक्स्ट्रा होशियारी ही उसका वाटरलू बनी कि वापिसी में उसने सहज ही सोच लिया कि तब तक ड्रम में और कचरा डाला जा चुका होगा इसलिये खंजर का सतह पर मिलना गलत था। अपनी इस सोच के तहत उसने खंजर को ड्रम में डाला तो उसको कचरे में गहरा धकेल दिया। यूं उसका हाथ, जाहिर है कि, कलाई तक गीले कचरे से सना होगा लेकिन उसे कोई फर्क नहीं पड़ता था क्योंकि अचला की तरह उसकी निगरानी पर तो कोई नहीं लगा हुआ था। उसने वहां हाथ पोंछ लिया होगा और बाद में कहीं भी जा कर धो लिया होगा।"

सुनील एक क्षण ठिठका और फिर बोला—"अचला तलवार की ट्रेजडी ये भी है कि उसने कचरे से बरामद हुए खंजर की अपने खंजर के तौर पर शिनाख्त की जबकि उसके फिंगरप्रिंट्स की वजह से लाश से निकाले गये खंजर को उसका खंजर करार दिया जा भी चुका था। यूं उस पर इलजाम आयद हुआ, एक

अस्वाभाविक, असम्भावित बात को बल मिला कि उसके पास दो खंजर थे और केस में और पेचीदगी पैदा हुई—ऐसी कि पुलिस ने कत्ल के किसी अल्टरनेट कैंडीडेट पर विचार करना जरूरी ही न समझा। ठीक!"

संजीदासूरत, फिक्रमंद प्रभूदयाल ने जवाब न दिया।

"अब"—सुनील का स्वर नाटकीय हुआ—"सुनील भाई मुलतानी, खत्म करता है सिक्का मर्डर केस की कहानी।"

"सब थ्योरी है।"—प्रभूदयाल भुनभुनाया—"सबूत कोई नहीं है। और थ्योरियां गढ़ने में तुम माहिर हो।"

"कृपानिधान"—सुनील मुस्कराया—"मैंने वो माल अलग बांध के रखा है जो बढ़िया है, एक्सक्लूसिव है।"

"मतलब? तुम ये कहना चाहते हो कि अपनी थ्योरी को सबस्टैंशियेट करने के लिये तुम्हारे पास सबूत भी है?"

"मेरे पास नहीं है, जनाब, आपके पास है।"

"मेरे पास है!"

"पुलिस के पास है। जिसकी तरफ तवज्जो देना यहां किसी ने जरूरी न समझा।"

"क्या कहना चाहते हो?"

"आप मानते हैं कि फिंगरप्रिंट्स झूठ नहीं बोलते?"

"हां।"

"उनसे हासिल नतीजा करैक्ट होता है, एक्सक्लूसिव होता है, फाइनल होता है, निर्विवाद रूप से सच होता है क्योंकि सृष्टि में किन्हीं दो व्यक्तियों के फिंगरप्रिंट्स एक जैसे नहीं होते—नहीं हो सकते?"

"हां, भई।"

"जो कथा मैंने अभी की, अगर उस पर आपको ऐतबार आता है तो बिना कहे भी ये बात प्रत्यक्ष है कि समीर सक्सेना ने कचरे के ड्रम के ढ़क्कन को हैंडल किया था—दो बार हैंडल किया था। मुझे मालूम है कि ढ़क्कन के हैंडल पर से कई फिंगरप्रिंट्स उठाये गये थे लेकिन उनकी क्लासिफिकेशन के काम को अचला तलवार के फिंगरप्रिंट्स का मैच मिलते ही तर्क कर दिया गया था, बाकी फिंगरप्रिंट्स की शिनाख्त की जरूरत नहीं समझी गयी थी। जनाब, वो शिनाख्त अब हो सकती है। अपने फिंगरप्रिंट्स एक्सपर्ट को कचरे के ड्रम के ढ़क्कन के हैंडल पर से उठाये गये बाकी प्रिंट्स के साथ यहां तलब कीजिये, बगल के कमरे में बैठे समीर सक्सेना को यहां बुलाइये, दस मिनट में फैसला हो जायेगा कि सबूत है या नहीं है।"

इस बार प्रभूदयाल का सिर स्वयमेव सहमति में हिला, स्वयमेव उसका हाथ कालबैल की ओर बढ़ा।

□□□

शाम के सात बजे थे।

रमाकांत और सुनील यूथ क्लब के बार में एक कोने की टेबल पर आमने सामने बैठे थे और बार की शाम की रेगुलर रौनक में शरीक थे। दोनों के सामने तभी सर्व हुए ड्रिंक्स थे और दोनों के हाथ में सिग्रेट थे।

"बेबे दा बोलबोला"—रमाकांत चहका—"सक्सैने दा मुंह काला।"

"क्या बोला?"

"वही बोला, काकाबल्ली, जो बोलते हैं। जरा पंजाबी तड़का लगा के बोला।"

"क्या?"

"सच्चे का बोलबाला, झूठे का मुंह काला।"

"ओह!"

"दोनों जनानियां बाइज्जत रिहा हो गयीं, सक्सेना गिरफ्तार हो गया, शाबाशी मेरे शेर नूं जिसने मेरे दिमाग से सोचा तो किसी मुकाम पर पहुंचा।"

"वो तो है!"

"लेकिन देर से क्यों पहुंचा? केस इतना पेचीदा तो न निकला!"

"सब घिचपिच टाइम फैक्टर ने की जो कि गलत नतीजों की बिना पर गलत स्थापित किया गया था। नाहक ये सोच लिया गया कि कत्ल दोनों औरतों के मौकायवारदात फ्लैट से निकलने के बाद और अचला के वहां अकेले लौटने के बीच के वक्फे में हुआ था। इस बात के पीछे अचला तलवार की कलरफुल सोच का हाथ था कि कत्ल उसके खंजर से हुआ था क्योंकि उसने वाल कैबिनेट टॉप पर उसको जुदा पोजीशन में पाया था, यानी किसी ने उसको कत्ल में इस्तेमाल करके झाड़ पोंछ कर वहां वापिस रखा था। वो तिल का ताड़ बनाने में माहिर बताई जाती है, आदतन मामूली बात को अपनी कल्पना की उड़ान से बढ़ा चढ़ा कर, उस पर झूठ का मुलम्मा चढ़ा कर पेश करने की आदी बताई जाती है। इसीलिये उसको फ्लैट में कत्ल की बू आने लगी, उसको कातिल फ्लैट में तब भी मौजूद लगने लगा और कैबिनेट टॉप पर पड़े 'मर्डर वैपन' को कहीं ठिकाने लगाना जरूरी लगने लगा। इस काम के लिये उसने होटल श्रीलेखा को चुना क्योंकि वो वहां नौकरी कर चुकी थी, उसके निजाम से वाकिफ थी, पिछवाड़े की किचन के बाहर पड़े रहते कचरे के ड्रम से वाकिफ थी जिसमें कि आसानी से खंजर दफन किया जा सकता था लेकिन इस बात से वाकिफ नहीं थी कि वहां भी वो पीछे लगे नागरथ एजेंसी के जासूसों में से एक की निगाह में थी।"

"असल में कत्ल उसके फ्लैट से निकलने और लौटने के बीच के वक्फे में नहीं हुआ था?"

"नहीं हुआ था। आलायकत्ल की बदली पोजीशन से उत्तेजित वो ये राग अलाप रही थी जबकि वो खंजर बना ही ऐसा हुआ था कि हवा का मामूली

झोंका भी उसे हिला सकता था, घुमा सकता था, उसकी पोजीशन में तब्दीली ला सकता था। अपने इस राग की वजह से ही उसको उस खंजर को ठिकाने लगाना जरूरी लगा था जिसका कत्ल से कोई लेना देना ही नहीं था।"

"ठीक!"

"कत्ल के टाइम में दूसरा कनफ्यूजन कोमल कपूर ने ये कह के पैदा किया कि मकतूल सिक्का उसके पास से ढ़ाई बजे के करीब नीचे के फ्लैट में गया था। वो नींद की शौकीन आलसी, लापरवाह, गैरजिम्मेदार लड़की थी, उस टाइम के बारे में जिससे सवाल हुआ तो जो टाइम उसके जेहन में आया उसने बोल दिया। सिक्का उसके बताये टाइम पर नीचे वाले फ्लैट में पहुंचा होता तो या तो अचला उसे वहीं मिलती या उसकी मौजूदगी में ऊपर से आ गयी होती। ऐसा नहीं हुआ था, इसी से जाहिर होता है कि वो अचला के दूसरे फेरे के बाद भी वहां से चले जाने के बाद किसी वक्त फ्लैट में पहुंचा था जबकि समीर सक्सेना ने उसे वहां यूं रिलैक्स करते पाया था जैसे घर का मालिक हो या मालकिन का मालिक हो। वो दोगला शख्स खुद बेवफा था लेकिन बीवी की बेवफाई के खयाल से इस हद तक कुढ़ता था कि उसके यार को जानने के लिये, हो सके तो रंगे हाथों पकड़ने के लिये, मरा जा रहा था। जब उसने सिक्का को वहां देखा तो वो कूद कर इस नतीजे पर पहुंचा कि वो ही बीवी का यार था, हसद के मारे उस शख्स ने विवेक से नाता तोड़ कर उसकी छाती में वो खंजर घोंप दिया जो इत्तफाक से उसके पास था और अचला वाले खंजर से मोटे तौर पर मिलता जुलता था..."

"जैसे उदिता चोपड़ा मोटे तौर से उसकी बीवी से मिलती जुलती थी!"

"सही मिसाल दी।"

"खंजर क्यों था उसके पास?"

"कहता है सैम्पल के तौर पर था। चार बजे बाहर से आये, होटल शाहजहां में ठहरे एक बायर से उसकी अप्वायटमेंट थी जो वैसे खंजर बल्क में खरीदना चाहता था।"

"हूं।"

"रमाकांत, जो उसने किया था उसको वो उसी रंग में छोड़ देता तो उसकी खैर थी क्योंकि डिटेक्टिव एजेंसी का संचालक नागरथ उसका गवाह था कि वो पहले लंच पर और फिर उसके आफिस में उसके साथ था। लाश की छाती में पैबस्त पाये गये खंजर पर उसकी उंगलियों के निशान होने की वजह से तब अचला को बेगुनाह साबित करना लगभग असम्भव काम होता। पोस्टमार्टम की एक बारीकी में वो कोई पनाह पा सकती थी लेकिन उसकी तरफ पुलिस ने तवज्जो नहीं दी थी, उसको प्रभूदयाल खातिर में नहीं लाया था।"

"केड़ी बारीकी?"

"पोस्टमार्टम की ये रुटीन होती है कि अगर स्टैबिंग से मर्डर हुआ हो तो लाश में बने स्टैबिंग वूंड की गहराई, चौड़ाई सब दर्ज की जाती है क्योंकि उससे

मर्डर वैपन की शिनाख्त में मदद मिलती थी। हरीश वालिया नाम के जिस डाक्टर ने पोस्टमार्टम किया था, मैं जाती तौर से वाकिफ हूं कि, बहुत काबिल और कमिटिड डाक्टर है। अपनी इस आब्जरवेशन को पोस्टमार्टम रिपोर्ट में उसने दर्ज किया था कि खंजर के फल की चौड़ाई जख्म के फल की चौड़ाई से मैच नहीं करती थी, जख्म की चौड़ाई से कदरन ज्यादा थी।"

"प्रभूदयाल के घोड़े ने ये बात नोट न की!"

"नोट की, बराबर की, लेकिन उसको अहमियत न दी, ये कह के उसको खारिज कर दिया कि कातिल ने खंजर घोंपने के बाद उसे दायें बायें हिलाया होगा। प्रभूदयाल कोई नालायक, नाकाबिल पुलिस अफसर नहीं है, उसके साथ बद्‌किस्मती ये हुई कि न उसकी, न किसी और की निगाह में आया कि देखने में एक जैसे लगने वाले खंजरों के फल एक जितने चौड़े नहीं थे, एक फल चौड़ाई में कोई आधा सूत कम था। ये इतना मामूली फर्क था कि बहुत गौर करने पर ही किसी की निगाह में आ सकता था और बहुत गौर करने की किसी ने जरूरत ही न समझी।"

"ठीक!"

"पुलिस ने इस बात को भी नजरअंदाज किया कि अचला तलवार के पास—औरत जात के पास—दो खंजर होने की कोई तुक नहीं थी।"

"एक खंजर होने की ही तुक नहीं थी, मालको! कभी किसने सुना था कि बिंदी, सुर्खी, पाउडर रखने के काम आने वाले बैग में कोई जनानी खंजर रखती हो! फूलन देवी की तो मुझे पता नहीं लेकिन बाकियों के बारे में मैं दावे से कहता हूं कि आतम रक्षा के लिये बैग में खंजर कोई नहीं रखती।"

"ऐग्जैक्टली। फिर इस बात को भी नजरअंदाज किया गया कि क्यों कोई एक कत्ल के लिये दो खंजर इस्तेमाल करेगा! फिर भी करेगा तो एक वक्त में, दोनों हाथों से करेगा! इत्तफाक से कातिल के दोनों हाथों में खंजर हों और क्रोध में पगलाया हुआ वो दोनों हाथों से वार कर बैठा हो, ये हो सकता है लेकिन उस सूरत में लाश में स्टैबिंग वूंड कम से कम दो होने चाहियें।"

"आहो!"

"पुलिस को अपने केस की इन कमियों का अहसास था लेकिन वो उम्मीद कर रहे थे कि जब मुलजिमा का मनोबल पूरी तरह से टूट जाता तो वो ही कोई एक्सप्लेनेशन पेश करती कि मकतूल के ब्लड ग्रुप का खून दोनों खंजरों पर क्यों लगा पाया गया था! वर्ना इतने सबूत से वो राजी थे कि मकतूल की लाश में धंसे पाये गये खंजर पर मुलजिमा की—अचला तलवार की—उंगलियों के स्पष्ट, न झुठलाये जा सकने वाले निशान थे।"

"वो समीर सक्सेना फंसा इसलिये कि ढ़क्कन पर उसकी उंगलियों के निशान पाये गये?"

"और इसलिये कि जैसा खंजर उसने कत्ल में इस्तेमाल किया था, वैसे

पंद्रह दर्जन खंजर तब भी उसकी कार की डिकी में मौजूद थे जिन्हें वो शाहजहां होटल में अपने बायर को डिलीवर करने के लिये अपने शोरूम से रवाना होने लगा था जबकि उसे पुलिस का बुलावा आ गया था। उसके खिलाफ बड़ा सबूत कचरे के ड्रम के ढ़क्कन पर उसके फिंगरप्रिंट्स पाया जाना था, हैडक्वार्टर में जिनकी निर्विवाद शिनाख्त हुई थी और वो उनकी कोई सफाई पेश नहीं कर सका था।"

"वदिया। सिक्के के नोटों से भरे बटुवे की बाबत क्या कहता है जो कि बेबे के पास से बरामद हुआ था?"

"उसमें मौजूद सौ सौ डालर के नोटों ने तो समझो कि समीर सक्सेना के ताबूत में आखिरी कील ठोक दी थी।"

"कैसे समझूं?"

"कत्ल के बाद जब वो खंजर बदलने वापिस फ्लैट पर पहुंचा था तो उसे सूझा था कि अगर मकतूल के पोजेशन में एक बड़ी रकम का होना स्थापित किया जा पाता तो कत्ल का उद्‌देश्य उस रकम को हथियाना माना जा सकता था। और इस सिलसिले में उसका निशाना अचला तलवार थी।"

"वो क्यों?"

"और कौन? दो ही औरतें तो वहां पाई जाती थीं! दूसरी को तो वो अपनी बीवी समझता था क्योंकि डबल के ड्रामे से वो तो वाकिफ नहीं था! उसको उम्मीद थी कि 'उसकी बीवी' की कम्पैनियन बड़ी रकम के लालच में आ सकती थी। उसकी निगाह में तो वो दोनों जहां कहीं भी गयी थीं, वहां से थोड़ी देर में लौट आने वाली थीं और तभी लाश की बरामदी होनी थी और कत्ल की खबर आम होनी थी।"

"तो मरने से पहले सिक्का के पोजेशन में कोई बड़ी रकम थी?"

"नहीं थी। उसके बटुवे में उतने ही रुपये थे—रिपीट, रुपये, डालर नहीं—जितने कि आम हालात में किसी आम आदमी की जेब में एक्सपैक्टिड होते थे।"

"तो बटुवे में डालर कहां से आये?"

"सोचो।"

"बाटम अप कर। नये ड्रिंक्स के साथ सोचता हूं।"

रमाकांत के इशारे पर तत्काल उन्हें नये ड्रिंक्स सर्व हुए।

"उस मनीचेंजर का"—रमाकांत बोला—"शोभित शुक्ला का, जो कि असल में समीर सक्सेना की बीवी का ठोकू निकला—बयान है कि उसने एक ही सीरियल के सौ सौ के वैसे साठ नोट समीर सक्सेना को दिये थे। कहीं सिक्के के बटुवे में पाये गये नोट उन्हीं में से तो नहीं थे!"

"उन्हीं में से थे। तुमने तो कमाल कर दिया!"

रमाकांत शान से हंसा।

"लेकिन, मालको"—फिर बोला—"वो नोट सिक्का के बटुवे में कैसे पहुंच गये?"

"ये भी कोई भी पूछने की बात है! उसी ने पहुंचाये जिसके पास कि वो थे। समीर सक्सेना के पास साठ नोट थे जिसमें से दस उसने कहीं और इस्तेमाल कर लिये थे, वर्ना साठ के साठ सिक्का के बटुवे में पाये जाते।"

"उसने खुद इतनी बड़ी रकम—सौ सौ डालर के पचास नोट, ढ़ाई लाख रुपये—सिक्का के बटुवे में डाली!"

"बिल्कुल! तभी तो रकम का लालच जस्टीफाई होता!"

"बल्ले, भई!"

"उसने सिक्का की लाश की जेब से उसका बटुवा बरामद किया, उसमें मौजूद सारी रकम निकाली, अपने पास मौजूद सौ सौ डालर के पचास नोट उसमें ठूंसे और उसे लाश के करीब फर्श पर फेंक दिया—इस उम्मीद में कि अचला उसे देखेगी तो इतनी बड़ी रकम के लालच में आ कर चुपचाप अपने पास रख लेगी। बाद में बरामदी पर यही समझा जाता कि उसी ने उस रकम के लालच में सिक्का को खंजर घोंपा था, जैसा कि समझा गया।"

"बटुवा उदिता ने देखा होता तो?"

"तो पता नहीं क्या होता? जो हुआ, वो तो प्रत्यक्ष है कि बटुवा अचला ने देखा, उसी ने उठा कर अपने पास रखा और उसकी बाबत किसी को खबर न की।"

"लालच के हवाले हो कर उसने वो सब किया!"

"बड़ी रकम के लालच के हवाले हो कर—बड़ी और सेफ रकम के लालच के हवाले हो कर—क्योंकि बटुवे का मालिक सिक्का तो उसके सामने मरा पड़ा था।"

"ठीक!"

"खंजरों की अदला बदली के सिलसिले में सक्सेना ने जो कुछ किया, उससे उसकी काबिलियत और दूरदर्शिता झलकती थी लेकिन मकतूल के बटुवे में डालर के नोट प्लांट कर ज्यादा होशियार बनने की कोशिश की तो खता खाई। ये न सोचा कि ये बात अस्वाभाविक ही नहीं, नामुमकिन थी कि किसी आम आदमी की जेब में डालर में बड़ी रकम होने के अलावा देसी करंसी में कोई मोटी मोटी रकम भी न हो।"

"ठीक! लेकिन, मोतियांवालयो, समीर सक्सेना के पकड़े जाने की वजह से, अपना गुनाह कुबूल कर लेने की वजह से, वो जनानी कत्ल के इलजाम से ही तो बरी हुई है, बटुवे की चोरी का इलजाम तो उस पर अभी भी लग सकता है। पांच हजार डालर की चोरी का इलजाम!"

"नहीं लग सकता।"

"क्यों?"

"क्योंकि उसने फेंकी हुई चीज उठाई थी। तुम अपनी किसी कीमती चीज

को अपने इस्तेमाल के काबिल न समझो और उसे फेंक दो और उसे कोई दूसरा उठा ले तो क्या वो चोर कहलायेगा?"

"नहीं।"

"क्यों?"

"क्योंकि जब मैंने वो चीज फेंक दी तो वो मेरी तो न रही! तो उसे कोई भी उठा ले जा सकता है...अच्छा! ये बात है?"

"अभी आयी बात वड्डे भापा जी की समझ में।ये 'लॉस्ट एण्ड फाउंड' का, 'खोया पाया' का केस नहीं है जिसमें खोने वाले की आइटम पाने वाले को एक रीजनेबल टाइम में लौटानी होती है, मालिक का पता न लगे तो थाने जमा करानी होती है। न लौटाने की सूरत में पाने वाला चोर कहलाता है। लेकिन मौजूदा केस में सिक्का का बटुवा खोया नहीं था, उसमें मौजूद कोई रकम अगर चोरी हुई थी तो वो समीर सक्सेना ने चुराई थी। उसने बटुवे में मौजूद रुपये निकाल कर उसकी जगह डालर रखे थे और बटुवा फेंक दिया था। यूं फेंकी गयी चीज को, अबंडंड आइटम को, कोई उठा ले तो वो चोर नहीं कहलाता। पांच हजार डालर के नोटों से लैस बटुवे को जब समीर सक्सेना ने बैडरूम के फर्श पर फेंका था तो उस रकम पर उसका कब्जा खारिज हो गया था। ऐसी फेंकी गयी चीज को कोई भी उठा सकता है और अपने अधिकार में ले सकता है। ऐसे शख्स को चोर नहीं कहा जा सकता, उस पर चोरी का इलजाम नहीं लग सकता।"

"यानी बेबे कातिल तो साबित हुई नहीं, चोर भी साबित नहीं हुई!"

"बिल्कुल!"

"और वो रकम?"

"फाइंडर कीपर के नियम के तहत अचला की।"

"ओये! ओये, क्या कह रहा है! चुपड़ी और दो दो!"

"हां।"

"एक तो चोर; दूसरे, माल भी उसी का!"

"हां।"

"इतनी बड़ी रकम उस झूठी जनानी की!"

"हां।"

"तूने उसे फांसी से नहीं तो उम्रकैद से बचाया, आधी तो मांगता!"

"वो तो सारी ही दे रही थी।"

"तूने नहीं ली?"

"मेरा उस पर क्या हक बनता था?"

"ओये, तूने इतनी मेहनत की..."

"'ब्लास्ट' के लिये एक्सक्लूसिव स्टोरी हासिल करने के लिये की जो कि मेरी मेहनत रंग लायी और मुझे हासिल हो गयी।"

"कमला माईंयवा! अक्ल दा अन्ना! नगदऊ दा दुश्मन! सारा नशा उतार दिया।"

"वड्डे भापा जी..."

"गोली वज्जे वड्डे भापा जी नूं...ओये, मेरा मतलब है तैनूं।"

सुनील हंसा।

"हस्सया ई, कंजर!"

सुनील फिर हंसा।

"उस जनानी को भी तो देखो! नकदऊ की बात आई, तूने कहा जाने दो, उसने जाने दिया। मतलबी माईंयवी! नाशुक्री!"

यूं ही बड़बड़ाते रमाकांत ने अपना गिलास खाली किया और नया सिग्रेट सुलगाया।

"ऐदर आ ओये, की नां ए तेरा!"—उसने वेटर को पुकारा।

वेटर लपकता हुआ करीब आया और अदब से बोला—"यस, सर।"

"ओये, ड्रिंक तेरा प्यो लआयेगा?"

"अभी लाया, सर।"

वेटर नये ड्रिंक्स ले कर आया।

तब तक रमाकांत की मिजाज काफी हद तक नार्मल हो चुका था।

"चल"—वो नया जाम उठाता बोला—"शुरू से चियर्स बोल।"

"टु क्राइम!"—सुनील गिलास ऊंचा करता बोला।

"एण्ड कैचिंग आफ क्रिमिनल्स!"—रमाकांत जोश से बोला।

"बाई फेयर मींस आर फाउल!"

"लैट्स ड्रिंक एज लांग ऐज वुई लिव!"

"एण्ड लिव ऐज लांग ऐज वुई ड्रिंक!"

"जब तक जीते रहें, पीते रहें!"

"जब तक पीते रहें, जीते रहें!"

"खसमां नूं खाये नगदऊ!"

"जहन्नुम में जायें दुश्मन!"

"यारां नाल बहारां!"

"मेले मित्तरा दे।"

□ □ □

# राजा पॉकेट बुक्स

## पेश करते हैं

# अनिल मोहन

### के देवराज चौहान सीरीज के 'बबूसा' शृंखला के उपन्यासों पर

# 1,00,000

## रुपयों से अधिक की बम्पर ईनामी प्रतियोगिता!!

---

**पहला ईनाम :** 1 लेपटॉप (डैल 1540)

**दूसरा ईनाम :** पांच विजेताओं को सेमसंग
गैलक्सी मोबाइल **(Galaxy-Y)**

**तृतीय ईनाम :** 10 विजेताओं को एम.पी. 3 प्लेयर
(ट्रान्सेंड **MP300 4 GB**)

**चतुर्थ ईनाम :** 300 विजेताओं को **(12" × 18")**
अनिल मोहन का हस्ताक्षरयुक्त
पोस्टर।

---

इस ईनामी प्रतियोगिता में भाग लेने के लिए आपको क्या करना है, ये बात आप एक बार फिर जान लें। यह ईनामी प्रतियोगिता **अनिल मोहन** के देवराज चौहान सीरीज के **'बबूसा'** शृंखला के उपन्यासों के लिए है। अनिल मोहन का देवराज चौहान सीरीज का **'बबूसा'** शृंखला का प्रथम उपन्यास **'बबूसा'** है और इस उपन्यास से ही यह प्रतियोगिता शुरू हो रही है। जिसमें देवराज चौहान के पूर्व से भी पूर्व जन्म की कहानी शुरू हो चुकी है। कहानी से वास्ता रखते सभी उपन्यासों में से दस प्रश्न पूछे जाएंगे जिनमें से आपको छः का सही जवाब देना है। **'बबूसा'** शृंखला का दूसरा उपन्यास **'बबूसा और राजा देव'** है। आप

अपनी प्रति आज ही अपने शहर के पुस्तक विक्रेता के पास सुरक्षित कराएं।

स्पष्ट है कि सही जवाब कई पाठकों के होंगे। ऐसे में राजा पॉकेट बुक्स के स्टाफ के सामने विशिष्ट लोगों की उपस्थिति में सही जवाब वाले पाठकों के नामों के कूपन 'सील्ड बॉक्स' में डालकर उनमें से 'लक्की ड्रॉ' सिस्टम से विजेताओं के नाम के कूपन निकाले जाएंगे। जैसे कि पहले कूपन पर जिस भाग्यशाली पाठक का नाम होगा, वही पहला भाग्यशाली विजेता घोषित किया जाएगा। इसी प्रकार दूसरे और तीसरे विजेता चुने जाएंगे।

प्रथम, द्वितीय एवं तृतीय ईनाम आपके चहेते लेखक अनिल मोहन द्वारा वितरित किए जाएंगे।

**'राजा पॉकेट बुक्स'** का वादा है कि देवराज चौहान सीरीज के **'बबूसा'** उपन्यासों की श्रृंखला के समाप्त होने पर 60 दिन के भीतर विजेता पाठकों के नामों की घोषणा कर दी जाएगी और अगले 30 दिन में ईनाम वितरित कर दिए जाएंगे। इस प्रतियोगिता में जो भी पाठक हिस्सा लेंगे, उनके नाम-पते, अनिल मोहन के **'बबूसा'** श्रृंखला के अंतिम उपन्यास के बाद के नए उपन्यास में प्रकाशित किए जाएंगे। इस ईनामी प्रतियोगिता में शामिल होने के लिए अब आप तैयार हो जाएं। आप अपनी प्रति अपने शहर के पुस्तक विक्रेताओं के पास आज ही से सुरक्षित करा दें।

## प्रतियोगिता के नियम

1. इस प्रतियोगिता में 10 प्रश्न पूछे जाएंगे। जिनमें से आपको केवल 6 के सही जवाब देने हैं।

2. जैसा कि अनिल मोहन के नए उपन्यास 'मिस्ड कॉल' में घोषित किया जा चुका है कि अनिल मोहन के देवराज चौहान सीरीज की **'बबूसा'** सीरीज की श्रृंखला के हर उपन्यास में एक कूपन छपेगा, इस सीरीज के सभी उपन्यासों में छपे हुए कूपनों को आपको अपने पास संभालकर रखना है। और अंत वाले उपन्यास में छपे कूपन पर इसी सीरीज के सारे कूपन चिपकाकर प्रतियोगिता में छपे प्रश्नों के उत्तरों के साथ किस पते पर भेजना है उसकी जानकारी सीरीज के अंत वाले उपन्यास में दी जाएगी।

3. जिन सही जवाब देने वाले पाठकों को प्रथम, द्वितीय, तृतीय ईनाम नहीं मिलता है उन विजेता पाठकों में से 300 पाठकों को सांत्वना पुरस्कार के रूप में 12" × 18" साइज का अनिल मोहन का हस्ताक्षरयुक्त पोस्टर दिया जाएगा तथा उन्हें अनिल मोहन के उपन्यासों के Brilliant Reader नाम की उपाधि से नवाजा जाएगा। उन 300 विजेताओं के नाम का कूपन भी अनिल मोहन जी के द्वारा ही निकाला जाएगा।

4. जो भी पाठक हमें कूपन भेजेंगे वे ओरिजनल कॉपी होने चाहिए फोटो स्टेट कॉपी स्वीकृत नहीं की जाएगी।

5. प्रतियोगियों से जो सवाल पूछे जाएंगे, वो 'बबूसा' उपन्यासों की शृंखला में से ही पूछे जाएंगे, प्रतियोगिता के प्रश्न 'बबूसा' सीरीज के अंतिम उपन्यास में प्रकाशित किए जाएंगे।

6. इस प्रतियोगिता में **'राजा पॉकेट बुक्स'** का कोई भी कर्मचारी भाग नहीं ले सकता।

7. प्रतियोगिता में भाग लेने वाले पाठकों से विशेष निवेदन है कि वे अपने नाम का कूपन केवल एक ही बार भेजेंगे, एक ही नाम-पते के कई कूपन भेजने पर निर्णायक कमेटी कूपन को निरस्त कर सकती है।

8. प्रत्येक स्थिति में निर्णायक मंडल का निर्णय मान्य होगा।

**विशेष नोट :** घोषित किए गए प्रथम, द्वितीय व तृतीय पुरस्कार यदि किसी कारणवश—मॉडल नम्बर कम्पनी द्वारा बंद किए जाने की स्थिति में अथवा किसी अन्य स्थिति में—उपलब्ध नहीं हुए तो विजेता प्रतियोगियों को प्रथम पुरस्कार लैपटॉप के बदले 30,000 रुपए, द्वितीय पुरस्कार पांच प्रत्येक विजेताओं को गैलेक्सी मोबाइल के बदले 6,500 रुपए व तृतीय पुरस्कार एम.पी.3 प्लेयर के बदले 1,500 रुपए दिए जाएंगे।

अगर आपने अभी तक अनिल मोहन का देवराज चौहान सीरीज का नया उपन्यास 'बबूसा' नहीं पढ़ा है तो आज ही पढ़ें और 100,00 की ईनामी प्रतियोगिता में शामिल हो जाएं। और 'बबूसा' उपन्यास मे छपा पहला कूपन काटकर सुरक्षित कर लें।